세계의 연결자, 최고의 미디어가 된 빅테크 플랫폼

유튜브 백과

youTube

세계의 연결자,
최고의 미디어가 된
빅테크 플랫폼

유튜브
백과

김남훈 지음

추천사

유튜브 채널 기획부터 콘텐츠 제작과 채널 운영까지, 실전에 활용할 수 있는 다양한 노하우를 '백과사전'처럼 담은 유용한 지침서다. 필자는 미디어 현장에서의 오랜 경험을 바탕으로 유튜브가 급부상한 환경 변화부터 생성AI를 접목하면서 변화해 갈 전망까지 통찰력을 곁들여 쉽게 설명해 준다. 아울러, 직접 뉴미디어 제작 스튜디오를 운영하면서 쌓은 생생한 경험담을 녹여낸 알찬 팁과 조언이 가득하다. 유튜버 혹은 콘텐츠 크리에이터에게는 필독서라고 할 수 있다.

The Core 대표 김경달

〈유튜브 백과〉는 이 시대의 가장 강력한 미디어 플랫폼인 유튜브에 대한 포괄적이고 심층적인 이해를 제공하는 필수 지침서다. 단순히 유튜브의 사용법을 넘어서, 미디어 환경의 변화, 콘텐츠 제작의 노하우, 그리고 채널 관리의 전략까지 다루며, 유튜브를 중심으로 한 디지털 미디어의 현재와 미래를 깊이 있게 탐구한다.

이 책은 유튜브를 비즈니스, 교육, 오락의 도구로 활용하려는 모두에게 깊은 통찰력을 제공한다. 유튜브의 기본부터 고급 전략까지 폭넓게 다루며, 독자들이 유튜브를 통해 자신의 목소리를 효과적으로 표현하고, 궁극적으로 성공적인 채널을 구축할 수 있도록 이끌어준다. 유튜브와 디지털 미디어에 관심 있는 모두에게 강력히 추천한다.

한양대학교 ERICA 문화콘텐츠학과 교수 김치호

유튜브는 한국에서 대표 미디어 공간으로 자리잡았다. 크리에이터 수가 폭발적으로 증가하고 매우 다양한 영상 장르가 인기를 얻고 있다. 그러나 유튜브는 여전히 레드오션이 아니다. 새로운 트렌드가 크리에이터에 의해 끝없이 만들어지기 때문이다.

이 책은 유튜브라는 미디어의 특성에 대한 깊이 있는 분석뿐 아니라 유튜브 영상 제작, 채널 운영, 유튜브 알고리즘 등 매우 실용적인 조언을 담고 있다. 유튜브 채널을 시작하려는 시점에 또는 채널을 성장시키고자 할 때 큰 도움이 될 것이다. 이를 위해 저자는 유튜브라는 거대한 생태계를 현미경처럼 분석하고 있다.

전 청와대 디지털소통센터장
현 The Core 미디어 편집인 및 블루닷 인공지능 연구센터장 강정수

차례

━━●━━ 04. 유튜브 채널 운영하기

━━●━━ 부록: 생성 AI로 콘텐츠 만들기

01

미디어 환경,
이제는 유튜브가 메인이다!

10억 시간. 매일 전 세계 시청자들이 유튜브를 즐기는 시간입니다. 약 10만 년 정도 되는 시간으로 인간이 100살까지 산다고 가정해 볼 때 1,000번 정도 환생을 해야 겨우 볼 수 있는 시간이지요. 2024년 1월, 유튜브는 한국인이 가장 많이 사용하는 어플리케이션이 되었습니다. 스마트폰 사용자라면 필수로 사용해 왔던, 카카오톡마저 이긴 것입니다.

구독자 100만 명 이상이면 받을 수 있는 유튜브 골드 버튼을 소유한 한국 크리에이터는 2023년 기준 800명 이상으로 전년 대비 25% 이상 증가한 것으로 알려졌습니다.[1] 과거 100만 명 이상의 크리에이터는 메가 인플루언서라고 불리며 아주 소수의 사람만 인정받았지만, 유튜브 사용량과 더불어 매년 점점 늘어나는 추세입니다.

유튜브는 한국인의 삶 전반에 파고들었습니다. 사람들은 왜 이렇게 엄청난 양의 영상을 만들고 업로드하며, 시청하고, 공유하고, 이를 통해 커뮤니케이션하고 있을까요? 그리고 왜 유튜브의 확장세가 계속 진행되는 걸까요?

---

1) 박재령, "100만 구독 한국 유튜브 채널은 몇 개나 될까," 『미디어오늘』, 2023.09.21. https://www.mediatoday.co.kr/news/articleView.html?idxno=312672

1. 미디어 지형이 바뀌었다

유튜브라는 뉴미디어의 등장

뉴미디어들은 나올 때마다 다양한 영향력을 발휘합니다. 1889년 에디슨이 〈키네토스코프〉라는 최초의 영화 영사 장치를 발명했을 때 그 장비는 그 당시 최고의 뉴미디어가 아니었을까요? 이후 100년이 넘는 시간 동안 신문, 잡지, 라디오, TV, 위성방송 등이 뉴미디어로 자리 잡았습니다. 그리고 1990년대 말 인터넷이 본격적으로 활용되면서 인터넷을 활용한 미디어가 뉴미디어가 되었습니다. 스마트폰을 통한 미디어가 새로운 방식으로 활용되자 전파통신을 이용한 미디어를 뉴미디어로 불렀습니다. 그리고 새로운 기술이나 장비가 발명되고 활용될 때마다 과거에 있던 미디어와 다른 방식의 커뮤니케이션이 이루

분당 업로드 영상 시간
500시간

일간 업로드 영상 시간
88년

어져 왔습니다.

2005년 유튜브가 세상에 등장하고 무선통신 기술이 뒷받침되자 영상을 중심으로 하는 새로운 커뮤니케이션 방식이 등장했습니다. 이 전까지 영상을 만드는 것은 전문가들이나 하는 고급 기술이었습니다. 그러나 스마트폰 보급이 늘어나고, 영상을 쉽게 저장하고 공유하는 기술이 생겨나자, 사람들은 누구나 손쉽게 촬영하고 업로드하며 댓글을 다는 등 놀이로써 영상을 소비하기 시작합니다.

인터넷 트래픽에서 유튜브와 스트리밍 서비스가 차지하는 비율은 압도적으로 높아져 가고 있습니다. 사람들이 일상에서 유튜브, 인스타그램, 페이스북 등의 소셜미디어에 시간을 소비하며 살아가다 보니 과거 4대 매체라고 불리던 TV, 라디오, 신문, 잡지 중심의 레거시 미디어는 힘을 점점 잃어가고 있습니다. 요즘은 영상을 찍으며 업로드하고, 그 영상을 보면서 놀이하고 소통하고 학습하는 등 새로운 영상 중심의 커뮤니케이션 문화가 정착되었습니다.

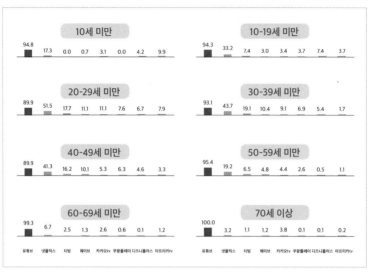

각 연령대의 OTT플랫폼별 이용률(OTT이용자 기준: n=8,487)

(단위: %)

각 연령대의 유튜브 이용률: 10대-94.3%, 20대-89.9%, 30대-93.1%, 40대-91.5%, 50대-95.4%, 60대-99.3%, 70세 이상-100%

유튜브는 어마어마한 데이터트래픽 양을 보여왔습니다. 분당 업로드 시간은 이미 500시간을 넘었고 일간 업로드 영상 시간도 88년이나 됩니다. 이는 몇 년 전의 데이터인데, 지금은 훨씬 더 많은 시간이 업로드되고 스트리밍되고 있을 것입니다.

2023년 정보통신정책연구원(KISDI)의 'OTT 서비스 플랫폼별 이용 행태 비교' 보고서를 보면 우리나라 사람들의 압도적인 유튜브 이용률을 확인할 수 있습니다. 보고서에 따르면 대한민국의 모든 연령대에서 90% 이상이 유튜브를 사용하고 있는 것으로 나타났고, 특히 70대는 100%가 유튜브를 사용하고 있는 것으로 나타났습니다.

사람들의 눈은 온라인으로

기업은 재빠릅니다. 사람들이 어디에 관심이 있는지, 무엇을 보고 생활하는지 항상 고민하며 관련 전략을 세웁니다. 기업들이 사람들의 라이프 스타일을 파악하려는 이유는 그들의 상품을 알리고 기업을 홍보하고 상품을 많이 판매해서 이윤을 남기기 위함입니다. 그 목적을 달성하기 위해 기업들이 어디에 광고를 많이 집행하고 있는지를 보면 사람들의 관심이 어디에 쏠려 있는지를 알 수 있지요.

2018년 국내 모바일과 PC 광고비를 합친 디지털 광고비가 처음으로 방송 광고비를 추월했고,[2] 2019년엔 모바일 광고비가 전체 방송 광고비를 추월한 것으로 조사되었습니다.[3] 과거 TV 중심의 영상 콘텐츠 소비에서 모바일 중심의 디지털 콘텐츠 소비성향으로 바뀐 것은 유튜브를 비롯한 OTT의 약진이 큰 몫을 했습니다.

국내 1위의 광고대행사 제일기획에서 발표한 대한민국 총광고비를 봐도, 기존에 압도적이었던 방송이나 인쇄광고비는 이제 디지털 광고비와 비교해 크게 미치지 못하고 있습니다. 이런 데이터는 사람들의 생활이 온라인 중심으로 이루어지고 있다는 방증입니다.

2) 최민영, "국내 디지털 광고비, 방송광고 추월했다." 『경향비즈』, 2019.02.19. http://biz.khan. co.kr/khan_art_view.html?artid=201902191048001&code=920501
3) 김은경, "모바일로 옮겨간 광고판…지난해 전체 방송 광고비 추월", 『데일리안』, 2020.12.28. https://www.dailian.co.kr/news/view/950139/?sc=Daum

2020~2021년 매체 별 총 광고비							
						(단위: 억 원, %)	
구분	매체	광고비(억 원)			성장률(%)		구성비(%)	
		'20년	'21년	'22년(F)	'21년	'22년(F)	'21년	'22년(F)
방송	지상파 TV	11.613	13.659	14.415	17.6	5.5	9.8	9.4
	라디오	2.181	2.250	2.301	3.2	2.3	1.6	1.5
	케이블/종편	18.916	21.504	22.507	16.7	4.7	15.4	14.7
	IPTV	1.029	1.056	1.085	2.6	2.7	0.7	0.7
	위성, DMB등 기타	1.521	1.533	1.475	0.8	-3.8	1.1	1.0
	방송 계	35.260	40.002	41.783	13.4	4.5	28.6	27.3
인쇄	신문	13.894	14.170	14.350	2.0	1.3	10.1	9.4
	잡지	2.372	2.439	2.488	2.8	2.0	1.7	1.6
	인쇄 계	16.266	16.609	16.838	2.1	1.4	11.9	11.0
디지털	검색형	29.142	36.165	40.560	24.1	12.2	25.9	26.5
	노출형	27.964	38.953	44.661	39.3	14.7	27.8	29.2
	디지털 계	57.106	75.118	85.221	31.5	13.4	53.7	55.8
OOH	옥외	3.378	3.880	4.200	14.9	8.3	2.8	2.7
	극장	601	355	800	-41.0	125.3	0.3	0.5
	교통	3.581	3.926	4.000	9.6	1.9	2.8	2.6
	OOH계	7.560	8.161	9.000	7.9	10.3	5.8	5.9
총계		116.192	139.889	152.842	20.4	9.3	100.0	100.0

출처: 제일기획

소셜미디어 라이프

온라인 시대에 사람들은 스마트폰을 하루 종일 손에서 놓지 않고 통화는 물론 뉴스도 읽고, 음악도 들으며, 일상을 기록하는 등 다양한 콘텐츠를 소비하는 동시에 생산하고 있습니다. 특히 다양한 SNS(Social Network Service, SNS)를 통해 온라인에서 사회적 네트워크를 구축하며 각자의 의견과 생각, 경험, 관점 등을 공유하고 있습니다. 사람들은 페이스북이나 인스타그램 같은 소셜미디어상에 또 다른 '부캐'를 가지고 살아가고 있습니다. 이제 사람들은 소셜미디어에서 단순한 텍스트 이외에 영상으로도 커뮤니케이션합니다.

소셜미디어(Social media)는 온라인 공간에서 자신의 생각이나 의견, 경험 등을 다른 사람들과 공유하기 위해 활용하는 개방적이고 수평적인 미디어입니다. 페이스북, 엑스(트위터), 인스타그램 등 다양한 플랫폼을 지칭하기도 하며, 영상을 활용해 커뮤니케이션하는 유튜브도 소셜미디어 시대를 만들어 가는 중요한 역할을 담당하고 있습니다. 요즘은 짧은 영상을 활용해 틱톡이나 인스타그램의 릴스 등을 이용해 더욱 손쉽게 커뮤니케이션하기도 합니다.

최근 1주일 내 이용한 소셜미디어, 검색포털 순위를 보면 네이버와 유튜브가 각각 91.5%, 85.4%, 그리고 카카오톡이 80% 이상을 보였습니다.[4] 유튜브와 구글, 인스타그램, 엑스(트위터)의 경우 상대적으로 젊은 층의 이용률이 높았으며, 다음과 네이버 밴드는 40~50대의 이용률이 높은 것으로 나타났습니다. 이런 데이터를 보더라도 사람들은 매일 소셜미디어 속에서 살아가고 있다는 걸 알 수 있지요.

세상 모든 것이 소셜미디어로 연결되고 있습니다. 쇼핑, 독서, 정보검색, 예약, 음악감상 등 다양한 콘텐츠 소비가 이루어지며, 소셜미디어 앱으로 친구들과 교류합니다. 이젠 소셜미디어가 없으면 생활이 불편해지는 상황까지 왔습니다.

소셜미디어 강세가 지속되면서 영상 콘텐츠의 강세도 지속되고 있습니다. 미국의 미디어 정보통신 회사 시스코는 2021년 연구에서 전체 온라인 콘텐츠의 82%가 비디오 콘텐츠가 되리라 예측했고 이

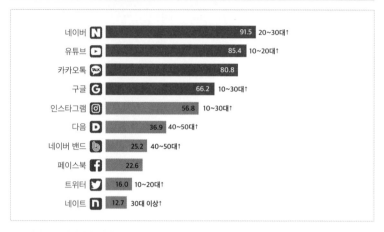

정보검색 인기 플랫폼

네이버	91.5	20~30대↑
유튜브	85.4	10~20대↑
카카오톡	80.8	
구글	66.2	10~30대↑
인스타그램	56.8	10~30대↑
다음	36.9	40~50대↑
네이버 밴드	25.2	40~50대↑
페이스북	22.6	
트위터	16.0	10~20대↑
네이트	12.7	30대 이상↑

오픈서베이 소셜미디어, 검색포털 트렌드 리포트 2023

는 사실로 나타났습니다.[5]

소셜미디어는 초기에 미디어의 기능보단 SNS의 기능으로 사람과 사람을 연결하는 역할을 주로 했습니다. 그러나 시간이 흐르며 점차 자신이 생각하는 글귀, 사진, 동영상을 올리며 이제는 재미있거나 유익하거나 공감이 되는 콘텐츠를 공유하는 장으로도 활용되고 있습니다. 또한 해당 계정의 주인이 누군지도 모르는데도 그 사람이 업로드하는 콘텐츠를 보면서 팔로우하고 친구도 맺으면서 새로운 관계를 맺어나가고 있습니다.

소셜미디어 플랫폼에서 영상 콘텐츠가 유통되기 시작하면서 영

---

4) 오픈서베이 소셜미디어, 검색포털 트렌드 리포트 2023
5) https://influencermarketinghub.com/social-media-trends/

상을 중심으로 미디어의 경계가 없어지고 있습니다. 미디어의 경계가 없어진다는 말은 과거부터 많이 사용됐는데, 보통 미디어 환경변화에 대한 경각심을 높이는 말로 주로 사용 되어왔습니다. 그런데 이제는 실제로 주위에서 체감될 정도로 크게 변화되고 있습니다. OTT의 등장으로 극장을 찾는 인구가 줄고 있으며, 유튜브 채널 무한도전을 보다가 MBC라는 존재를 알았다는 기사까지 나오고 있습니다.

한국에서도 2010년대 중반 이후 소셜미디어 콘텐츠를 기반으로 한 비즈니스의 시도가 있었습니다. 2010년 중반, 〈72초〉나 〈셀레브〉, 〈딩고〉 등의 콘텐츠 기업들이 소셜미디어 플랫폼에서 회자되기 시작했습니다. 새로운 미디어를 갈망하던 사람들과 이들의 콘텐츠에 마음을 연 시청자들은 팬이 되고, 자신의 소셜 플랫폼에서 재미있는 영상을 각자 퍼 나르기 시작했습니다.

MCN(Multi Channel Network) 사업이 시작되면서 소셜미디어상에 콘텐츠 춘추전국 시대가 시작되었지만 아이러니하게도 오래 가지는 못했습니다. 콘텐츠 비즈니스가 오래가지 못한 것은 여러 이유가 있겠지만, 가장 큰 이유 중 하나는 소셜 플랫폼이 공정하게 노출해 주지 않는다는 점에 있었습니다. 알고리즘이 모든 영상을 공평하게 보여주지 않았기 때문이지요. 소셜미디어 플랫폼은 그들의 비즈니스 모델대로 광고비를 받은 콘텐츠를 먼저 보여주기에 바빴고, 그렇게 소셜미디어를 활용한 한국형 콘텐츠 기업들은 인수 합병되거나 폐업의 길을 걸었습니다.

물론, 이런 유산이 모두 없어진 것은 아닙니다. 현재는 콘텐츠를 기반으로 한 〈핑크퐁〉과 연예인들의 IP산업 등으로 연결돼 유튜브를 기반으로 세계로 향한 새로운 비즈니스 모델을 개척해 나가고 있습니다. 이처럼 미디어의 경계를 넘어 소셜미디어상의 콘텐츠가 메인으로 유통되는 시대가 되었습니다. 많은 것들이 변하게 된 것입니다.

레거시 미디어와 MCN 채널

레거시 미디어란 과거에 출시되었거나 개발된 전통 미디어를 이르는데, 일반적으로 TV(지상파, 케이블)·라디오·신문 등이 여기에 해당합니다. 특히 유튜브와 같은 다양한 MCN 채널들이 등장하면서 이와 비교되는 미디어의 총칭으로 사용하기 시작했습니다. 여기서 '레거시'는 '과거의 유산'을 뜻하는 말로 낡은 하드웨어나 소프트웨어를 통틀어 일컬으며 새로운 기술과 대비되는 의미를 가집니다.

MCN 사업은 유튜브 생태계를 기반으로 크게 성장했습니다. 유튜브에서 인기가 높아지고 수익을 내는 채널이 많이 생기자, 이들을 관리 해주는 곳이 필요해졌고 그런 이유로 MCN이 시작된 것이지요. 샌드박스 같은 여러 유튜브 채널이 제휴해 구성된 MCN은 일반적으로 제품, 프로그램 기획, 결제, 교차 프로모션, 파트너 관리, 디지털 저작권 관리, 수익 창출·판매 및 잠재고객 개발 등의 영역을 콘텐츠 제작자에게 지원하는 역할을 맡고 있습니다.

SM이나 YG 등의 연예기획사가 가수를 발굴해 방송 활동을 지원하듯 MCN은 인터넷 유명 크리에이터들의 콘텐츠를 유통하고, 저작권을 관리해 주고, 광고를 유치하는 일을 도와줍니다. 그리고 MCN 소속 창작자는 유튜브나 아프리카TV 같은 온라인 플랫폼에 출연하며 콘텐츠를 생산하고 수익을 창출합니다. 또한 MCN은 일종의 외주 제작사나 주문형 방송사 역할도 합니다. 이렇게 새로운 형태의 콘텐츠 프로바이더와 플랫폼이 생기고 사람들이 기존의 레거시 미디어와 다른 형태의 미디어에 관심이 생기면서 미디어 헤게모니의 중심이 유튜브로 이전되었습니다.

유튜브는 메인이자 최고 인기 플랫폼

이젠 유튜브가 최고의 인기 플랫폼 중 하나임을 누구도 부인하지 않습니다. 국민 다수가 유튜브 앱을 사용하고 있고, 체류하는 시간도 매년 증가하고 있습니다. 주위를 둘러봐도 유튜브 채널을 운영하고 있는 사람들을 흔히 발견할 수 있습니다. 일반인이 아니라, 연예인들도 유튜브를 적극적으로 활용하고 있습니다. 심지어 A급 배우, 스타들도 유튜브에 적극 출연하고 있고, TV나 라디오에는 나오지 않아도 인기 유튜브 채널에는 기꺼이 나오는 스타도 있습니다.

특히 예능 프로그램의 무게중심이 TV에서 유튜브로 옮겨지고 있다는 점에 주목해야 합니다. 유튜브 중심의 영상 콘텐츠 소비 방식 변화에 유명 방송인, 스포츠 스타들까지 잇따라 유튜브 플랫폼으로 옮

겨가는 것이지요. 국민 MC라 불리는 유재석마저 유튜브 채널 '뜬뜬 DdeunDdeun'을 개설했다는 점이 대표적인 예입니다. 이외에 신동엽, 이경규 같이 TV 시대를 주름잡은 방송인마저도 유튜브 채널을 개설하며 유튜브 세계에 발을 들여놓고 있습니다. 이런 상황에서 '방송은 부업'이라는 말이 돌기도 했지요. 그 이유는 PPL을 통해서 수익을 극대화할 수 있기 때문입니다. 또한 김구라, 김종국, 기안84, 지석진, 정재형, 이지혜 등도 유튜브를 통해서 새로운 인기를 얻는 전기를 마련하거나, 팬덤을 더욱 공고하게 만들었습니다.[6]

특히 유튜브에서는 개그맨들의 약진이 뚜렷하게 보입니다. 2020년 대표적인 개그 프로그램이었던 〈개그콘서트〉가 종영된 이후 개그맨들은 생존을 위해 유튜브 무대로 많이 넘어왔습니다. 잘 알려진 개그맨 이외에도 크게 유명하지 않던 개그맨들까지 새로운 유형의 콩트 프로그램을 만들어 올렸죠. 심지어 지금은 개그 방송 경험이 없는 아마추어도 유튜브 채널을 열어 유사한 프로그램을 만들며 서로 경쟁하고 있고 그 결과도 나쁘진 않습니다.

유튜브를 기반으로 하는 크리에이터들은 규모를 키우거나 서로의 합종연횡을 통해 새로운 콘텐츠 생산에 도전해 왔습니다. 아무래도 1인 규모로는 제작에 한계가 있고, 여러 채널에서 회자되면 자연스럽게 홍보도 되는 결과가 만들어지기 때문입니다. 시작은 〈머니게임〉, 〈가짜사나이〉 등 이었고, 빠니보틀의 〈좋좋소〉는 중소기업판 미생으

---

6) 유지희, "방송은 부업, PPL 수익도 나눠" 스타들이 유튜브로 가는 이유 ①", 『일간스포츠』, 2023. 10.06. https://isplus.com/article/view/isp202310040038

2023년 8월 20일. 손흥민도 유튜브 채널 '피식대학'에 출연했다. 사진: 피식대학 유튜브.

로 불리며 큰 인기를 거두고 OTT 채널 '왓챠'에서까지 볼 수 있게 되었습니다. 특히 〈좋좋소〉는 국내 웹드라마 최초로 '칸 국제시리즈 페스티벌'에 공식 초청 받기도 했지요.

최근에는 아예 연예인을 앞세워 PPL과 브랜디드 콘텐츠를 기반으로 새로운 예능 형태의 볼거리가 시도되고 있습니다. 〈노빠꾸 탁재훈〉이나 〈피식대학〉 등 인기가 어느 정도 담보된 출연진을 통해 웹 예능의 다양한 시도가 벌어지는 것입니다. 유튜브에서 번뜩이는 아이디어를 보인 프로그램은 공중파나 케이블에서 포맷이나 아이디어를 차용하는 경향도 있으며, 공중파 프로그램의 패러디나 포맷을 흉내 내어 유튜브에서 더욱 독창적인 모델로 승화시켜 나가기도 합니다.

과거 돈을 받고 출연하던 시대와는 달리, 이제는 홍보를 위해 스스로 돈을 내고 동료 연예인들의 채널에 방문하는 등 개인의 미디어

'좋좋소', 사진: 왓챠

파워에 기대는 시대가 되었습니다. 특히 동영상을 기반으로 한 유튜브의 강세가 아주 뚜렷합니다.

유튜브의 인기가 높아지자 예비 트로트 가수들도 유튜브에서 새로운 콘텐츠들을 선보이고 있습니다. '미스 트롯'과 '미스터 트롯' '불타는 트롯맨' 등 주요 트로트 서바이벌 프로그램이 예비 스타의 등용문으로 자리를 잡으면서, 참가가 불발되었지만 실력 있는 예비 가수들이 채널을 열어 유튜브에 콘텐츠를 올리며 주목을 받기도 합니다. 이렇게 유튜브를 통해 새롭고 다양한 기회가 만들어지고 있습니다.

콘텐츠의 경계가 무너지고 있다

사람들이 소셜미디어에 머무르는 시간이 늘어나고, 영상으로 편하게 소통하면서 콘텐츠 간 경계가 무너졌습니다. 2023년 백상 예술대상 TV 부문 예능 작품상을 받은 것은 TV 프로그램이 아니라, 유튜브 채널 〈피식대학〉의 '피식쇼'였습니다. 과거 백상 예술대상에서 유튜브 콘텐츠가 수상하는 일은 상상도 못 했던 시절이 있었습니다. 하지만 2023년부터 백상 예술대상 예능 작품상의 범위를 넓혀 TV, OTT 플랫폼에서 방송된 예능뿐 아니라 1인 크리에이터들의 웹 예능까지 심사 범위를 확장했습니다.

유튜브 채널을 기존의 레거시 미디어와 연계해서 활용하는 방안도 생겨났습니다. TV와 유튜브를 통틀어 콘텐츠의 세계관을 만들며 플랫폼을 넘나든다고 할까요?

그 대표적인 예가 JTBC의 야구 예능 〈최강야구〉입니다. 〈최강야구〉의 경우 본방송이 나오다가 뒤쪽 중요 부분에서 콘텐츠를 중단합니다. 분량이 넘치다보니 유튜브에서 콘텐츠를 이어가겠다고 이야기하지만, 이것은 마치 드라마의 클리프 행어 부분에서 다음 회차를 유도하는 듯한 방법이며 이를 통해 TV뿐 아니라 다른 플랫폼으로 시청을 유도하기 위함입니다.

〈최강야구〉 콘텐츠에 매료된 팬들은 TV 혹은 OTT로 시청하다다시 유튜브 채널을 찾아 콘텐츠 세계관을 이어서 시청합니다. 〈최강야구〉 콘텐츠가 업로드되는 JTBC 엔터테인먼트 유튜브 채널에는 디

피식대학이 '제59회 백상예술대상'에서 예능 작품상을 수상했다. 사진: 백상예술대상 페이스북

지털용 오리지널 에피소드도 업로드해서 TV 프로그램 팬들을 유튜브로 Lock-In하는 효과를 가져오기도 합니다. TV와 유튜브를 넘나드는 이러한 수고로움을 시청자들은 크게 개의치 않습니다. JTBC 또한 유튜브 채널 유입도 늘릴 수 있다는 이익을 추가로 얻을 수 있습니다. 또한 이렇게 JTBC 유튜브 채널에 접속한 시청자들은 〈최강야구〉뿐 아니라 채널 내의 다른 콘텐츠를 보게 될 가능성도 높아집니다.

이 글을 읽는 독자들 중에는 이러한 편집이 정말 시간이 모자라 넘어간 경우라고 생각할 수도 있습니다. 물론 그럴 수도 있겠지만 제 생각으론 미디어를 넘나드는 세계관을 구축하려는 계획된 시도 같아 보입니다. 그 근거는 유튜브에 올려진 방송 영상의 자막 디자인과 유튜브용으로 제작된 영상 디자인이 미묘하게 다르기 때문입니다. 물론 이것까지 고려해 진행한 시도라고 말할 수는 없습니다. 하지만 플

〈최강야구〉 마지막 장면에 삽입된 자막. 자연스럽게 유튜브 시청을 유도하고 있다. 출처: JTBC

JTBC 유튜브 채널 내 〈최강야구〉 오리지널 콘텐츠.

랫폼을 넘나드는 시도가 좋은 결과를 가져왔기에 유튜브를 넘나드는 콘텐츠 소비를 반복적으로 유도하고 있다고 판단됩니다.

이제 콘텐츠가 재미있으면 플랫폼을 뛰어넘어 서로 경쟁할 수밖에 없는 시대가 왔습니다. 1인 크리에이터의 유튜브 콘텐츠라도 재미있으면 공중파보다 경쟁력 있는 콘텐츠가 되는 것이지요. 그것도 소

[미공개] All☆STAR GAME 프리게임 2 : 번트왕 | < 최강야구 > 비하인드 cam 78

〈최강야구〉의 유튜브 콘텐츠는 방송용 콘텐츠와 자막 디자인이 다르다. 조금 더 간략화되고 간소화된 분위기다. 출처: 〈최강야구〉 유튜브

셜미디어 플랫폼을 통해 24시간 온라인으로 경쟁하는 시대가 되어버

렸습니다.

2. 디지털 네이티브 세대의 시대

저는 초등학생 아이를 키우고 있습니다. 몇 년 전, 출근길에 아이에게 "아빠가 나중에 전화할게."라고 했더니, 아이도 "응, 아빠 전화해." 라고 답하며 손을 쭉 펼쳐 귀에 댑니다. 저는 엄지와 약지를 펼쳐서 손으로 수화기 모습을 흉내 내 귀에 가져다 댔습니다. 하지만, 아이는 그 행동을 이해하지 못하고, 손을 펼쳐서 귀에 대고 말을 했습니다. 아이는 과거 우리가 쓰던 전화기를 본 적이 없고, 태어날 때부터 전화를 할 수 있는 기기가 스마트폰이었기 때문이지요. 심지어 스마트폰은 단순한 전화기가 아니라 인터넷 검색이 가능하고, 유튜브도 볼 수 있는 기기입니다. 이러한 지금의 세대를 우리는 '디지털 네이티브(Digital Native) 세대'라 부릅니다.

태어난 시점부터 자연스럽게 디지털 문화를 경험하고 자라난 이

들을 말합니다. 개인용 컴퓨터, 휴대전화, 인터넷 같은 디지털 환경을 태어나면서부터 경험한 세대입니다. 심지어 이제는 '클릭'이 익숙한 세대가 아니라 '터치'가 익숙한 세대이기도 하지요.

최근 인터넷 커뮤니티에서 흥미로운 포스팅을 발견했습니다. 갓 입사한 신입사원들이 놀라울 정도로 PC를 잘 다루지 못한다는 내용이었습니다.

이 포스팅은 사실 여부를 떠나 과거 선배 세대보다 최근 세대가 상대적으로 PC에 익숙하지 못할 수도 있다는 인사이트를 주었습니다. 그러나 이건 지금 입사하는 세대들의 능력이 부족하다는 의미가 아닙니다. 그저 이들이 마우스와 키보드보다 터치에 기반한 UI(User Interface)에 더 익숙하다는 의미입니다.

이와 유사한 사례를 담은 실제 기사도 있습니다. 기사 내용은 PC 포비아에 대한 것으로 중학생도, 대학생도 PC를 사용할 줄 모르는 사람이 늘어 이메일도 못 쓰는 사람이 있다는 것이었습니다.[7] 파워포

---

7) 안하늘, "이메일로 어떻게 제출해요?" 중학생도, 대학생도 PC가 무섭다. [PC포비아]", 『한국일보』, 2023.09.16. https://www.hankookilbo.com/News/Read/A2023090414340000560?

인트를 잘 못 다루는 경우도 있는데, 어려서부터 모바일만 접하고 학교에서도 PC 교육이 사라졌기 때문이라는 기사였습니다.

다시 저희 아이 이야기를 하자면, 아이는 걸음마를 떼고 뽀로로를 보던 시절부터 TV 모니터만 보면 무조건 터치하려고 했습니다. 스마트폰처럼 일단 손으로 눌러보는 것이지요. 그리고 어느 시점부턴지 유튜브를 볼 때 유료 광고를 넘기기 위해 스킵 버튼 터치를 준비하고 있었습니다. 본능적으로 콘텐츠를 볼 때 광고를 피하는 방법을 체득하고 학습했던 것입니다. 이처럼 지금의 어린 세대는 태어나면서부터 디지털 환경에 최적화된 상태로 적응하여 자라고 있습니다.

과거 한 고등학교에서 미래직업교육을 진행한 적이 있었습니다. 교육을 마치고 집에 가는데 학생들이 휴대폰을 꺼내 친구들과 통화하는 모습을 보게 되었습니다. 기성세대들은 전화를 하면 얼굴이 드러나지 않게 음성통화만 시도하는데, 학생들은 페이스타임이나 카카오톡 영상통화로 얼굴을 바로 보면서 통화를 하고 있었습니다.

"어디야? 내가 그쪽으로 바로 갈게."

"끊지마~."

전화를 끊지도 않고, 영상통화를 켜놓은 상태로 친구에게 다가가는 학생들. 비단 한두 명이 아니라 다수가 이렇게 행동하는 모습에 개인적으로 충격을 받았습니다. 카메라에 자신의 모습이 촬영되는 것을 두려워하지 않는 학생들. 그리고 영상을 부담스러워하지 않고 자연 그대로 받아들이는 학생들까지. 기존 세대와 많은 것들이 달라져 있었습니다. 그 학교는 초등학교와 사이에 담을 하나 두고 있었는데 많은 초등학생들이 셀카봉을 들고 라이브 방송을 하며 하교하고 있었습니다. 당시 아프리카TV가 유행하고 장래 직업 희망 순위로 유튜브 크리에이터가 상위권에 있었습니다. 하지만 그렇다고 하더라도 한두 명이 아니라 정말 많은 학생들이 스마트폰을 보면서 이야기를 하고 녹화 혹은 라이브를 진행하는 모습은 매우 놀라운 광경이었습니다.

최근에도 강남역 같은 중심지에 가면 라이브 방송을 진행하는 청년들을 쉽게 발견할 수 있습니다. 얼굴을 드러내는 것을 두려워했던 과거 세대와는 달리, 자신의 얼굴을 드러내며 커뮤니케이션하는 것을 두려워하지 않는 디지털 네이티브(Digital Native) 시대가 다가온 것입니다.

유튜브에 빠진 대한민국

대한민국이 유튜브에 빠졌습니다. 이젠 너무나 당연한 말이 되어 버렸고 그 누구도 부정하지 않을 것입니다. 어디를 가도 쉽게 유튜버를 만날 수 있는 시대입니다. 번화가 길거리를 보면 실시간 라이브 방송을 하는 사람을 종종 만날 수 있고, 고프로나 카메라, 스마트폰 등으로 촬영하는 사람들을 언제든지 만날 수 있습니다. 또한 주위를 둘러봐도 유튜브 채널을 만들어 본 사람이 많습니다.

남녀노소를 가리지 않고 유튜버가 되고 있습니다. 기존의 팬들을 기반으로 쉽게 구독자를 확보할 수 있어 유명인들도 유튜버로 진출하고 있습니다. 정치인, 예술인 등 이름이 알려진 사람들도 마찬가지입니다. 일반인 유튜버들도 많은데 의학, 요리, 예능, 음식, 키즈, 먹방, 기술 등 자신의 재능을 살려 만드는 것이 일반적입니다.

최근에는 예능인들의 유튜브 진출이 활발합니다. 유튜브에서 임의로 영상에 삽입하는 단순 광고 수입 이외에도, 협찬을 받아 직접 제작한 영상에서 광고를 진행하는 방식이 기존 수입을 능가하기 때문입니다. 특히 예능인들은 공중파 출연료 이상의 수입을 만들 수도 있습니다.

일반인들도 유튜브를 적극적으로 활용하고 있습니다. 학생들은 모르는 것이 생기면 유튜브에서 검색해 궁금증을 해결합니다. 주부들도 요리, 청소 등 모든 노하우를 코칭 받는다고 할 정도로 유튜브는 일상생활 곳곳에 이미 가까이 자리 잡고 있습니다. 과거에는 블로그와 같은 텍스트와 이미지 기반의 콘텐츠에서 정보를 얻었다면 이제는 동영상으로 정보를 얻는 것이지요.

기존의 수동적 시청에서 벗어나 댓글이나 의견 제시 등 상호작용을 할 수 있는 요소들도 유튜브의 인기에 큰 도움이 되었습니다. 그리고 이러한 커뮤니케이션은 단순하게 유튜브를 단순히 시청의 도구로만 활용하게 두지 않았습니다.

이제 유튜브 시청자들은 취향에 따라 나만의 스타를 찾고, 이들과 같이 채널을 만들어 갑니다. 연예인들은 공중파나 케이블 등 제도권에서 벗어나 독자적인 영역을 구축하고 굿즈를 팔고 멤버십 가입을 통해 많은 수익을 올리고 있습니다. 구독자를 기반으로 한 이러한 시스템은 인기 유튜버들을 억대의 수입을 버는 존재로 만들어 주었고, 너도나도 콘텐츠 제작자로 참여하게 된 유튜브는 결국 세계 최대의 비디오 공유 플랫폼이 되었습니다.

최근에는 유명 유튜버들이 연이어 자살을 선택하며 사회적 문제로 대두되기도 했습니다. 심지어 한 유튜버는 유서 작성과 극단적 선택을 하는 과정을 실시간 생중계하기도 했습니다. 아주 슬픈 이야기지만 그만큼 유튜브가 얼마나 우리 생활에 깊게 들어와 있는지를 보여주는 하나의 증거라고 하겠습니다.

유튜브 구독자와 사용 시간은 매년 증가한다

유튜브에서 밝힌 자료를 보면 2022년 1월 기준으로 매일 시청자들이 유튜브를 즐기는 시간은 7억 시간이고 전 세계적으로 20억 명이 넘는 시청자를 보유하고 있다고 합니다.[8] 매년 골드버튼과 실버버튼을 가진 크리에이터들이 늘어나고 있으며 특히 한국 유튜브 생태계는 괄목할 만한 성장을 보이고 있습니다. 2021년 말 기준, 국내에 1백만 명 이상의 구독자를 보유한 채널은 700개 이상 존재하며, 10만 명 이상의 구독자를 보유한 채널도 7,000개를 넘었습니다.

매년 유튜브 채널 구독자 수가 늘어가고 있는 만큼 한국에서의 유튜브 이용률은 실로 엄청납니다. 이에 따라 채널을 개설하고 수익화를 시도하는 사람들도 많습니다. 지난 2021년 기사를 보면 광고 수익을 내는 국내 유튜브 채널은 인구 529명당 1개 꼴로 사실상 세계 1위를 기록했습니다.[9] 이 숫자는 미국, 인도 보다 많은 숫자로 세계 어느 나라보다 국내 유튜브 시장에서 대박을 꿈꾸는 사람들이 많다는 의미이기도 합니다.

유튜브 이용률도 전 세대에 걸쳐 높은 수치를 보이고 있습니다. 2023년 정보통신정책연구원(KISDI)이 발표한 'OTT 서비스 플랫폼별 이용 행태 비교' 보고서를 보면 대한민국 전 세대의 90% 이상이 유튜브를 이용하고 있는 것으로 나타났습니다. 즉 10명 중 9명 이상이 유튜브를 이용하고 있는 것입니다. 특히 70대 이상은 100%의 이용률을 보였으며 60대는 99.3%의 이용률을, 50대는 95.4%의 이용률을 보였습니다. 유튜브 이용률이 가장 낮은 세대는 20대의 89.9%로 이쯤 되면 대한민국 모든 국민이 유튜브를 사용하고 있다고 해도 과언이 아니지요.

정보통신정책연구원(KISDI)은 유튜브 이용률을 조사하면서 고령층의 유료 구독 OTT 이용률도 함께 조사했는데, 70세 이상은 유튜브 이외의 다른 플랫폼 이용량이 미미했습니다. 넷플릭스(3.2%), 티빙(1.1%), 웨이브(1.2%), 카카오TV(3.8%), 쿠팡플레이(0.1%), 디즈니플러스(0.1%), 아프리카TV(0.2%)는 모두 낮은 수치를 기록했습니다. 이런 결과

---

8) https://youtube-kr.googleblog.com/2022/06/the-future-of-interactivity-in-the-living-room.html
9) 이동우, "[단독]국민 529명당 1명이 유튜버…세계 1위 '유튜브 공화국'", 『머니투데이』, 2021. 02.14. https://news.mt.co.kr/mtview.php?no=2021021311274021985

는 콘텐츠를 소비하는 데 있어 추가적인 비용 지불 의사가 없기 때문이며, 이에 유튜브를 적극적으로 이용하는 상황이 발생되었다고 보입니다.

또 다른 조사에선 최근 1년간 한국인이 가장 많이 이용한 디지털 콘텐츠가 유튜브, OTT 서비스 등과 같은 동영상 기반 서비스인 것으로 조사됐습니다.[10] 반면 종이 신문, 종이책 등 텍스트 콘텐츠 소비는 부진을 면치 못하고 있습니다. 최근 1년 내 이용한 SNS 플랫폼을 묻는 질문에 유튜브라는 응답은 91%로 타 플랫폼에 비해 압도적으로 높았습니다. 네이버 밴드 43%, 인스타그램 36%, 카카오스토리 33%, 페이스북 32%, 트위터 15%, 틱톡 14% 순으로 그 다음을 잇고 있습니다.

국내 인터넷 이용자들은 유튜브 의존도가 아주 높게 나타났습니다. 모바일인덱스에 따르면 국내 이용자들이 모바일로 유튜브를 사용한 총시간은 약 15억 3,000만 시간으로 집계됐습니다.[11] 이는 카카오톡(약 5억 2,000만 시간), 네이버(약 3억 5,000만 시간)에 비해 3~4배나 높은 수치입니다.

특히 스마트폰 중심의 커뮤니케이션이 일상이 되고 있어 유튜브 앱 사용량도 압도적입니다. 2023년 한국 스마트폰 사용자들을 대상으로 한 조사에서 유튜브는 가장 오래 사용한 모바일 앱 순위 1위로 밝혀졌습니다.[12] 앱 사용 시간이 많은 순서로는 유튜브, 카카오톡, 네이버, 인스타그램, 틱톡 순입니다. 2023년 10월 유튜브 사용 시간은 1,044억 분으로 지난 3년 동안 약 1.6배 증가했습니다. 특히 유튜브 앱 사용 시간은 카카오톡 보다 약 3배, 네이버 보다 약 5배나 많았습니다. 유튜브 사용 시간이 빠르게 증가하며 유튜브와 카카오톡, 네이버의 사용 시간 격차가 매년 커지고 있는 것이죠.

유튜브의 숏폼 콘텐츠 '쇼츠(Shorts)'의 성장세도 무섭습니다. 2023년 6월 구글은 월간 쇼츠 이용자가 20억 명을 돌파했다고 밝혔습니다. 이는 틱톡이나 인스타그램 릴스 같은 숏폼 플랫폼 경쟁사보다 우위에 있는 것이고, 지난해 구글의 월간 이용자 수(15억 명)보다 25% 많은 수치입니다. 한편 숏폼 플랫폼의 선두 주자인 틱톡은 지난해 월간 이용자 수 16억 명을 기록했습니다. 구글은 2023년 2분기 이를 상회하는 기록을 세우며 틱톡을 추격했습니다. 이처럼 유튜브 쇼츠의 성장세가 뚜렷하게 나타나면서 광고 수익 역시 증가했습니다.

음원 스트리밍 분야에서도 유튜브의 약진이 눈부십니다. 국내 음원 시장에서 유튜브 뮤직의 영향력이 갈수록 확대되며 토종 음원 업체들이 생존을 위해 다각적인 방안을 모색하고 있습니다.[13] 유튜브 뮤직이 음원 분야에서 성장하는 이유는 유튜브 프리미엄을 구독하면 유튜브 뮤직을 무료로 이용할 수 있기 때문입니다. 게다가 국내 플랫폼에 없는 음원도 많이 보유하고 있어 더욱 경쟁력을 갖습니다. 2023년 12월, 유튜브 뮤직이 처음으로 국내 음원 플랫폼 최강자의 위치를

10) 고성욱, "최근 1년 한국인 90% 유튜브 이용", 『미디어스』, 2022.09.21. https://www.mediaus.co.kr/news/articleView.html?idxno=301497

11) 임수빈, "유튜브 시청기록 껐더니…'왜 영상추천 안 해주나' vs '광고 안봐도 돼'", 『파이낸셜뉴스』, 2023.08.21. https://www.fnnews.com/news/202308201532051909

12) 채성숙, "한국인 유튜브 사용시간 1,044억 분, 네카오와 격차 더 커져", 『매드타임즈』, 2023.11.15. https://www.madtimes.org/news/articleView.html?idxno=19162

13) 임수빈, "韓음원시장 심키는 유튜브 뮤직… 토종업체 생존전략 고심", 『파이낸셜뉴스』, 2023.09.14. https://www.fnnews.com/news/202309141848049969

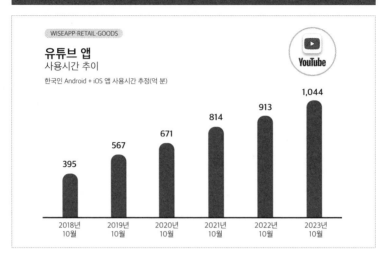

출처: 매드타임즈

출처: 모바일인덱스

차지했던 멜론을 넘어 1위를 차지했고, 그 성장세가 계속되고 있습니다. 이처럼 유튜브의 승승장구는 매년 계속되고 있습니다.

디지털 리터러시(digital literacy)

이제는 영상으로 커뮤니케이션하는 시대입니다. 영상통화는 더 이상 어려운 일이 아니며, 기존 세대들도 코로나를 거치며 줌(zoom) 같은 영상 기반의 커뮤니케이션 프로그램을 다수 사용해 봤고 화상을 통해 대화하는 것에 익숙해지는 모양새입니다. 그러다 보니 글보다 영상을 통해 이해하는 것이 익숙해지면서 문해력이 과거 대비 떨어지고 있지 않냐는 걱정이 높아지고 있습니다.

2021년 한국교원단체총연합회가 전국 초중고교 교사 1,152명을 대상으로 조사한 결과, 응답자 10명 중 4명이 "학생들의 문해력 수준이 70점대에 불과하다."라고 답했습니다. 60점대라고 답한 교사도 35.1%, 59점 미만이라고 답한 교사도 9.4%였습니다. 문해력 수준이 낮은 이유로는 '유튜브 같은 영상 매체에 익숙해서(73%)'를 꼽았습니다.

문해력은 보통 글을 읽고 이해하는 능력을 일컫습니다. 그러나 그 의미는 시대 흐름에 따라 끊임없이 변해왔고, 디지털 시대를 맞아 새롭게 디지털 리터러시(digital literacy) 영역이 이야기되고 있습니다. 디지털 리터러시는 디지털 플랫폼의 다양한 미디어를 접하면서 명확한 정보를 찾고, 평가하고, 조합하는 개인의 능력을 말합니다. 이는 디지털 시대에 필수적으로 요구되는 정보 이해 및 표현 능력입니다.

아동부터 노인까지 디지털 리터러시 교육이 필요한 이유는 비대면의 일상화로 인한 디지털 매체 기반의 소통이 증가했기 때문입니다. 온라인상의 소통이 삶의 중요한 부분을 차지하게 되면서 인터넷상의 수많은 정보들 가운데 올바른 정보와 틀린 정보를 판단하고 비판적으로 수용할 능력이 필요해진 것입니다.

이런 디지털 리터러시 능력은 유튜브 이용에도 필요합니다. 유튜브에는 동일 주제에도 수많은 콘텐츠가 산적해 있으며 이 가운데에는 검증되지 않은 가짜 뉴스도 다수 존재하기 때문입니다. 게다가 최근에는 생성 AI 활용이 증가함에 따라 콘텐츠 개수가 기하급수적으로 증가하는 실정입니다. 이러한 환경에서 사용자들은 디지털 리터러시 교육을 통해 올바른 정보를 가려낼 수 있는 능력을 키워야 합니다.

지금은 영상으로 커뮤니케이션하는 시대

"같이 (영상으로)공부해요~!"

MZ세대를 중심으로 '스터디윗미'라는 단어가 널리 퍼져있습니다. 'Study with me'는 유튜브를 통해 비대면으로 불특정 다수와 함께 공부하는 방법입니다. 유튜브 탐색 창에 '스터디윗미'를 쳐보면 지금도 실시간으로 함께 공부하는 콘텐츠를 여러 개 발견할 수 있습니다. 일반적으로 본인이 공부하는 모습을 실시간으로 생중계하며 같이

유튜브에서 검색되는 수많은 '스터디윗미' 콘텐츠

공부하는 콘텐츠입니다.

공부하는 모습은 전체가 나올 수도 있고, 손이나 노트 등 일부만 보여줄 수도 있습니다. 음악을 배경에 깔아두고 백색소음을 들으며 공부하는 것이 일반적입니다. 이를 보는 시청자들은 동기부여를 받으며 함께 공부한다는 데 그 의미를 둡니다.

'스터디윗미'와 함께 '미라클 모닝'도 MZ세대에서 자주 사용하는 말입니다. '미라클 모닝'이란 2016년 발간된 동명의 책에서 나온 개념으로 일과가 시작되기 전 이른 새벽에 일어나 누구의 방해도 받지 않고 기도나 명상, 공부, 운동 등을 하는 것을 말합니다. 이런 현상은 모닝 루틴, 모닝 리추얼(ritual) 등 다른 이름으로 불리기도 합니다.

실시간으로 훈련 영상을 보여주는 〈최강야구〉 콘텐츠

　미라클 모닝에 동참하는 사람들은 자신의 소셜미디어에 인증하기도 하는데, 유튜브상에는 이런 과정을 함께하려는 사람들이 많습니다. '스터디윗미'처럼 미라클 모닝 활동도 유튜브 라이브로 중계하는데, 이것 또한 동기부여를 받으며 함께 실천해 나간다는 것에 의미가 있습니다.

　사람들은 이제 유튜브 같은 영상 플랫폼을 통해 세상을 바라보고 있습니다. 코로나로 인해 온라인 화상회의도 그리 어색한 일이 아니게 되었고, 공중파 방송국들도 각자의 유튜브 채널을 만들어 다양한 콘텐츠를 만들어 냅니다. 단신으로 취급될 유명인의 입국 소식을 실시간으로 보여준다든지, 이슈가 될 만한 정치인들의 발언을 처음부터 길게 보여준다든지, 편집과 설명 없이 보여주는데 유튜브 채널을 활용하기도 합니다. 이런 식의 유튜브 실시간 스트리밍을 보는 사람들도 실시간으로 채팅하며 소통하는 것에 어느덧 익숙해졌습니다.

　예능 콘텐츠에서도 스트리밍을 활용한 시도가 나타나고 있습니다. JTBC 엔터테인먼트 유튜브 채널에선 〈최강야구〉 실시간 훈련 영상을 편집이나 자막 없이 그냥 송출하기도 합니다. 별 내용도 없고 카메라만 켜져 있는데 구독자들은 그 영상을 보며 댓글로 소통합니다. 이런 시도는 〈최강야구〉 시청자들의 결속력을 다지고 프로그램에 대한 흥미를 더 끌어올리는 기능을 하기도 합니다.

〈최강야구〉라는 프로그램의 팬들은 현실에서 각자 먼 위치에 있으나, 이런 영상을 통해 서로 네트워크로 이어져 있음을 느끼게 됩니다. 새로운 기술에 따른 새로운 커뮤니케이션 방식이 이뤄지는 것이지요.

이제 유튜브는 TV 속으로

TV의 위상이 달라지고 있습니다. 지금까지 사람들은 거실에 큰 화면의 TV를 두고 생활했습니다. 어찌 보면 TV는 거실의 중심 가구로 위치하며 사람들에게 메인 미디어로 기능해 왔다고 볼 수 있습니다. 하지만 이제는 스마트폰 같은 개인 기기의 활성화로 개별 취향에 맞는 콘텐츠를 각자의 방에서 볼 수 있는 시대로 변했습니다. 그러다 보니 이제 TV는 그저 편한 자세로 시청할 수 있는 매체가 되었지요.

그런데 시청환경이 편할수록 여러 미디어들 중에서 주도적으로 사용될 확률이 커집니다. TV가 가지고 있는 큰 화면은 시청환경의 몰입도를 높여줍니다. 게다가 최근 10년간 TV의 기술은 비약적으로 발전했습니다. 이제는 단순 영상만 송출하는 것이 아니라 스마트 TV가 되어 동영상 파일 재생이나 OTT 스트리밍 서비스도 지원됩니다.

때문에 거실에서는 커다란 TV 화면을 선점하려는 콘텐츠 전쟁이 벌어지고 있습니다. 이에 유튜브마저 전력으로 거실을 점령하기 위해 발 벗고 나섰습니다. 지난 2010년에 TV 시청용 앱을 출시하고, 지속적으로 개선해 왔죠. 이에 2022년 1월 기준 TV를 통한 전 세계 유튜브 시청 시간은 하루 평균 7억 시간을 넘어섰습니다.

유튜브는 모바일 시청자가 콘텐츠에 '좋아요'를 누르고 댓글을 남기는 소통방식을 넘어, TV 시청 때도 앱을 통해 유튜브 플랫폼에서의 소통을 이어 나갈 수 있게 진화했습니다. 이제 TV 자체의 유튜브 앱을 통해 구독을 누르고, 탐색하고, 스마트폰으로 보던 콘텐츠를 TV에서 이어 시청할 수 있습니다. 유튜브는 TV나 스마트폰 등 디바이스를 뛰어넘어 커뮤니티를 끈끈하게 이어가는 방법을 계속 발전시키고 있습니다.

3. 유튜브의 사명

유튜브는 동영상을 통해 형성되는 연대와 유대감을 강조합니다. 이는 영상으로 커뮤니케이션하는 사람들의 행태와 일치하고, 결국 유튜브의 사명과 본질에 일치합니다. 유튜브는 유튜브 페이지를 통해 '평범한 사람들이 자신의 목소리를 낼 수 있게 돕고 더 큰 세상과 만나게 하는 것을 사명으로 한다.'라고 밝혔습니다. 또한 유튜브는 '모든 사람이 마땅히 자신의 이야기에 귀를 기울이며 의견을 나누고 커뮤니티를 형성할 때 세상이 더 나아진다고 믿습니다.'라고 공개했는데, 유튜브 크리에이터들은 '커뮤니티 형성'이라는 내용에 주목할 필요가 있습니다.

유튜브는 커뮤니티를 형성하기 위해 플랫폼에 다양한 장치들을 마련해 두었습니다. 이는 알고리즘에도 영향을 미칠 수 있는데 유튜브는 최근까지 이를 바탕으로 교육에 관련된 콘텐츠를 적극적으로 후원하고 있습니다. 유튜브 크리에이터 입장에서도 커뮤니티를 잘 활용하면 새로운 기회를 얻을 수 있습니다. '커뮤니티를 이로운 방향으로 만드는 유익한 콘텐츠를 만들어라. 그리하면 앞으로도 더욱 발전할 기회를 얻을 수 있을 것이다.'라는 의미를 담고 있는 것입니다.

유튜브는 커뮤니케이션 툴이다

유튜브는 동영상 플랫폼으로 출발했습니다. 최초 유튜브의 철학은 영상을 쉽게 아카이빙하고 스트리밍하는데 목적이 있었을 것입니다. 하지만 SNS가 나오고 소셜미디어의 기능들을 유튜브가 도입하면서 동영상 플랫폼으로 출발했던 유튜브를 한마디로 정의하기 어려워졌습니다. 스스로 진화하고 이용자들에 의해 활용도가 확장되고 있기 때문이지요.

제 관점에서 보면 유튜브는 SNS이자 OTT입니다. 미국의 여론조사기관 퓨리서치는 SNS 실태 조사를 하며 페이스북, 트위터, 인스타그램 등과 함께 유튜브를 대상에 포함시켰습니다.[14] 유튜브가 동영상 공유, 콘텐츠 크리에이터 기반의 커뮤니티 운영, 좋아요(Like) 중심의 콘텐츠 배열 등의 기능을 하기 때문에 SNS로 분류할 수밖에 없다는 것이 이유였습니다.

또한 시장조사업체 오픈서베이가 2018년 국내 20대 이상 남녀

500명에게 '주로 쓰는 SNS가 무엇인가?'를 물은 조사에서도 유튜브가 27.6%로 가장 높은 비율을 차지한 바 있습니다. 유튜브가 단순히 영상을 보는 플랫폼에서 SNS 채널이 된 데에는 기본적으로 콘텐츠 생산자와 시청자가 쌍방향으로 소통하는 기능을 가지고 있기 때문이 큽니다.

유튜브는 당연히 OTT 중의 하나입니다. OTT는 안테나로 수신하는 지상파 방송, 셋톱 박스에 케이블을 연결하여 시청하는 케이블 TV가 아니라 인터넷으로 영화, 방송, 음악 등 각종 디지털 콘텐츠를 수신하는 방식입니다. 유튜브도 인터넷으로 디지털 콘텐츠를 유통합니다. 그러므로 결국 유튜브는 SNS이자 OTT라 이야기할 수 있는 것이지요.

유튜브 사용량은 매시간 증가하고, 그 속도는 너무나 압도적입니다. 대한민국 국민 모두 유튜브라는 플랫폼에서 많은 시간을 소비한다고 해도 과언이 아닙니다. 일반적으로 유튜브는 영상 시청 용도로 사용되지만, 한 조사에 따르면 소비자들은 정보를 찾기 위한 검색 기능으로 유튜브를 많이 활용하며 최근 1년간 이러한 경향은 더욱 증가했습니다.[15]

14) 조성미, "[빨간창 탐구 ②] 유튜브는 OOO다", 『더피알』, 2018.09.21. https://www.the-pr.co.kr/news/articleView.html?idxno=41039
15) 박수지, "정보탐색 인기 플랫폼, 네이비·유튜브·기톡·구글 순...인스디 약진", 『불만닷컴』, 2023.03.10. https://www.bulmanzero.com/news/articleView.html?idxno=41619

점점 늘어나는 1인 미디어

1인 미디어는 개인 혼자서 글·사진·영상 등 콘텐츠를 기획해 제작하고 유통시켜 대중에게 내보이는 서비스를 말합니다. 이는 전문 기술과 많은 사람의 협력 없이도 콘텐츠를 만들 수 있음을 의미합니다. 콘텐츠 제작과 공유에 전문성을 요구하지 않기에 몇 개의 언론과 방송으로 제한되던 과거보다 다양한 채널이 형성된다는 특징을 가집니다.

최근 1인 미디어의 발달로 유튜브뿐 아니라 블로그와 SNS를 통해서도 빠른 속도로 정보가 공유되고 이로 인한 여론이 형성되고 있습니다. 인터넷 대중화에 힘입어 사회 곳곳에서 조금씩 영향력을 키워왔던 개인들이 미디어 영역에서도 목소리를 높이게 된 것입니다. 이제는 누구나 정보를 공유할 수 있는 송신자 겸 수신자의 형태로 진화하게 되었다는 말이지요.

1인 미디어란 용어가 흔히 사용된 이면에는 기술의 발달이 큰 역할을 했습니다. 그리고 그 중심에는 스마트폰이 있습니다. 어디서든 데이터에 접속할 수 있는 유비쿼터스 환경도 여기에 한 몫을 했지요. 한국에서는 2010년대 후반부터 콘텐츠를 다운로드해서 시청하기보다는 실시간 스트리밍으로 즐기는 빈도가 늘어나기 시작했습니다.

하지만 장비가 발달해도 결국 영상작업이란 사람이 관여되어야 합니다. 동물이든, 사람이든, 장면이든 누군가는 카메라 앞에 서야 합니다. 그리고 더 좋은 퀄리티를 위해서 성우의 도움을 받기도 하고, 후반 편집에서도 고급 기술은 전문가의 역할이 됩니다. 하지만 영상 제작에 관련된 기술이 발달함에 따라 이와 같은 작업이 혼자서도 가능하게 되었습니다. 카메라의 자동초점기능의 발달로 고성능 카메라가 아니라도 안정적인 촬영이 가능해졌습니다. 나영석 피디의 채널 〈십오야〉의 일부 유튜브용 콘텐츠는 스마트폰만으로 촬영했을 정도입니다.

과거 영상 제작 부분에서 아마추어들이 가장 어려웠던 부분은 그래픽 부분이었습니다. 하지만 모션그래픽 같은 디자인 프로그램들이 과거보다 많이 활용되고 있고, 디자인 표준화를 만든 템플릿 등으로 사용자들이 쉽게 그래픽을 만들고 있습니다.

〈미스터 비스트〉와 〈퓨디파이〉

몇 년 전까지 1인 미디어를 언급하면 〈퓨디파이〉를 빼고 이야기할 수 없었습니다. 그만큼 유튜브 크리에이터의 시조새 같은 격이지요. 〈퓨디파이〉는 유튜브 유명 밈, 게임 리뷰 채널로 주로 공포 게임과 액션 게임을 다루는데, 전 세계에서는 2번째, 개인 유튜버로는 최초로 구독자 수 1억 명을 달성했습니다. 하지만 2022년 〈미스터 비스트〉가 〈퓨디파이〉를 꺾고 개인으로는 가장 많은 구독자(1억 2300만 명)를 보유한 유튜버가 되었고, 2023년 유튜브 구독자 2억 명을 달성하며 명실상부 세계에서 가장 인기 많은 유튜버가 되었습니다. 구독자 2억 명은 개인 유튜브 채널 중 처음으로 달성한 기록입니다.

〈미스터 비스트〉는 미국의 유튜버 지미 도널드슨이 만든 유튜브

〈미스터 비스트〉의 오징어 게임 실사판 콘텐츠

채널입니다. 〈미스터 비스트〉의 성장은 유튜브 플랫폼에서 큰 의미를 가지는데, 실제 개인이 기획한 콘텐츠가 방송사 콘텐츠와 경쟁할 정도의 파워를 가지게 되었기 때문입니다. 〈퓨디파이〉 채널이 게임이나 개인 방송 차원의 콘텐츠를 만들었다면, 〈미스터 비스트〉는 규모가 큰 블록버스터급 초대형 콘텐츠를 기획하고 제작합니다. 개인 채널이라고 믿기 힘들 만큼 메가 콘텐츠를 만들어 내는 것이지요.

〈미스터 비스트〉의 대표 콘텐츠는 '무인도에서 24시간 버티기', '24시간 안에 100만 달러 쓰기', '분쇄기에 람보르기니 넣기' 등 기상천외한 도전을 예로 들 수 있습니다. 2021년에는 드라마 〈오징어게임〉 실사판 콘텐츠를 만들어 우리나라에서도 큰 관심을 받았습니다.

〈미스터 비스트〉는 한국을 포함한 주요 국가의 유명한 성우들을 고용해 대부분의 콘텐츠에 더빙 옵션을 제공하고 있습니다. 이에 유튜브는 〈미스터 비스트〉를 위해 다국어 오디오 지원 기능을 개발해 전 세계 많은 시청자들이 〈미스터 비스트〉 영상을 볼 수 있게 했습니다. 유튜브에서 〈미스터 비스트〉 영상을 보면, 전문 성우의 목소리로 자막을 읽지 않고도 몰입해서 영상을 시청할 수 있습니다.

〈포브스〉는 그가 지난해 5,400만 달러(720억 원)의 수입을 올렸다고 추산했고, 올해는 더 많은 수입을 낼 것으로 보고 있습니다. 지난해에 한 브랜드가 〈미스터 비스트〉를 1조 3천억 원에 구매하려고 했으나 거절당했지요. 〈미스터 비스트〉는 이미 자신의 의류 브랜드를 갖고 있고, 최근에는 자신의 브랜드를 이용해 햄버거 배달을 하는 회사와 소송을 벌이기도 했습니다. 〈미스터 비스트〉는 브랜드 가치가 10조 원 이상이라는 평가를 받습니다.

한때 전 세계에서 구독자 수가 제일 많은 유튜브 채널은 인도의 엔터테인먼트 기업 '티시리즈(T-Series)'였습니다. 하지만 이젠 〈미스터 비스트〉가 '티시리즈'를 제치고 세계 최고가 됐지요.

크리에이터 이코노미 시대가 왔다

몇 년 전부터 '크리에이터 이코노미(Creator economy, 창작자 경제)'라는 단어가 큰 관심을 받고 있습니다. '크리에이터 이코노미'는 작가, 언론인, 배우, 음악가 등 고전적 개념의 창작자들이 수익을 얻던 시스템과 달리 창작 콘텐츠에 즉시 반응하는 소위 '팬 커뮤니티'와의 밀착을 통해 수익을 창출하는 것을 의미합니다. 이러한 크리에이터 이코노미는 주로 콘텐츠 구독모델로 수익을 창출하고 있습니다. 크리에이터 이코노미는 창작자 생태계 내에서 수익모델을 만들 수 있는데, 창작자 생태계는 콘텐츠 플랫폼과 창작자, 그리고 창작자를 지원하는 회사 등을 포괄합니다.

크리에이터 이코노미의 생태계는 유튜브 제작자와 소셜미디어 인플루언서, 독립 콘텐츠 제작자 등 직접 콘텐츠를 생산 해내는 집단과 이들을 재정적으로 후원하고 제작 품질을 지원하며 법률적 위험을 해결하는 회사들, 그리고 기업과 창작자를 연결하여 수익 기회와 마케팅 통계를 제공하는 인플루언서 마케팅 회사 등으로 이루어집니다. 이에 새로운 창작자들을 기반으로 하는 새로운 스타트업 기업이 속출하고 있습니다.

실리콘밸리 유명 벤처캐피탈인 '안드리센 호로위츠'는 크리에이터 이코노미를 '인터넷 제3의 물결'이라고까지 부르며 관련 기업들에 적극적으로 투자하고 있습니다. 그리고 벤처캐피탈로는 이례적으로 스스로 미디어가 되겠다며 직접 콘텐츠를 생산하는 일에도 많은 에너지를 쏟고 있습니다. 이처럼 콘텐츠를 중심으로 플랫폼이 구성되고 커뮤니티가 형성된다는 말은 유튜브 제작 크리에이터에게도 큰 기회가 됩니다.

사실 크리에이터 이코노미라는 개념은 당시 큰 붐이 불었던 NFT 열풍과 맞닿아 있습니다. NFT는 '대체 불가능한 토큰(Non-Fungible

Token)'이라는 뜻으로, 교환과 복제가 불가능하기 때문에 희소성을 갖는 디지털 자산을 말합니다. NFT는 블록체인 기술을 활용하지만 각 토큰은 저마다 고유한 인식 값을 부여받아 서로 대체할 수 없는 가치와 특성을 갖게 되어 상호교환이 불가능하다는 특징이 있습니다.

온라인으로 연결되는 사회에서 창작의 욕구를 가진 사람들은 자신이 제작한 콘텐츠를 가지고 비즈니스를 하려는 생각을 갖고 있습니다. 이에 따라 디지털 가상화폐로 판매하고, 재화를 벌려는 욕망이 실현되는 과정이 이루어집니다. 비록 지금은 NFT와 블록체인 등의 상황이 좋지는 않지만 뜨겁게 발전하고 있는 생성 AI 기술과 맞닿아 새로운 형태의 크리에이터 이코노미 시대로 전환이 충분히 일어날 수 있다고 생각됩니다.

4. 생성 AI 기술의 발전과 크리에이터 이코노미 2.0

생성 AI 기술의 발전

생성 AI는 비정형 딥 러닝 모델을 사용해 사용자 입력을 기반으로 콘텐츠를 생성하는 일종의 인공지능입니다. 이용자의 특정 요구(입력값)에 따라, 결과를 능동적으로 생성하는 인공지능 기술을 통칭합니다. 텍스트, 오디오, 이미지 등 기존 콘텐츠를 활용해 유사한 콘텐츠를 새롭게 만들어 내는 인공지능 기술로 한국어로는 생성 AI, 혹은 생성형 AI로 혼용해서 사용되고 있습니다.

이 생성 AI의 특징은 콘텐츠들의 패턴을 학습해 추론 결과로 새로운 콘텐츠를 만들어 낸다는 점입니다. 기존 AI가 데이터와 패턴을 학습해 대상을 이해했다면 생성 AI는 기존 데이터와 비교 학습을 통해 새로운 창작물을 탄생시킵니다. 이미지 분야에서는 특정 작가의 화풍을 모사한 그림으로 사진을 재생성하거나 실제로 존재하지 않는 인간을 무제한 만들 수 있습니다. 음성 분야에서는 특정 장르의 음악을 작곡하거나 특정 노래를 원하는 가수의 음색으로 재생성할 수 있습니다. 텍스트 분야에서는 특정 소재로 시를 짓거나 소설을 창작할 수 있습니다. 최근에는 글을 이미지나 비디오로 변환시키는 생성 AI도 대두되고 있습니다.

콘텐츠 시장에서 생성 AI의 출현은 위기이자 동시에 기회입니다. 끝없이 쏟아지는 신기술 속에서 그동안 인간은 창의성만큼은 인간만이 보유한 능력이라 믿어왔지만, 급속히 발전하는 생성 AI의 결과물을 보면서 사람들은 공포감마저 느끼고 있습니다. 현재까지 콘텐츠 산업은 기술이 발달해도 핵심 작업 프로세스는 크게 변하지 않았습니다. 혹자들은 디지털 가내 수공업이라고 말할 정도였지요. 현재도 웹툰, 일러스트, 음악 등 창작물을 만들려면 많은 사람이 전문 툴을 활용해 오랜 시간 수작업을 거치고 여러 사람들의 협업 조정 과정을 거쳐야 비로소 완성도 높은 결과물을 만들어 내는 것이 현실입니다.

하지만 생성 AI의 등장은 관련분야 사람들에게 긴장감을 주고 있습니다. 크리에이터들은 자신이 많은 시간을 투입해 만든 결과물을 AI가 쉽게 만들어 내는데 불안감을 느끼고 있습니다. 이에 미국 할리우드에서는 작가 노조와 배우 노조가 장기간 파업을 진행했으며, 많은 이슈가 제기되었습니다.

이미지 생성 AI 서비스인 미드저니는 웹툰 시장에 큰 파장을 일으켰습니다. 보통 웹툰 제작에 10컷 기준으로 7일 정도 소요된다고 알려졌지만, 미국 유튜버인 엘비스 딘은 미드저니를 활용해 이를 몇 시간으로 단축했습니다. 전문 웹툰 작가가 아님에도, 작품 퀄리티마저 높았습니다. 완성품 출품까지 시간이 크게 단축될 뿐만 아니라 창작 영역에의 진입 장벽까지 낮아지게 된 것이지요. 한국에서도 생성 AI가 현재 보여주고 있는 능력(반복적인 업무를 분석하고, 기본적인 자료조사를 수행하며, 기초 아이디어를 내고 기초 이미지를 만들어 내는 능력) 때문에 업무 현장에선 실직의 위협이 느껴지는 분위기입니다.

하지만 이런 생성 AI의 등장을 기회로 보는 사람도 많습니다. 기업들은 생성 AI를 적극적으로 도입할 것이며, 결과적으로 더 높은 생산성 향상을 가져올 수 있다는 주장입니다. 사람들은 실제 그림을 그리거나 직접 촬영하는 데 쓰던 물리적 시간과 비용을 줄여 핵심적인 업무인 창작에 집중하게 될 것입니다. 그리고 뛰어난 아이디어만 있으면 AI의 도움을 받아 혼자서 결과물을 만들어 내고, 그 결과물을 판매하는 등 새로운 창작 경제 시장이 만들어질 것이라는 전망입니다.

탈중앙화한 웹 생태계인 웹 3.0 환경에서는 아바타, 가상 아이템, 재화, 콘텐츠 등 각종 디지털 자산을 플랫폼을 거치지 않고 개인이 직접 창작-발행-거래-보관-소유할 수 있습니다. 이런 웹 3.0 환경에서 크리에이터들은 생성 AI의 기술을 이용해 다양한 콘텐츠를 만들어 내고 있습니다. 자동 원고작성과 이미지 생성, 영상 자동 편집, 음악분석과 작곡, 버츄얼 연기자까지. 다양한 형태의 생성 AI 서비스들은 크리에이터들이 작품 활동에 몰입하고 전문적 기술에 쉽게 접근

할 수 있도록 지원하고 있습니다. 생성 AI의 등장으로 이제는 누구나 창작에 참여할 수 있게 되었고 더 나아가 예술 영역까지 넘보고 있는 상태입니다. 최근 불황으로 NFT와 '창작자 경제' 시장이 침체되었지만, 생성 AI 기술의 눈부신 발전으로 새롭게 '창작자 경제 2.0'의 시대가 다가오고 있습니다.

유튜브와 생성 AI 기술

챗GPT나 미드저니, 스테이블 디퓨전 등 수많은 생성 AI가 콘텐츠 제작에 많은 도움을 주고 있습니다. 이미 생성 AI로 만든 섬네일을 흔하게 볼 수 있습니다. 또한 콘텐츠에도 AI 성우는 이제 이질감이 느껴지지 않을 만큼 친숙하게 학습되었고, 생성 AI로만 만드는 채널도 종종 보입니다.

유튜브도 생성 AI 기능을 도입해 콘텐츠 제작자들의 수고를 덜고 더욱더 쉽고, 편하게 커뮤니케이션할 수 있도록 다양한 각도로 AI 기반 기능을 발전시키고 있습니다. 닐 모한 유튜브 최고경영자는 2023년 가을 미국 뉴욕에서 열린 '메이드 온 유튜브' 행사에서 창작자 도구에 접목할 생성 AI 기능을 소개했습니다. 그는 이날 자신의 엑스(구 트위터)를 통해 "앞으로 유튜브에서 흥미로운 일이 벌어질 것"이라며 "창의적인 표현의 한계를 뛰어넘기 위해 인공지능을 활용할 것"이라고 밝혔습니다.

유튜브에도 생성 AI 기능을 활용한 기능들이 속속들이 나타나고 있습니다. 유튜브는 크리에이터가 아이디어를 프롬프트로 입력하면 유튜브 쇼츠에 AI로 생성된 동영상이나 이미지를 배경으로 추가할 수 있는 새로운 실험 기능 '드림 스크린'을 개발할 것이라고 밝혔습니다. 이 기능은 챗GPT나 미드저니 등 자연어 기반의 프롬프트에 익숙한 사용자들을 위한 기능으로 만약 이 기능이 실현되면 현재보다 콘텐츠를 제작하기가 훨씬 쉬워질 것이고 더욱 풍부한 콘텐츠가 만들어질 것입니다.

또한 유튜브는 생성 AI를 이용해 영상을 자동 요약하는 기능을 테스트 중입니다.[16] 유튜브 커뮤니티 관리자에 따르면 AI 자동 생성 요약은 영상에 대한 간단한 정보를 제공해 자신에게 적합한 내용인지 판단할 수 있도록 지원하기 위해 마련됐습니다.

유튜브는 누구나 동영상을 제작하고 플랫폼에 바로 공유할 수 있도록 지원하는 새로운 모바일 앱 '유튜브 크리에이트'를 선보였습니다. 크리에이터들은 유튜브 크리에이트에서 쇼츠, 긴 동영상 또는 두 가지 모두를 편집할 수 있는 제작 도구 모음을 활용해 동영상을 제작할 수 있습니다. 유튜브 크리에이트 앱은 정밀 편집과 자르기, 자동 자막 등 동영상 편집 기능부터 필터, 효과, 전환 및 비트 매칭의 AI 기술이 적용된 음악 라이브러리를 제공합니다. 2024년엔 유튜브

---

16) 남혁우, "유튜브, 생성 AI 기반 영상 자동 요약 테스트 시작", 『지디넷코리아』, 2023.08.02.
　　https://zdnet.co.kr/view/?no=20230802093618

스튜디오 '리서치 탭'에 '인공지능 인사이트' 탭이 추가됩니다. 이용자들의 관심사를 기반으로 콘텐츠 아이디어나 영상 개요 초안을 제공하는 기능을 가진 탭이지요.

유튜브는 이 밖에도 AI 기반 더빙 기능인 '얼라우드'를 도입해 크리에이터가 주로 사용하는 언어 이외에 다른 언어로 더 많은 시청자에게 쉽게 다가갈 수 있도록 할 예정입니다. 내년부터는 크리에이터 뮤직에서 검색 지원 기능을 통해 동영상에 사용할 수 있는 사운드트랙을 더 쉽게 찾을 수 있게 될 것입니다.

유튜브는 비단 생성 AI로 제작을 돕는 데만 집중하는 것이 아니라 인공지능으로 만든 '페이크(fake) 커버 곡 영상' 단속에 나서고 있습니다. 생성 AI를 이용해 특정 아티스트의 목소리나 창법과 유사한 음성을 만들 수 있게 되면서, 아티스트가 실제 녹음한 곡이 아님에도 마치 음원을 발매한 것처럼 영상을 올리는 사례가 늘어나자 플랫폼 차원에서 이를 규제해야 한다는 목소리가 높아졌기 때문입니다. 또한 얼굴이 알려진 연예인 등을 포함, 식별할 수 있는 개인의 목소리나 얼굴을 모사한 AI 페이크 영상이 게시될 경우 삭제를 요청할 수 있도록 한다는 계획입니다. 가짜뉴스나 AI를 활용해 무한 생산되는 콘텐츠도 판별해 나가려고 하는 모양새입니다.

AI 시대, 유튜브는 콘텐츠를 제작하고 소통하기 위해서 만든 도구를 본래의 목적으로 사용하지 않는 사람들, 즉 단순히 수익을 위해 가짜뉴스를 전파하고 콘텐츠를 조작하고 복제해 무한 생성하는 사람들에게는 보다 발전된 AI 기능을 활용해 더욱 치밀하게 제한할 계획으로 보입니다.

유튜브 콘텐츠 제작 시장에 부는 AI 열풍

올해 강하게 불고 있는 생성 AI 열풍. 이 뜨거운 열풍에 영향을 받아 유튜브 시장도 변화하고 있습니다. 특히 생성 AI를 사용하면 콘텐츠를 무한으로 찍어낼 수 있기에 콘텐츠 제작으로 수익을 받을 수 있는 유튜브 같은 플랫폼에는 생성 AI를 이용해 생산되는 콘텐츠가 엄청나게 늘어나고 있습니다. 특히 수익을 위해 챗GPT에서 생성되는 문구를 단순 복사와 붙여넣기를 해서 만든 쇼츠들이 엄청나게 만들어지고 있습니다. 또 이렇게 쇼츠를 찍어내며 돈을 버는 방법을 설명하는 콘텐츠까지 만들며 조회수를 올리고 있습니다.

그러나 콘텐츠를 찍어내 수익을 좇는 유튜버 이외에도, 실제 영상 제작상의 어려움들을 생성 AI의 도움으로 해결하려는 모습도 많이 보입니다. 앞에서도 이야기했지만 영상 콘텐츠를 제작하는 것은 그리 만만한 일이 아니기 때문입니다. 이에 매일 같이 새로운 팁들이 계속 나오고 있습니다.

지금이 아니라도 AI를 이용해 영상 콘텐츠를 손쉽게 제작하거나 제작 단가를 낮추기 위한 노력들은 지속적으로 있어 왔습니다. 특히 최근 온라인에서는 본인의 정체를 드러내지 않고, 페르소나의 모습으로 콘텐츠를 생성하길 원하는 사람이 많아지고 있습니다. 1인 미디어

체제, 혼자 콘텐츠를 만드는 입장에서 익명성을 보호하기 위해 얼굴에 탈을 쓰고 나온다든지, 버츄얼 캐릭터를 만들어 소통한다든지 하는 것이 그 예입니다.

목소리를 TTS(Text-to-Speech)로 만들어서 콘텐츠를 만드는 것은 이미 너무나 당연한 일이 되었습니다. 네이버 클로버나 브루같은 프로그램 이외에도 다양한 성우의 목소리로 개인의 익명성을 보호함은 물론 콘텐츠에 따른 적절한 AI 보이스를 선정해 콘텐츠 퀄리티를 높이는 것이지요.

생성 AI를 통해 크리에이티브 세상이 달라지고 있고 무한히 많은 콘텐츠가 쏟아져 나올 것입니다. 유튜브에서도 생성 AI를 통해 찍어내다시피 만들어진 콘텐츠가 넘쳐납니다. 유튜브는 머신러닝 등의 기술로 불법 콘텐츠의 94%를 막아 오고 있다고 밝혔습니다.

장 자크 사헬(Jean-Jacques Sahel) 구글 아태지역 콘텐츠 정책 총괄은 "생성 AI를 활용해 다양한 콘텐츠들이 나오고 있다. 이처럼 새로운 기술을 활용한 콘텐츠가 나오더라도 구글은 유해성 콘텐츠를 차단하기 위해 노력할 것이다."라며[17] "현재 구글에는 2만 명 이상의 인력이 구글 플랫폼에서 콘텐츠 검토 및 삭제 업무를 수행하고 있으며, 한국어를 포함해 여러 언어에 능통한 검토자들이 업무에 참여하고 있다."라고 밝혔습니다.

---

17) 변지희, "생성형 AI 활용 재미로 만든 불법 콘텐츠… 구글 "이용자 열람 전 차단하겠다",
『조선일보』, 2023.04.27. https://biz.chosun.com/it-science/ict/2023/04/27/KCU
SODAE4FCYNP4QLRZ2IPB3II/

이렇게 생성 AI 기술로 앞으로 유튜브 콘텐츠 시장 경쟁은 더욱 치열해질 것입니다. 결국 승자는 소비자들의 선택을 받는 콘텐츠가 될 것이고, 단순 반복되는 콘텐츠는 선택받기 힘들어질 것입니다. 자신만의 해석과 인사이트로 팬을 만들며 지속적으로 콘텐츠를 만들어 가야 합니다. 지속적인 콘텐츠 생성을 위해서 AI의 도움을 받아야 하는 것이지요. 이러한 점을 잘 기억한다면 생성 AI를 통해 상상도 하지 못했던 새로운 기회를 얻을 수도 있습니다.

02

유튜브 채널 기획하기

"유튜브를 시작해 보고 싶어서 그런데… 조언이 필요합니다."

유튜브 인기가 크게 높아지면서 저는 이런 수많은 연락을 받았습니다. 특히 유명 크리에이터들의 수익이 공개될 때마다 질문이 빈번했었죠. 그럴 때마다 제가 항상 물어보는 것이 있습니다. 바로 '유튜브를 하려는 동기'입니다.

왜 유튜브를 하려 하는가? 2장에서는 유튜브 채널을 기획하는 방법과 과정을 소개합니다. 유튜브를 시작하려고 이 책을 읽는 분, 자신이 개설한 유튜브를 더 잘 키우고 싶은 분들이라면 이 과정을 반드시 잘 진행해야 합니다.

1. 유튜브를 하려는 이유는 무엇인가?

해마다 유튜브 광고 수익이 늘어나고 있고 수익을 얻는 크리에이터도 함께 증가하고 있습니다. 미국 유수 언론들은 2023년 유튜브 전체 광고 수익이 304억 달러에 달할 것으로 예상했죠.[18] 현재 전 세계 인터넷 사용자의 절반(20억 7천만 명)이 매일 10억 시간 이상의 동영상을 유튜브에서 시청하고 있으며, 미국에서 유튜브는 넷플릭스를 추월해 가장 큰 TV 스트리밍 플랫폼이 되었습니다.

수익이 커졌다고 개인의 수익도 함께 늘어날 것 같지만 최근 유튜브 시장은 수익 격차가 커지고 있습니다. 돈을 많이 버는 사람은 큰

---

18) 최영호, "2023년 유튜브 글로벌 광고 수익, 304억 달러 예상… 2022년 성장률보다 2배 이상 증가", 『매드타임즈』, 2023.05.27. https://www.madtimes.org/news/articleView.html?idxno=17736

돈을 벌지만 그렇지 않은 사람은 적은 돈을 버는 거죠. 유튜브에서도 연예인을 기반으로 한 웹 예능이 큰 인기를 끌고 있고, 연예인이 아닐 경우도 댄스나 개그, 상황극 등의 쇼츠 콘텐츠로 큰 인기를 얻고 있습니다. 하지만 연예인이라고 모두가 큰돈을 버는 것은 아니며 적지 않은 연예인들이 제작사와 갈라지기도 하고, 정산 이슈로 논란에 빠지기도 합니다.

모두가 큰돈을 버는 것도 아니고, 이 정도 큰 인기를 끄는 연예인이나 인플루언서라면 굳이 유튜브로만 돈을 벌 필요는 없을 겁니다. 그냥 공중파 방송, 광고에 출연해도 웬만한 유튜브 크리에이터보다 큰돈을 벌 수 있겠죠. 하지만 그래도 유튜브 채널을 가지려고 하는 이유는 본인이 지속적으로 팬과의 관계를 돈독하게 만들 수 있으며, 향후 수익도 꾸준히 가져가려는 계획 때문일 것입니다. 또한 여러 브랜드와의 콜라보를 통해 큰 수익을 만들 수 있겠다는 생각도 가지고 있을 테고요.

비단 연예인이 아니라도 유튜브를 운영하는 가장 큰 목적은 돈을 벌기 위해서입니다. 흔히 이야기하는 크리에이터가 되어서 영향력을 미치는 인플루언서로 발전해 광고를 하면서 돈을 버는 것이죠. 개인의 경우 대개 여기에 해당할 것입니다.

일반적으로 유튜브 크리에이터로 수익을 얻는 방법은 크게 2가지 경우가 있습니다. 하나는 콘텐츠를 시청할 때 발생하는 광고 수입이고, 다른 하나는 브랜디드 콘텐츠라고 이야기되는 협찬 콘텐츠를 제작하는 것입니다.

물론 유튜브를 하려는 목적이 비단 돈이 아닌 경우도 있습니다. 공공기관, 기업, 정부, 지자체 등 스스로의 브랜딩이나 커뮤니케이션 툴로서의 목적을 가진 경우가 바로 그것입니다. 국민이나, 도민이나, 시민이 필요한 정보가 있을 것이기 때문에 사회적 이익을 위해 공공 채널, 기업 채널 등은 정확한 정보 제공과 소통의 일환으로 유튜브 채널을 활용할 수밖에 없는 거죠. 이런 채널은 전문 채널과 함께 플랫폼에 노출되기 때문에 조회수나 화제 면에서 높은 관심을 불러오기 힘든 부분이 있습니다. 그렇지만 공공의 이익을 위해 해당 기관이라면 꼭 필요한 채널이기 때문에 유튜브를 운영해야 할 필요가 있는 것이죠.

지금 유튜브를 시작하면 너무 늦을까?

유튜브에서 큰돈을 버는 크리에이터들이 사회적으로 주목받기 시작하고 너도나도 채널을 열어 큰돈을 벌자는 열풍이 있었습니다. 그 시기가 2010년대 후반기부터 2020년대 상반기 정도였던 것 같네요. 당시 서점에 가면 곳곳에 유튜브에 관련된 책들이 서가마다 꽂혀 있었고, 신문과 뉴스에서도 유튜브로 돈 버는 크리에이터들을 주목하기 시작했습니다.

그런 뒤 몇 년 지나지 않아 사람들은 영상을 만드는 것이 쉽지 않은 일임을 깨닫게 됩니다. 생각보다 사람들은 내가 만드는 콘텐츠에 관심이 없고, 조회수도 잘 나오지 않으며, 알고리즘의 선택을 받는 것도 쉽지 않다는 것을 깨닫게 되죠. 그 이후 코인과 NFT, 블록체인과 AI 등 사회적 관심사가 달라지면서 그때만큼 온 사회가 이 부분에 주목하지는 않는 것 같습니다.

그럼에도 불구하고 유튜브의 인기는 사그라지지 않고 있습니다. 모든 연령대의 유튜브 사용량이 매년 높아지고 있고 특히 고연령층으로 갈수록 유튜브 소비 시간대가 아주 높아지고 있죠. 이에 시니어 유튜버의 성공도 많아졌습니다. 국내에서는 박막례 할머니를 시작으로 85세 먹방 유튜브 채널 '영원씨TV'의 김영원 할머니, 해외에서는 500만 명이 넘는 구독자를 보유한 자동차 정비 유튜버 스코티 킬머까지, '그랜플루언서(Granfluencer)'라는 신조어까지 만들어 낼만큼 전 세대가 유튜브 채널을 만들고 즐기는 실정입니다. 참고로 '그랜플루언서'는 할아버지·할머니 인플루언서를 뜻하는 단어로, 베이비붐 시대에 태어나 SNS 등에서 활발하게 활동하며 인기를 끄는 노인 인플루언서들을 의미합니다.[19]

유튜버 스코티 킬머의 주된 콘텐츠는 자동차로, 56년 정비사 경험을 바탕으로 유튜브에서 자동차 구매 및 수리 방법을 알려주고 있습니다. 그는 2007년에 자동차 지식을 공유하기 위해 처음 유튜브를 시작했으며, 현재는 약 600만 명의 구독자를 보유하고 있습니다. 킬머에 따르면 그의 채널은 2,400만 달러(약 316억 원)에 가까운 수익을

---

19) 허미담, "경력 56년 정비사 유튜브 대박⋯'그랜플루언서' 전성시대", 『아시아경제』, 2023.11.13.
https://view.asiae.co.kr/article/2023111309400436991

그랜플루언서 유튜브 채널 〈스코티 킬머〉

벌었다고 합니다. 이처럼 시니어들도 본인이 가진 노하우 영상으로 소통하는 경우가 많아졌습니다. 이 중에는 나름 성공하는 크리에이터가 되는 경우도 종종 발견되고 있고요.

이렇게 어린 아이부터 시니어까지 많은 사람들이 유튜브 시장에 뛰어들었지만, 아직도 성공의 기회는 무궁무진하다고 봅니다. 큰 이유 중 하나는 유튜브 알고리즘 때문인데, 유튜브의 알고리즘은 최신 콘텐츠일수록 노출이 잘 되기 때문에 좋은 콘텐츠를 지속적으로 생산한다면 누구나 승산이 있습니다.

최근 유튜브를 시작하는 사람들은 몇 년 전과 달리 큰돈을 벌기보다, 당장 돈이 되지 않더라도 미래를 준비하는 '경제적 자유' 차원에서 유튜브 크리에이터가 되고 싶다는 의견이 많습니다. 지금은 수익보다 취미의 맥락에서 채널을 만들되, 향후 장기적으로 수익이 발생할 수 있다는 점에 주목한 거죠. 미드저니와 스테이블 디퓨전, 챗GPT 등 생성형 인공지능의 등장이 이러한 경향에 영향을 미쳤습니다.

저는 이렇게 '경제적 자유'를 꿈꾸며 투잡으로 생성 AI를 이용해 콘텐츠 수만 늘리는 방식의 미래는 어둡다고 봅니다. 이미 유튜브에서도 이런 자동 생성 콘텐츠를 걸러내는 알고리즘이 작동 중이며 콘텐츠의 정확도를 높이기 위해 추후 더욱더 엄격하게 걸러낼 것이 분명하기 때문입니다. 그리고 시청자들도 이런 의미 없는 단순한 콘텐츠를 만나게 되면, 구독을 누르지도 않고 바로 이탈해 버리는 경향을 보입니다. 결국 수익성 좋은 채널로서 성장할 기회조차 얻기 어려운 거죠.

물론 최근 생성 AI의 발전은 눈부실 만큼 뛰어난 결과를 보여주고 콘텐츠 제작에 여러모로 큰 도움을 주고 있습니다. 챗GPT로 가볍게 구성을 잡거나 미드저니 등으로 간편하게 유튜브 섬네일의 그림을 만들기도 하죠. 어도비사의 AI 기능은 기존 포토샵 기능과 엮여 강력한 힘을 발휘하기도 합니다.

한국의 생성 AI들도 큰 성장을 보이고 있습니다. 한국형 자막기 〈브루〉는 말 자막이 많을 수밖에 없는 한국 유튜브 콘텐츠에서 현재도 많은 사용자들이 애용하고 있는 시스템입니다. 한국형 챗GPT인 〈뤼튼〉도 기존의 챗GPT에서 보여주지 못했던 한국적인 답변을 만들어 내고 있으며, 매번 비약적인 성능의 발전을 보여주고 있고요. 이런 생성 AI의 도움을 받아 콘텐츠를 지금보다 더 쉽게 만들 수 있는 날도 그리 멀지 않았습니다.

과연 어떤 유튜브를 운영해야 하나?

먹방이 한참 유행하던 시절의 일이었습니다. 유튜브로 큰돈을 벌고
싶다는 한 청년이 찾아왔어요. 그는 공연기획을 하는 사람인데 요즘
먹방이나 요리 콘텐츠가 유행하니 그 장르로 돈을 벌고 싶다고 했습
니다. 다만 먹는 것만 보여주는 게 아니라 장도 보고, 요리도 하면서
이에 관한 이야기도 하고, 나중엔 최종적으로 먹는 콘텐츠를 하고 싶
다고 하더군요. 그런데 의욕적으로는 보이나 비쩍 마른 체형에 정작
요리에 관해서는 잘 모르는 것 같아 보였습니다.

"요리하는 것을 좋아하나요? 아니면 먹는 것을 좋아하나요?"

먹방을 한다고 하면서도 말하는 음식의 종류나, 식재료를 언급하
는 것이 아주 기초적인 수준이기에 정작 장을 보는 콘텐츠, 요리를 하
는 콘텐츠는 잘 못할 것 같았습니다.

"요즘 먹방이 유행이잖아요."

"요리 지식은 공부를 차차 하고, 요리하는 장면은 나중에 편집으
로 끊어서 가면 돼요."

유튜브에서 성공하는 데 있어 가장 중요한 점을 들면 무엇보다
시청자들과의 지속적인 만남이 있는지인 것 같습니다. 콘텐츠를 아무
리 잘 만들었어도 업데이트가 느리면 시청자들의 머릿속에 각인되기

쉽지 않고 깊은 관계를 구축하기가 어렵기 때문입니다.

영상을 기획하기도 쉽지 않은데 촬영 장소와 사람 섭외도 해야 하고, 촬영한 뒤에 편집 프로그램을 사용해 영상을 만드는 것도 쉽지 않습니다. 더구나 영상 편집 기술 이외에도 섬네일 문구나 해시태그 등도 고민해야 합니다. 제가 추천하는 것은 사람들이 좋아하는 대세 콘텐츠를 만드는 것이 아닙니다. 그렇다고 남들이 하지 않는 틈새 콘텐츠도 아니에요. 그냥 만드는 사람이 지치지 않고 즐기면서 만들 수 있는, 자신이 좋아하는 분야의 콘텐츠가 가장 성공할 확률이 높다고 봅니다.

유튜브의 이네스 차(Ines Cha) 아시아·태평양 지역 크리에이터 생태계 및 게임 파트너십 총괄도 이코노미 조선과의 인터뷰에서 '조회 수 올리는 법'이나 '인기 콘텐츠 장르' 등에 대한 여러 질문이 있지만 "진짜 정답은 없다"라면서 "다만 내가 덕질 할 정도로 좋아하는 것을 콘텐츠로 만들면 남과 차별화할 수 있죠."라는 답변을 내놓은 바 있습니다.[20]

일단 유튜브 영상은 제도권 영상과 달리 최소한의 인력이 투입되기 때문에 기본 영상 제작 시스템에서 자료조사 등의 노력이 최소화 될 수 있도록 해야 합니다. 그리고 자신이 가장 좋아하고, 잘 아는 콘텐츠를 제작하면 성공할 확률이 높아질 수 있죠. 이런 콘텐츠는 아는

---

20) 김소희·최상현, "유튜브 100만 노하우 "내가 좋아하는 콘텐츠 만드세요"", 『조선일보』, 2019. 11.29. https://www.chosun.com/site/data/html_dir/2019/11/22/2019112201365.html?utm_source=naver&utm_medium=original&utm_campaign=news

분야이기 때문에 다른 콘텐츠보다 지속적으로 만들어 낼 수 있게 됩니다.

유튜브 알고리즘은 누구도 알 수 없다

"유튜브 추천 알고리즘은 사람들이 온라인에서 더 많은 시간을 보내도록 왜곡돼 있다."[21]

기욤 샤스로 전(前) 유튜브 추천시스템 담당자가 〈가디언〉에 추천 알고리즘 방식에 대한 의혹을 폭로했습니다. 구글에서 3년간 근무했으며 2013년에 해고당한 사람이었죠. 그는 유튜브의 추천시스템이 민주주의적이고, 진실에 가깝고, 균형적인 것을 최적화한 형태로 작동하지 않는다고 주장했습니다. 우선순위는 시청 시간이었습니다. 그는 자신이 일했던 엔지니어팀에서 사람들이 유튜브 내에서 동영상 시청 시간을 연장해 광고 수입을 늘리도록 하는 시스템을 계속해서 실험했다고 밝혔습니다.

현재까지 유튜브는 이용자들에게 알고리즘에 관한 어떠한 데이터도 공개하지 않고 있습니다. 이용자는 특정 동영상이 어떤 알고리즘을 통해 홍보됐는지, 이를 통해 어떤 성과를 얻었는지 전혀 알 수 없습니다.

---

21) 권도연, "옛 유튜브 알고리즘 담당자가 밝힌 추천 시스템의 비밀", 「블로터」, 2018.02.06. https://www.bloter.net/news/articleView.html?idxno=26591

우리가 확실히 인지해야 하는 것은 기욤 샤스로 전 유튜브 엔지니어팀 직원의 말처럼 유튜브는 사용자들의 체류 시간을 증대시켜 수익을 극대화한다는 점입니다. 유튜브는 공공자원이 아니라 돈을 벌기 위해서 만든 플랫폼임을 잊지 말아야 할 것입니다. 유튜브는 사용자들에게 맞춤형으로 광고를 보여주며 더욱 많은 광고 영업을 원합니다. 이런 유튜브 플랫폼 속에서 사람들은 채널을 만들어 수익을 올리고, 홍보하고, 브랜딩을 통해 재화를 생산해야 합니다. 또한 알고리즘이 내 콘텐츠를 좋은 콘텐츠로 생각하게끔 매력 있는 콘텐츠를 만들어 시청 시간을 극대화하기 위해 많은 노력을 기울여야 하는 것입니다.

유튜브 수익과 파트너 프로그램

이제는 점차 유튜브로 수익을 창출하는 것에 관심이 줄어들고 있습니다. '유튜브로 돈 벌기'가 이슈였을 때 많은 이들이 도전했지만 대부분 실패를 경험했습니다. 최저임금보다 못한 수익을 가져가야 했고, 심지어 유튜브에서 광고비를 한 번도 받아보지 못한 경우도 많았죠. 생각보다 유튜브 리워드의 허들이 높았기 때문입니다.

최근에는 비즈니스 관점의 유튜브로 관심이 크게 쏠리고 있습니다. 과거엔 일반인 중심의 유튜버가 많았지만 요즘에는 유명 연예인이나 방송인, 스포츠 스타, 인기 강사 같은 사람들도 유튜브 플랫폼에

합류하게 됩니다. 더구나 각종 공중파 방송의 기존 방영 영상을 스낵 형식으로 잘라 지속적으로 업로드하면서 일반인인 신규 유튜버가 그들과 경쟁해야 하는 상황까지 벌어지게 되었습니다.

그만큼 유튜브 플랫폼은 치열한 장소가 되어가고 있습니다. 한국 리서치 조사 결과에 따르면 광고주가 가장 선호하는 매체는 유튜브라고 답했으며,[22] 유튜버 히밥이 한 공중파에 출연해 "2019년에서 2022년까지 PPL을 제외한 누적 수익은 24억 원으로 올해 목표 누적 수익은 30억 원"이라고 밝혀 많은 사람들이 놀라기도 했습니다.[23] 비단 광고비 이외에도 세대별 앱 사용 시간이나 미디어 체류 시간 등 각종 데이터도 유튜브와 함께하는 사람들이 늘어가고 있다고 이야기합니다. 그리고 그런 유튜브와 하루를 함께하는 미디어 소비 행태도 점점 굳어가는 형태고요.

전체 인구의 83%가 유튜브 이용자인 나라. 대한민국에서 이토록 유튜브가 큰 인기를 얻게 된 근본적인 원인은 무엇일까요? 아마도 유튜브의 수익을 크리에이터들에게 나누는 '리워드 프로그램'이 있기 때문일 것입니다. 유튜브는 사용자들이 콘텐츠를 보기 위해 사전에 시청할 수밖에 없는 광고 등을 통해 수익을 얻고, 이 중 일정 금액을 크리에이터들에게 배분하고 있습니다. 유튜브는 이런 수익 배분을

---

22) 박근아, ""유튜버 역대 수익, 이유 있었네"…압도적 1위", 『한국경제TV』, 2023.10.19. https://www.wowtv.co.kr/NewsCenter/News/Read?articleId=A202310190146

23) 최서인, "먹방 유튜버 히밥 "누적 수익 24억…임원 월급 1200만원 준다"", 『중앙일보』, 2023.09.17. https://www.joongang.co.kr/article/25193085#home

YouTube에서는 다음 기능을 통해 수익을 창출할 수 있습니다.

· **광고 수익**: 디스플레이, 오버레이, 동영상 광고를 통해 광고 수익을 올립니다.
· **채널 멤버십**:채널 회원이 크리에이터가 제공하는 특별한 혜택을 이용하는 대가로 매월 이용료를 지불합니다.
· **상품 섹션**: 팬들이 보기 페이지에 진열된 공식 브랜드 상품을 둘러보고 구입할 수 있습니다.
· **Super Chat 및 Super Sticker**: 팬들이 채팅 스트림에서 자신의 메시지를 강조표시하기 위해 구입합니다.
· **YouTube Premium 수익**: YouTube Premium 구독자가 크리에이터의 콘텐츠를 시청하면 구독료의 일부가 지급 됩니다.

각 기능에는 구독자 수와 조회수 요건 외에 별도의 자격요건이 적용됩니다. YouTube 검토팀에서 채널이나 동영상이 자격요건을 충족하지 않는다고 판단하면 해당 기능을 사용할 수 없습니다. 이러한 추가 기준을 적용하는 이유는 크게 2가지입니다. 가장 중요한 이유는 기능이 제공되는 모든 지역에서 YouTube가 현지 법규를 준수해야 하기 때문입니다. 그리고 YouTube는 우수 크리에이터에게 보상을 제공하고자 하므로 채널에 대한 충분한 정보를 확보할 필요가 있습니다. 일반적으로 이는 검토할 콘텐츠가 더 많이 필요하다는 것을 뜻합니다.

YouTube에서 채널을 지속적으로 검토하여 콘텐츠가 YouTube 정책을 준수하고 있는지 확인한다는 점을 잊지 마세요.

위해 유튜브 파트너 프로그램(YPP, YouTube Partner Program)을 운영하고 있는데, 유튜브에 따르면, YPP에 참여하는 크리에이터는 유튜브 리소스와 수익 창출 기능을 더 폭넓게 사용할 수 있으며, 크리에이터 지원팀의 도움을 받을 수 있다고 합니다. 또한 콘텐츠에 게재된 광고의 수익 공유를 설정할 수도 있다고 밝히고 있습니다.

　최근 기준이 일부 완화되긴 했습니다만 YPP를 통해 수익을 창출하려면 구독자 1,000명, 시청자들의 연간 시청 4,000시간 이상이 되어야 한다는 기준을 충족해야 합니다. 하지만 막상 유튜브 채널을 개설해서 운영해 보면 이 기준이 생각보다 매우 높다는 것을 알 수 있습니다. 그리고 이 조건에 부합되더라도 몇 달씩 걸리는 구글 심사를 통과 해야 YPP에 선정됩니다. 선정되면 광고가 자동으로 붙고 이때부터 자신의 영상에 붙는 광고로 수익을 창출할 수 있는 거죠.

　유튜버 수익 모델은 '광고 수익', '채널 멤버십', '슈퍼챗이나 슈퍼스티커', '유튜브 프리미엄 수익', '상품 섹션' 등 5가지인데 가장 일반적인 것이 광고 수익입니다. 이 수익은 유튜브 채널의 시청자, 동영상수, 영상의 길이, '좋아요' 수에 따라 달라집니다. 영상에 광고를 게재하면 구글이 45%, 유튜버가 55%를 갖는 구조가 일반적이고요.

유튜브를 이용해 실제로 돈을 버는 방법

현업에서 다수의 크리에이터들과 이야기를 나눠보면 실제 YPP로 받는 수익이 항간에 떠도는 이야기와는 다르다는 말을 많이 듣습니다. 너무 과장되어 있다는 거죠. 유튜브 수익을 분석하고 예측하는 소셜 블레이드 등의 사이트를 봐도 예측 범위가 너무 넓고, 현실적으로 여기에 반영되는 금액을 받지는 못한다고 합니다. 유튜버 슈카도 본인

유튜브 채널 하나로 8인 회사가 운영될까? 출처: 슈카월드 코믹스

채널 〈슈카월드 코믹스〉에서 "광고를 통해 구글에서 배분받는 유튜브 수익이 생각보다 크지 않다.", "최근에는 더욱 떨어지고 있는 것 같다."라고 말한 바 있습니다.

전업 유튜브 크리에이터들과 만나 광고 수익을 물어보면 "정확한 데이터는 알 수 없지만, 체감상 조회수 대비 수익이 과거보다는 낮아진 것 같다."라고 공통적으로 말합니다. 물론 개인 체험에 근거한 말이겠지만, 사실 콘텐츠 양이 과거보다 훨씬 많아진 상태이니만큼 유튜브 수익도 예상보다는 그리 크지 않다는 것이 사실로 보입니다.

50만 유튜브 〈아란TV〉가 수익을 공개했는데 한 달 평균 200만 원 정도의 수익이 발생한다고 밝혔습니다. 다른 채널 〈노매드 크리틱〉은 조회수 1회당 2원도 안 되는 것 같다고 말하기도 했고요. 단순히 콘텐츠를 제작해 유튜브로부터 돈을 받는 금액이 크지 않기 때문에 결국 인플루언서 대부분은 협찬 광고를 받아와 부족한 수익을 상쇄하는 경우가 많습니다. 일반적인 유튜버의 경우 광고성 콘텐츠 제작의 협업 금액이 수익의 큰 부분을 차지한다고 볼 수 있죠.

협찬이 포함되거나, 제품의 광고가 녹아있는 콘텐츠를 브랜디드 콘텐츠(Branded Contents)라고 합니다. 사전적 의미의 브랜디드 콘텐츠는 '소비자에게 엔터테인먼트 혹은 교육적 부가가치 제공을 목적으로 브랜드에 의해 제작 또는 큐레이션되며 상품, 서비스의 판매가 아닌 브랜드에 대한 고려와 선호도의 증가를 목적으로 디자인된 콘텐츠'를 말합니다.[24] 하지만 일반적으로 통용되는 브랜디드 콘텐츠는 기업이나 제품의 브랜드 이미지와 가치를 스토리에 잘 녹여낸 콘텐츠라 말할 수 있을 것 같습니다. 기업들은 유튜버들에게 브랜디드 콘텐츠를 제안하고, 해당 브랜드 이미지와 일치하거나 도움이 될 것 같은 유튜버들에게 계약을 통해 광고비를 주고 브랜디드 콘텐츠를 진행합니다.

이렇게 브랜디드 콘텐츠로 진행하는 금액은 기존 유튜브에서 배분받는 광고 수익보다 많기 때문에 유튜브 크리에이터들은 이런 방식으로 수익을 남기는 거죠. 하지만 광고 금액이 커도, 결국 기업과 협업하는 콘텐츠들은 영상의 높은 완성도를 기대하기 때문에 도움을 받을 수 있는 여러 스텝과 함께 제작하는 경우가 많습니다.

이런 브랜디드 콘텐츠는 단순하게 제품을 보여주거나 노출시키는 PPL(Product PLacement advertisement)과는 다릅니다. PPL은 특정 기업의 협찬을 대가로 영화나 드라마에서 해당 기업 상품이나 브랜드 이미지를 소도구로 끼워 넣는 광고 기법을 말하죠.[25] 기업 측에서는 화

(충격) 50만 유튜버 한 달 유튜브 수익 공개 출처: Aran TV

면 속에 자사의 상품을 배치, 관객(소비자)들의 무의식 속에 상품 이미지를 심고 거부감을 주지 않는 선에서 상품을 자연스럽게 인지시킬 수 있는 방법이 됩니다. 반면 영화사나 방송사에서는 제작비를 충당할 수 있다는 장점이 있죠.

한때 PPL이 가장 많이 사용되던 곳이 커피숍 브랜드였습니다. 드라마 같은 경우 거의 필수적으로 커피숍 장면이 나올 수밖에 없는데, 다양한 커피숍 브랜드들이 해당 인테리어와 브랜드를 간접적으로 노출해 자사의 브랜드를 부드럽게 각인시키는데 PPL을 적극 활용했습니다. 특히 '카페베네'의 경우 극적 고조를 일으키는 드라마의 말미에 자주 등장해 지금도 인터넷에서 '절단 신공' 밈으로 활용될 만큼 큰

24) Forrester (2013). How to build your brand with branded content. Forrester Research. Retrieved from https://www.forrester.com/report/How-To-Build-Your-VoiceOfTheCustomer-Program/RES92881

25) https://terms.naver.com/entry.naver?cid=43667&docId=935989&categoryId=43667

제3자로부터 어떤 형태로든 동영상을 만드는 대가를 받았다면 YouTube에 알려야 합니다. YouTube는 시청자에게 동영상에 유료 프로모션이 포함되어 있음을 알리는 메시지를 표시합니다.

☐ 동영상에 간접 광고, 스폰서십, 보증광고와 같은 유료 프로모션이 포함되어 있음

이 체크박스를 선택하면 유료 프로모션이 YouTube 광고 정책 및 관련 법규와 규정을 준수한다고 확인하는 것입니다. 자세히 알아보기

유튜브는 콘텐츠를 업로드할 때, 유료 프로모션에 관련된 질문을 하고, 엄격히 다루고 있다.

성과를 거둔 바 있습니다. 드라마뿐 아니라 유튜버들도 해당 상품을 앞부분에 배치하는 방식 등으로 단순하게 PPL을 활용하기도 하지만 브랜드나 제품을 스토리에 녹여서 브랜디드 콘텐츠를 만들어서 협업하는 경우가 많아지고 있습니다.

또한 유튜버들이 인기가 높아지면 오프라인 행사에 직접 참석하기도 합니다. 경제나 경영 유튜버의 경우는 기업 특강이나, 세미나 행사에 나가기도 하고, 유아들이 좋아하는 크리에이터들은 아이들을 찾아 행사에 나가기도 합니다. 그리고 팬덤을 가진 유명 유튜버의 경우 본인의 IP를 바탕으로 굿즈나 관련 상품을 만들어 수익화를 시도하기도 하죠.

뒷광고 그리고 변화한 시청자들의 눈높이

몇 년 전 뒷광고가 큰 논란이 되었던 적이 있습니다. 뒷광고란 인플루언서가 특정 업체로부터 대가를 받고 유튜브 등에 업로드할 콘텐츠를 제작한 후 유료 광고임을 표기하지 않는 것을 말합니다. 유튜버들 중 뒷광고를 받고도 마치 자신이 구매한 물건인 양 콘텐츠를 제작해 물의를 빚었던 바 있습니다. 이에 공정거래위원회가 2020년 9월 1일부터 '추천·보증 등에 관한 표시·광고 심사 지침' 개정안을 시행하면서 뒷광고가 전면 금지되었습니다.

2020년, 뒷광고가 사회적으로 논란이 되고 관련 유튜버들이 사과하고 자숙하는 일이 있었습니다. 그리고 시간이 지나면서 시청자들의 눈높이와 마인드도 달라졌습니다. 이제는 뒷광고에 대해 이전보다 엄격하게 광고 콘텐츠를 대하는 문화가 생겨난 거죠. 오히려 사람들은 노골적으로 제품을 광고하는 콘텐츠를 '앞광고'라고 말하기도 합니다. 유튜브도 채널을 업로드할 때 유료 프로모션을 했다고 표시할 수 있는 기능을 만들어 광고 협찬을 양성화했습니다.

시청자들도 기꺼이 앞광고성의 브랜디드 콘텐츠를 인정하는 분위기입니다. 크리에이터들이 돈을 받아 양질의 콘텐츠를 만드는 것을 용인하고, 나아가 콘텐츠로서도 즐기는 분위기가 형성된 것입니다.

라이브 방송과 멤버십

몇 년 전부터 유튜브는 전략적으로 라이브 방송을 권장하고 있습니다. PC에서 우측 상단 탭을 보면, 실시간으로 표시되는 라이브 방송을 우선하여 보여줌을 알 수 있습니다. 왜 유튜브는 라이브 방송을 우선해서 보여주고 있을까요?

유튜브 라이브 스트리밍을 하면, 실시간으로 유튜브 크리에이터와 시청자가 소통하게 됩니다. 시청자들은 화면을 보면서 실시간으로 채팅하기도 하고, 응원하는 마음을 담아서 슈퍼챗을 보내주기도 합니다. 이렇게 슈퍼챗을 보내는 분위기가 되면 너나 할 것 없이 크리에이터들에게 슈퍼챗을 보내는 동조효과가 발현되기도 합니다.

유튜브는 광고주로부터 광고를 받아 콘텐츠 시작 전이나 중간에 해당 광고를 구독자에게 보여주는 대가로 돈을 받게 되는데, 그 금액이 상당히 적은 편입니다. 이에 반해 슈퍼챗의 경우, 후원 금액에서 구글이 30%, 유튜버가 70% 정도의 수익을 나눠 갖는 것으로 알려져 있습니다. 유튜브 입장에서 라이브 슈퍼챗이 활성화되면 광고 대비 훨씬 더 많은 금액을 가져갈 수 있는 구조이고, 크리에이터 입장에서도 큰돈을 벌 기회이기 때문에 선순환 구조가 발생한다고 볼 수 있습니다.

또한 유튜브는 멤버십 제도를 적극 활용해 정기적으로 후원하는 구독 시스템을 정착시켰습니다. 유튜버들은 멤버십으로 후원하는 팬들에게 그들만을 위한 프리미엄 콘텐츠를 제공하고, 이런 후원을 기초로 더 좋은 콘텐츠를 생산하게 되는 것이죠.

유튜브 쇼핑

유튜브 입장에선 보다 많은 크리에이터들로부터 다양한 콘텐츠가 계속 생산되어야 콘텐츠를 다양하게 보유하게 되고, 더욱 많은 트래픽을 발생시켜 광고를 노출할 수 있게 됩니다. 그러기 위해서는 크리에이터들에게 적정한 리워드를 제공하는 것이 무엇보다 중요한데, 이를 위해 도입한 제도가 바로 유튜브 쇼핑입니다.

유튜브 한국 블로그에 따르면, 유튜브 쇼핑은 '크리에이터들이 유튜브에서 손쉽게 자체 스토어 또는 다른 브랜드의 제품을 홍보할 수 있도록 지원하는 기능'이라 설명하고 있습니다.[26] 라이브 쇼핑을 통해 크리에이터들은 보다 쉽고 편리하게 제품을 소개하며 추가적인 수익원을 모색할 수 있고, 팬들은 본인이 좋아하는 크리에이터가 소개하는 제품을 구매할 수 있는 것입니다.

유튜브 쇼핑은 비즈니스 성장을 도와주는 도구로 YPP에 참여하면 자연스럽게 자격요건을 갖추게 됩니다. 유튜브 쇼핑은 최애 크리에이터에게 제품 추천을 받아 쇼핑할 수 있으며, 방송을 보면서 다른 팬들과 함께 실시간 채팅을 하며 상품에 관해 이야기할 수도 있습니다.

---

26) https://youtube-kr.googleblog.com/2022/12/live-shopping-updates.html

YouTube Shopping: 내 스토어의 제품을
태그해 소개하는 방법

YouTube Shopping 시작하기

자격요건을 충족하는 크리에이터는 YouTube Shopping을 통해 YouTube에서
손쉽게 내 스토어나 다른 브랜드의 제품을 홍보할 수 있습니다. 다음과 같이
YouTube Shopping을 활용할 수 있습니다.

· 내 스토어를 YouTube에 연결하여 콘텐츠에서 내 제품을 추천합니다.
· 콘텐츠에 다른 브랜드의 제품을 태그합니다.
· YouTube 분석에서 쇼핑 분석을 확인하여 태그된 제품의 실적을 확인합니다.

YouTube Shopping 기능은 다음을 포함합니다.
· 채널 스토어
· 연결된 스토어의 제품이 설명 및 제품 섹션에 표시됩니다.
· 동영상, Shorts 동영상, 라이브 스트림에서 태그된 제품
· 라이브 스트림에 고정된 제품

유튜브 쇼핑 기능을 삽입하려면 스토어를 채널에 연결하는 것이
첫 번째입니다. 스토어 탭을 통해 제품을 손쉽게 공유할 수 있게 되지
요. 유튜브 쇼핑에서는 제품을 직접 태그하여 콘텐츠에서 강조할 수
있으며 동영상과 쇼츠 동영상에서도 제품을 태그할 수 있습니다. 또
한 라이브 스트리밍에서도 제품을 태그하고 고정할 수 있으며 태그된
제품의 판매 성과는 유튜브 스튜디오에서 확인할 수 있습니다. 나영

유튜브 채널 〈깡스타일리스트〉. 상단 스토어 탭을 눌러서 제품을 직접 구매할 수 있다.

석 피디의 채널인 〈채널 십오야〉에서도 공식 굿즈 등을 직접 판매하는 판로를 열어 수익을 극대화하고 있죠.

2023년 7월 유튜브는 세계 최초로 한국에 공식 쇼핑 채널을 열고 실시간 온라인 판매를 하는 '라이브 커머스 방송'을 시작했습니다.[27] 업계에서도 유튜브 월간 국내 이용자가 4,095만 명이나 되는 만큼 과거 네이버가 쇼핑을 정착시켰듯이 유튜브도 쇼핑 비즈니스를 확대해 나갈 것으로 예상하고 있습니다.

유튜브가 한국에 쇼핑 채널을 개설하면서 '소비자 직접 판매(D2C)'를 하는 기업과 유튜버 등이 함께 만드는 라이브 스트리밍이 많

27) 김은성, "유튜브 한국서 첫 쇼핑채널 개설…유통·플랫폼 업계 촉각", 『경향신문』, 2023.07.05. https://www.khan.co.kr/economy/market-trend/article/202307051655001

〈채널 십오야〉에서 판매 중인 굿즈

아지고 있기도 합니다. 채널 개설 후 삼성전자·배스킨라빈스·푸마 등 30여 개 브랜드가 라이브 스트리밍을 진행했습니다.

유튜브는 예전에 쇼핑 탭 기능을 도입해 크리에이터 등이 개별 유튜브 채널에서 라이브 쇼핑을 진행하도록 지원한 바 있습니다. 영상 댓글 창에 제품을 태그하거나 영상 하단에 제품 링크를 넣는 방식이었죠. 하지만 지금은 공식 쇼핑 채널을 만들어 구독자들이 유튜브 쇼핑 기능을 이용한 방송을 한 곳에서 볼 수 있게 만들었습니다. 소비자들은 채널을 구독하면 최근에 진행했거나 예정된 쇼핑 방송의 추천과 알람을 받을 수 있습니다.

2. 유튜브 채널에서 기획이 필요한 이유

유튜브의 인기와 사용 시간은 현재까지도 우상향하고 있습니다. 하루를 유튜브와 함께하는 사람도 점점 늘어나는 추세입니다. 이에 유튜브에는 없는 콘텐츠가 없다는 말까지 나오며 포화상태에 이르렀다는 말도 나오곤 합니다.

하지만 아이러니하게 이런 상황에서도 사람들은 새로운 콘텐츠를 찾고 있습니다. 기존에 제작된 콘텐츠라도 시간이 흘러 정보의 업데이트가 계속 필요한 상황이니 새로운 콘텐츠가 당연히 필요할 것입니다. 또 유튜브 알고리즘상 새로운 콘텐츠의 노출이 더 쉬우니 채널을 운영하는 입장에선 끊임없이 새로운 콘텐츠를 만들어 내야 하기도 합니다.

도대체 없는 콘텐츠가 없다는 유튜브에서 이젠 무슨 콘텐츠를

테오 유튜브가 나아가야 할 길, 보이시나요? 출처: 테오 유튜브 총회

만들어야 하는가에 관한 질문이 들지 않을 수 없습니다. 효과적으로 영상을 제작하지 않는 한 유튜브 크리에이터는 스스로 지쳐 쓰러지기 쉽습니다. 보다 효율적으로 채널을 운영해야 수익도 나오고 지속가능한 채널 유지가 가능하므로, 현명한 채널의 기획과 운영 전략이 필요합니다.

영상을 제작한다는 것은 물리적인 시간을 투자하는 것입니다. 3분 분량의 영상을 만든다면 영상의 퀄리티와 무관하게 절대적으로 3분 이상의 시간이 걸릴 수밖에 없습니다. 촬영본을 가지고 자막도 넣고, 오디오도 넣고, 나레이션도 넣고, 디자인까지 해서 최종 완성본으로 출력한다면, 3분의 영상물이라도 후반 과정 자체는 1시간 이상 혹은 하루 이상의 시간이 걸리기 때문입니다.

기기가 발달하면서 스마트폰으로도 콘텐츠를 쉽게 만들 수 있는 시대가 오고, 1인 미디어라는 말이 유행할수록 콘텐츠 제작이 과거보다 쉽다고 생각하는 경향이 있습니다. 하지만 단순히 영상을 촬영해 업로드하는 것이 아니라, 기획, 촬영 등을 재미있게 구성하고 이를 잘 편집해서 올려야 한다면 그 수고는 몇 배나 들 수밖에 없습니다.

최종영상물이 3분이라면 시청자들은 겨우 3분만을 감상할 뿐입니다. 관람자 입장에선 너무나 짧은 시간이지만, 제작자나 유튜버 입장에선 3분을 만들기 위해 기획부터 촬영까지 며칠, 몇 달, 몇 년을 보내야 하는 것이죠.

한편의 영상을 만들 때 인생을 거는 역작을 만들고자 할 수도 있겠지만, 지속적으로 업로드해야 하는 유튜브의 특성상 영상을 제작할 때는 적절한 시간을 들여서 만드는 효율적인 방법을 모색해야 합니다. 효율적으로 영상을 제작하려면 채널 성격에 맞는 기획을 하고 그 안에서 영상 제작, 업로드, 커뮤니티 탭이나 댓글 등을 활용한 커뮤니케이션을 신경 써야 합니다. 아마도 유튜브 채널을 시작한다면 적은 인력과 장비, 시간으로 시작하는 경우가 많을 것입니다. 그러기에 효과를 극대화할 수 있도록 좋은 기획이 무엇보다 필요합니다.

채널기획과 영상기획

유튜브 채널 기획은 크게 채널기획과 영상기획 두 가지로 나눌 수 있습니다. 채널 기획은 이 채널이 무엇을 하는 채널이고, 어떤 이들을 대상으로 어떠한 정보를 줘서 소통할 것인가를 정하는 것을 말합니다.

독자 여러분들이 직접 한 채널을 만든다고 생각해 보시기 바랍니다. 그러면 머릿속에 아이템이 떠오를 겁니다. 그게 먹방일 수도 있고, 여행일 수도 있을 겁니다. 아니면 직접 제품을 사다가 분해하고 조립해서 체험하는 아이템도 가능하겠죠. 이렇게 머릿속에 떠오르는 채널의 모습을 기획하는 것이 바로 채널의 기획입니다.

이렇게 채널을 기획하면 채널의 주제와 운영 방향을 정할 수 있습니다. 채널 기획에는 채널명, 채널 소개, 채널 유형, 목표설정, 핵심가치, 타깃 구독자, 업로드 주기, 촬영 방법, 주요 콘텐츠 등의 내용이 필요한데 이 부분은 다음 장에서 설명하도록 하겠습니다.

채널 기획이 어떠한 채널을 만들고 소통할 것인지에 대해서 계획하는 것이라면 영상기획은 그 유튜브 채널이 소통하기 위한 존재 목적을 달성하기 위해 해당 채널이 지향하는 콘텐츠 내용이 담긴 영상을 만들어 내는 것을 의미합니다. 영상의 종류는 무척 다양하겠죠. 예를 들어 여행 프로그램을 봐도 다양함을 느낄 수 있습니다. 여행이라는 같은 소재를 사용하지만 다큐멘터리 구성이 나올 수도 있고, 아니면 연예인을 동원해 예능 소재를 활용한 1박 2일과 같은 형태도 나올 수 있으니까요.

유튜브 채널이 지향하는 바가 명확하면 할수록 비슷한 콘텐츠를 반복하게 됩니다. 먹방 유튜브는 결국 먹는 것만 찍게 됩니다. 음식 종류는 달라지겠지만요. 그런데 이렇게 비슷한 콘텐츠만 찍으면 구독자들은 곧 지겨워 집니다. 그래서 영상에 다양한 스토리텔링을 넣어 새로운 관점의 영상을 만들어 냅니다. 예를 들자면 다양한 음식을 맛본 다던지, 다양한 곳을 직접 찾아가서 그곳의 음식을 먹는 다던지, 아니면 궁합이 맞는 음식을 먹을 수도 있고, 계절의 변화를 찾아서 제철 음식을 보여줄 수도 있습니다.

시청자들이 영상을 보는 것은 무척 힘든 행위입니다. TV 시청과 같이 한 곳을 계속 바라보고 있어야 하니까요. 장시간 스마트폰을 들고 시청하면 눈도, 팔도 아픕니다. 재미있는 콘텐츠는 그런 고통을 잊게 하겠지만, 만약 콘텐츠가 재미없다면 지속적인 시청은 불가능합니다. 구독자들이 선택한 유튜브 콘텐츠에서 예측 가능한 범위의 영상이 반복된다면 분명 지겨움을 느낄 것이고, 평균 시청 지속 시간이 짧아져 유튜브의 추천도 덜 받게 될 것입니다. 결론적으로 그 채널의 생명력은 길게 갈 수 없습니다.

그러므로 채널의 기획 범위 내에서도 다양한 시도가 필요합니다. 임의로 정한 제한사항을 극복하는 과정을 보여주기도 하고, 음식과 상관없는 새로운 내용을 넣어 주인공의 매력을 보여줄 수도 있습니다. 결국 시청자들은 새로워야만 콘텐츠를 즐길 수 있기 때문입니다.

유튜브는 유튜브라는 플랫폼이 정의한 채널 안에서 영상으로 커뮤니케이션하는 공간입니다. 물론 댓글도 달 수 있고, 커뮤니티탭을 통해 의견을 나누고, 생방송에서 실시간 채팅으로 의견을 나눌 수 있겠죠. 하지만 기본적으로 유튜브는 촬영, 편집한 영상을 업로드하고, 시청자들이 이미 업로드된 여러 영상을 보며 해당 유튜브 채널의 성격을 파악하고 구독하며 지속적으로 해당 채널을 방문하며 크리에이터와 관계를 맺는 공간입니다.

따라서 크리에이터는 지속적으로 영상 콘텐츠를 올리는 것이 중요합니다. 그러기 위해서는 어떤 류의 콘텐츠를 생산하여 지속적으로 소통할 것인가를 정해야 합니다. 예를 들어보겠습니다.

a. 개인 유튜버: 〈허팝〉

허팝은 실험을 주제로 사람들에게 재미를 주는 영상을 업로드하는 유튜버입니다. 본인 설명에 따르면, "여러분의 호기심을 해결해 드리며 재미난 일상을 공유합니다."라며 그만이 할 수 있는 다양한 실험을 진행합니다. 이미 400만 이상의 구독자를 보유하고 있기 때문에 광고 수입이 상당할 것으로 보이는데요. 이를 바탕으로 초등학생들이 좋아할 만한 대형 실험을 하고 있습니다.

허팝은 여러 분야의 다양한 호기심을 기반으로 실제 실험을 하고 있습니다. 예를 들어 초대형 렌즈로 물건을 태워 본다든지, 제습기로 수영장의 물을 채워 본다든지, 수박 1개를 통으로 탕후루를 만들어 본다든지, 아니면 외국에서 유명한 귀신탐지기를 구매해 종류별로 사용해 본다든지 하는 것입니다.

본인이 채널 콘셉트로 잡아놓은 '호기심을 직접 실험하는 유튜브'로서 다양한 실험을 진행하고 있죠. 이렇게 채널 콘셉트가 명확하기 때문에 구독자들도 쉽게 채널의 특징을 파악하고 공감할 수 있습니다. 허팝의 입장에서도 채널 콘텐츠를 운영하는 데 있어 비교적 쉽게 콘텐츠를 기획할 수 있게 되기도 합니다.

유튜버 '허팝'의 채널 메인
화면

허팝 채널의 주요 콘텐츠

b. 공공 유튜브: 〈보이소 TV〉

〈보이소 TV〉는 경상북도에서 운영 중인 유튜브 채널로 '2023 대한
민국 SNS 대상(KOREA SNS AWARD 2023)'에서 광역자치단체 부문 대상
을 받은, 공공 유튜브 중에서 비교적 잘 운영되고 있는 채널 중 하나

경상북도에서 운영 중인 유튜브 채널 〈보이소 TV〉

입니다. 〈보이소 TV〉의 카테고리를 보면 어떤 활동을 하는지 잘 알 수 있습니다. 경상북도 필수 여행지를 소개하거나, 농사를 지으면서 잘 사는 도민들을 보여주거나, 경북의 소식을 잘 정리해서 알려주기도 합니다.

일반적으로 지자체에서 운영하는 콘텐츠는 도정이나 시정을 일방적으로 전달하는 경우가 많은데 〈보이소 TV〉는 정책 홍보가 재미없다는 인식을 탈피하기 위해 1분 이내의 쇼츠로 빠르고 재미있게 정책을 전달해 호응을 얻었습니다. '한국 속의 한국(KOREA in KOREA)' 시리즈로 유명 SNS 스타와 협업해 조회수를 끌어올리기도 했죠. 한복 홍보 콘텐츠는 올린 지 한 달도 안 되어 조회수 130만 회, 경북 관광 홍보 콘텐츠는 72만 회를 기록하고 있습니다.

이렇게 채널 기획을 할 때 카테고리를 정해 큰 그림을 그리면 이후 어떤 콘텐츠를 만들고 어떻게 소통해야 할지가 쉽게 정해집니다. 그렇게 되면 세부적인 기획에 고민이 덜 가고, 촬영이나 영상편성에도 큰 도움을 얻을 수 있습니다. 구독자들도 콘텐츠에 대한 기대감을 갖고 채널을 구독하게 되므로 해당 타깃이나 유사 타깃에 대한 노출량도 더욱 증가합니다.

이처럼 지속적인 영상 제작을 위해서는 장기적인 채널의 방향을 담은 기획이 필요하고, 그 목적에 맞는 영상구성이 필요한 것입니다.

성공한 유튜브의 기획

성공한 크리에이터의 공통점은 채널 성격이 명확하다는 점입니다. 쯔양, 대도서관 등 유명 유튜버의 채널을 보면 콘텐츠에 대한 기대치가 있습니다. 쯔양은 대식가로 맛있게 먹는 콘텐츠가 생각이 날 것이고, 대도서관은 게임을 하면서 설명이나 추임새를 넣고 구독자들과 소통하는 모습이 생각날 것입니다. 이런 채널을 구독했다는 것은 추후 이들의 콘텐츠를 더 보고 싶다는 말과 같습니다.

만약 대도서관 팬들이 대도서관의 게임 하는 모습이 궁금한 것이 아니라, 먹방하는 것이 궁금했다면 어떻게 되었을까요? 게임 유튜버인 대도서관이 먹방하는 모습을 보고 싶다면 몇 번 도전이야 하겠지만 쯔양만큼 먹을 수는 없겠죠. 결국 잘하지도 못할 것이고 꾸준히하기는 더욱 힘들 것입니다.

먹방은 많은 사람이 도전하는 유튜브 카테고리 중 하나입니다. 그러나 도전한 사람들 대다수는 실패했죠. 여러분이 기억하는 먹방 유튜버는 얼마나 있나요? 먹방은 먹는 양이 많아 신기한 것도 있겠지만, 먹는 모습이 깔끔해야 하고 맛있게 먹을수록 시청의 즐거움이 커집니다. 이 또한 재능이 아닐까 싶습니다. 혹은 먹방에서 구하기 힘든 재료나 음식을 먹을 수는 있겠지만, 이는 방송을 준비하는 데 너무나 큰 노력이 들 수밖에 없습니다. 유튜버들은 자신이 세운 채널의 방향을 두고 차분히 소통해 나가는 것이 중요합니다.

구독자 700만의 유튜버인 할리우드 배우 윌 스미스는 "시청자를 지나치게 의식한 콘텐츠는 실패할 확률이 높다. 내가 정말 좋아하고 원하는 행동을 해야 장기적 관점에서 시청자에게 감동과 재미를 준다."고 말했습니다.[28] 지극히 당연한 말입니다. 유튜버는 영상을 매개로 시청자들과 소통하고 교류해야 합니다. 그리고 그들을 나의 커뮤니티로 끌어들이고 팬을 만들어야 하죠. 그러기 위해 가장 중요한 것은 '진정성'입니다. 자신을 있는 그대로 보여줘야 자신도 편하고 시청자의 마음도 얻을 수 있거든요. 자신의 성향과는 다른 행동을 보인다면 추후 진정성을 의심받기 쉽고, 오래갈 수 없습니다.

---

28) 김소희-최상현, ibid.

채널 아트와 슬로건

채널 〈땅집고〉의 채널 아트. '부동산을 보는 똑똑한 눈'이라는 슬로건을 가지고 있다.

유튜브 채널의 성격은 보통 채널 슬로건으로 정의하거나 채널아트가 통해 표현됩니다. 특히 채널의 디자인적 요소는 이 채널의 전문가스러움을 직관적으로 알려주기 때문에 호감이 가도록 만들어야 합니다. 시청자들에게 좋은 인상을 남기는 것이 무척 중요하기 때문이죠.

특히 기업이나 공공기관의 유튜브 채널의 경우 잘 디자인된 채널 아트가 신뢰감을 주기 때문에 로고 컬러 등을 고려해 디자인해주어야 합니다. 유튜브 배너, 채널 아트는 구독자를 늘리고 동영상 조회수를 높이는 데 필수적이지만 TV, PC, 태블릿, 스마트폰 등 시청 기기에 따라 크기가 달라질 수 있기에 제작 시 주의해야 합니다. 모든 기기에 이미지가 적절히 표시되도록 하려면 가장 큰 이미지 크기가 적용되는 TV에 최적화된 크기(2560×1440픽셀)로 맞추는 것이 좋습니다. 또한 모

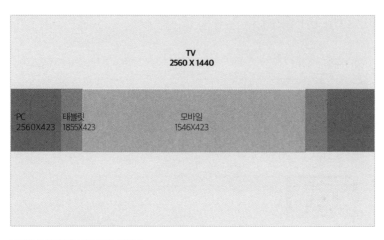

기기별 유튜브 채널아트 제작 사이즈

든 장치에 공통으로 표시되는 영역은 스마트폰용 크기(1546×423픽셀)입
니다. 이 정도 사이즈가 채널 아트 이미지 중심에 위치하기 때문이죠.
로고나 타이틀 등 반드시 보여야 하는 중요한 정보는 이 사이즈 영역
에 꼭 들어가게 제작해야 합니다.

　유튜브에서 말하는 채널 슬로건은 해당 유튜브 채널에 들어왔을
때 한 줄로 보이는 상단의 문구를 말합니다. 이런 채널 슬로건은 채널
아트와 함께 이 채널이 어떤 채널인지를 각인시키는 효과를 갖습니다.

　〈14F 일사에프〉의 경우 '우리, 세상 돌아가는 건 알아야지'라는
채널 슬로건을 사용하고, 〈자취남〉의 경우는 스팸이나 참치 등의 이
미지를 사용하여 '자취 관련 콘텐츠를 하겠구나.'하는 생각을 갖게
만듭니다. 〈땅집고〉 채널은 '부동산을 보는 똑똑한 눈'이라는 슬로건
을 사용하여 부동산 관련 정보를 다루고 있다는 느낌을 주죠. 물론

모든 유튜브 채널이 슬로건을 사용하지는 않습니다. 하지만 후발 주자일수록 채널 슬로건을 잘 정하면 시청자에게 채널의 성격을 쉽게 알릴 수 있고, 기획자 입장에서도 향후 영상의 기획 방향을 손쉽게 정할 수 있습니다.

채널 슬로건은 직관적으로 짓는 것이 좋습니다. 슬로건이 관념적이거나 은유적인 채널을 발견할 때가 있는데, 채널을 지속적으로 방문해 온 구독자라야 이걸 이해할 수 있습니다. 만일 이제 막 시작하는 채널이거나 적은 수의 구독자를 가진 채널이라면 슬로건을 통해 채널을 방문한 잠재 구독자의 눈길을 잡을 필요가 있습니다. 슬로건을 통해서 채널의 정체성과 담긴 정보, 방문자들의 취향과 맞는지 등을 확인할 수 있기 때문입니다.

유튜브 사용자들은 시간이 없고, 콘텐츠는 실시간으로 늘어나고 있습니다. 잠시라도 나의 채널에 들어온 잠재 구독자에게 명확히 내 채널의 지향점을 알려주는 것이 무엇보다 중요할 것입니다.

유튜브 채널의 분류

세상에는 많은 유튜브 채널이 있습니다. 유튜브라는 플랫폼이 너무 방대한 플랫폼이 되어버렸기 때문이죠. 세상의 모든 콘텐츠들이 유튜브에 있다고 해도 과언이 아닙니다. 너무나 많은 유튜브 채널이 있기에 기준에 따라 다양한 분류가 가능하겠지만 이 책에서는 기능적, 목적별, 소재별로 분류해 보기로 하겠습니다.

기능적으로 유튜브 채널을 분류해 보면 개인 채널과 브랜드 채널로 나눌 수 있고, 운영 목적별로 나눈다면 개인 채널, 기업 채널, 공공 채널 등으로 구분할 수 있으며, 소재별로 나눈다면 음악 채널, 게임 채널, 예능 채널 등으로 분류할 수 있을 것 같습니다.

개인 채널 만들기

내 Google 계정으로만 관리할 수 있는 채널을 만들려면 다음 안내를 따르세요.

1. 컴퓨터 또는 모바일 사이트에서 YouTube에 로그인합니다.
2. 프로필 사진 ⚫ › **채널 만들기**를 클릭합니다.
3. 채널을 만들 것인지 묻는 메시지가 표시됩니다.
4. Google 계정 이름 및 사진 등의 세부정보를 살펴본 다음 확인을 눌러 내 채널을 만듭니다.

> 참고: 휴대기기에서 댓글 게시 등의 방법으로 채널을 만드는 일부 경우에는 내가 선택한 채널 이름을 기반으로 YouTube에서 핸들이 자동 지정될 수 있습니다. 선택한 채널 이름이 핸들로 변환될 수 없는 경우 핸들이 무작위로 지정될 수도 있습니다. 스튜디오 또는 youtube.com/handle로 이동하면 언제든지 핸들을 확인하고 수정할 수 있습니다.

비즈니스 이름 또는 기타 이름으로 채널 만들기

관리자나 소유자가 2명 이상인 채널을 만들려면 다음 안내를 따르세요.
Google 계정과 다른 이름을 YouTube에서 사용하고자 한다면 채널을 브랜드 계정에 연결하면 됩니다. 브랜드 계정에 관해 자세히 알아보세요.

1. 컴퓨터 또는 모바일 사이트에서 YouTube에 로그인합니다.
2. 채널 목록으로 이동합니다.
3. 새 채널 만들기 또는 기존 브랜드 계정 사용 중에서 선택합니다.
   · **새 채널 만들기**를 클릭하여 새 채널을 만듭니다.
   · 목록에서 브랜드 계정을 선택하여 이미 관리 중인 브랜드 계정용 YouTube 채널을 만듭니다. 브랜드 계정에 이미 채널이 있다면 새 채널을 만들 수 없습니다. 목록에서 브랜드 계정을 선택하면 해당 채널로 전환됩니다.
4. 세부정보를 작성하여 새 채널의 이름을 정합니다. 그런 다음 만들기를 클릭합니다. 이렇게 하면 새 브랜드 계정이 만들어집니다.
5. 채널 관리자를 추가하려면 채널 소유자 및 관리자를 변경하는 방법에 대한 안내를 따릅니다.

YouTube에서 비즈니스 또는 기타 이름으로 채널을 사용하는 방법을 자세히 알아보세요.

📖 이 도움말에 대한 의견을 보내 주세요.

유튜브에서 채널 개설 시 안내문: '비즈니스 이름 또는 기타 이름으로 채널 만들기'에서 브랜드 채널 관련 설명을 담고 있다.

a. 채널의 기능적 분류

유튜브 채널을 개설하는 것은 웹뿐만 아니라 모바일 사이트에서도 가능합니다. 유튜브 채널을 열 때 개인 계정으로 만들 수도 있고, 브랜드 계정을 선택할 수도 있습니다.

개인 계정과 브랜드 계정은 핵심적으로 관리하는 사람이 개인인가, 혹은 다수인가의 차이입니다. 유튜브는 지메일을 근간으로 하고 있기에 메일 주인이 개인 채널을 가지게 되고, 자동으로 하나의 개인 채널이 생성되게 됩니다. 하지만 크리에이터로서 활동하는 경우 여러 사람이 채널에 관여해야 하기에 다수가 관리자로 등록 가능한 브랜드 계정을 추천하는 편입니다. 또한 개인 계정은 브랜드 계정으로 이전도 가능하고, 브랜드 계정은 양도도 가능한 부분이 있으니, 채널을 만드실 때는 브랜드 계정을 만들어서 활동하는 것을 추천합니다.

브랜드 계정을 잘 활용하면 본계정과 부계정의 상호 교류 전략이 가능해집니다. 개인 계정을 기반으로 한 채널에서도 본계정 이외에 부계정으로 채널이 개설된 예를 찾아볼 수 있습니다. 이런 전략은 본계정 기반 채널의 팬들을 부계정 기반 채널의 팬으로 확장시키는 방법이 됩니다. 〈슈카월드〉가 〈슈카월드 코믹스〉라는 부계정 기반 채널을 열어 병행하고 있는 것이 대표적 사례일 것입니다.

이는 비단 개인 채널뿐 아니라 공공채널에서도 활용되는 방식입니다. 공공기관인 문화재청에서 운영하는 유튜브 채널인 〈문화유산채널〉의 구독자 수는 무려 111만 명을 넘었습니다. 〈문화유산채널〉은 사실 문화재청이 운영하는 공식 유튜브 채널이 따로 있음에도 트렌디하게 우리 문화유산을 소개하기 위해 별도로 운영하는 부계정 기반 채널입니다. 공공에서 개설한 채널 중에 구독자 100만을 넘어 골드버튼을 받는 것은 아주 이례적인 일입니다. 심지어 부계정을 기반으로 한 채널인데도 말이죠. 이렇게 본계정과 부계정을 전략적으로 사용하는 방법은 타깃층에게 집중적으로 노출되는 유튜브 알고리즘을 활용한 것이며 성공할 확률이 높습니다.

채널의 수익화와 YPP 가입 관련해서 개인 계정과 브랜드 계정은 큰 차이가 없습니다. 자세한 사항은 유튜브 고객센터의 팁을 확인하세요.

b. 채널 운영 목적별 분류

채널을 목적별로 분류해 보면 대략 개인 채널, 기업 채널, 공공채널로 구분해 볼 수 있습니다. 사실 공공채널은 구분이 좀 애매한 부분이 있습니다. 여기서는 정부 채널(산하기관 포함)이라든지, 지자체, 공공기관, 단체 등 공익적인 가치를 목적으로 운영하는 채널을 공공채널로 정의하려 합니다.

일반적으로 개인 채널과 공공채널은 최종 운영목표가 다릅니다. 개인 채널은 적절한 수익을 내서 금전적 보상을 위해 채널을 운영하는 것이 골자라면, 기업 채널은 유튜브로 인한 경제적 이익 획득보다는 기업의 경영활동을 돕기 위한 것으로 결국 브랜딩과 관련이 있을 것입니다. 회사 제품에 대한 직접적 홍보 효과도 있고 기업과 브랜드에 대한 친숙함을 높이고 기업 선호도를 재고하기 위함이라 볼 수 있는 거죠.

최근에는 라이브의 활성화와 유튜브 쇼핑의 도입으로 직접 제품을 판매하는 경우도 늘고 있습니다. 특히 광고비 예산이 상대적으로 적은 중소기업의 경우 타깃 구분이 확실하고 예산이 적게 들어도 되는 유튜브 플랫폼을 활용한 라이브를 적극적으로 활용하고 있습니다.

공공채널의 궁극적 목적은 수익보다 PR(Public Relations)의 개념이 큽니다. 유튜브 플랫폼을 기반으로 상호 이해와 지지를 얻고 공공기관의 정체성을 제대로 알리며 이미지와 평판을 잘 구축하기 위함이겠죠. 이에 공공채널은 수익화를 목적으로 하는 것과 다른 콘텐츠가 제작되기도 합니다. 예를 들어 잘 알려지지 않은 '섬유박물관'이 있다고 한다면, 섬유에 관한 정보가 필요한 사람들이 유튜브를 통해서 정보를 얻길 바랄 것입니다. 이를 위해 필요한 콘텐츠를 정리해 두는 것이 이런 채널이 해야 할 중요한 업무가 됩니다.

하지만 이런 콘텐츠는 저조한 조회수를 기록할 확률이 높습니다. 다수의 시청자가 보길 원하는 콘텐츠가 아니기 때문이죠. 유튜브 채널에서 해당 채널 아래위로 K팝 스타의 콘텐츠가 있을 수도 있습니다. 그들과 콘텐츠로 경쟁을 하는 것은 무리겠죠. 하지만 공공의 필요성에 따라 이런 작업을 하는 것은 의미있는 일입니다.

그런데 이런 채널을 운영하면서 결과에 대해 아무런 신경을 쓰지 않아도 된다고 생각하는 것은 곤란합니다. 유튜브 알고리즘은 계속 활성화되고 평균 조회수가 높은 채널을 노출하기 때문에, 꾸준하게 시청자들과 교류하지 않는 죽은 채널이라면 결국 더욱더 노출이 어려워지고, 해당 콘텐츠는 점점 검색하기 힘든 콘텐츠로 사장될 수도 있습니다. 따라서 공공채널 또한 재미있는 구성과 알찬 내용이 담긴 콘텐츠 생산에 신경써야 합니다. 〈충주맨〉으로 유명한 김선태 씨도 한 강연에서 결국 사람들이 보고 싶어 하는 콘텐츠를 만들어야 한다고 말했습니다.[29] 이런 말에 비추어 보면 공적인 콘텐츠라도 사람들이 보고 싶어할 만한 요소를 갖추어야 한다는 점을 기억해야 할 것입니다.

요즘은 기업이 자체 유튜브 채널을 만들어 소비자와 직접 만나고, 잠재 고객까지 끌어오고 있습니다. 기업 유튜브 채널의 잘 만든 영상 콘텐츠는 어마어마한 구독자를 모으기도 하고, 탄탄한 브랜딩 효과까지 만들어 내죠. 사실 기업 채널도 대기업과 중소기업 등 운영 목적에 따라 천차만별입니다. 공식적인 소식을 전하거나 기업 이미지 개선을 위한 영상 콘텐츠를 만들어 소통하는 채널도 있고, 홈쇼핑같이 직접 상품을 파는 경우도 있습니다.

궁극적으로 기업들이 유튜브 채널을 운영하는 이유는 SNS 계정을 운영하는 것과 비슷합니다. 기업과 브랜드에 대한 친숙함을 높이고 기업 선호도를 높이기 위한 브랜딩이 첫 번째 이유이며, 회사 제품에 대한 직접 홍보 효과가 두 번째 이유일 것입니다. 그리고 소비자와 직접 만나고 잠재 고객까지 끌어오기 위한 소통이 마지막 목적이 되

---

29) 윤수진, "충주시 홍보맨 김선태 주무관, '압권' 지자체 유튜브 만든 비결은?", 『매일신보』, 2023. 11.14. https://news.imaeil.com/page/view/2023111417060570744?fbclid=IwAR07qw1KuuGh-0m6E1Vrshn31dqKCDrxGoV_-vRracQyOh6U6TmUiwsKG98

겠죠.

'브랜드 저널리즘(brand journalism)'이라는 말이 있습니다. 브랜드(brand)와 저널리즘(journalism)의 합성어로, 광고와 뉴스의 중간에 위치하며, 소비자에게 유용하고 맞춤화된 기사식 콘텐츠로 다가가는 새로운 형태의 광고이자 커뮤니케이션 유형입니다. 기업이 전문적인 미디어 기업처럼 콘텐츠를 만들어 광고도 하고 커뮤니케이션을 하기도 합니다. 주로 대기업 중심으로 뉴스룸 체계를 갖추어 운영하고 있는데, 삼성그룹, 현대카드, 한화그룹 등이 잘 운영하고 있는 편입니다. 비단 대기업뿐 아니라 스타트업도 마케팅이나 목적에 맞춰 잘 활용하기도 합니다.

'토스'의 경우 금융사들의 전통적 홍보방식인 유명 연예인이 등장하는 TV 광고를 벗어나 자체 제작 다큐멘터리를 새로운 홍보방식으로 택했습니다. 토스 내부에는 이처럼 콘텐츠를 직접 제작하는 전문 PD만 4명이 있다고 합니다. 토스가 공개한 2개의 다큐멘터리, 〈헬소닉〉과 〈블록버스터즈〉 모두 소속 PD가 전담했는데, 〈헬소닉〉에는 40명, 〈블록버스터즈〉에는 20명 등 총 60명이 넘는 제작 스텝이 투입됐습니다. 이런 토스 다큐멘터리는 업계에 큰 화제가 되었고, 토스는 유튜브의 플랫폼을 활용해 긍정적인 홍보 성과도 거두었습니다.

c. 채널의 소재별 분류

일반적인 유튜브 채널 범주는 소재를 기반으로 나뉘는 경우가 많습니다. 우리가 흔히 이야기하는 게임 유튜버라든지, 바둑 유튜버, 요리

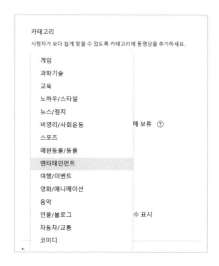

유튜브의 카테고리 분류

유튜버 등은 다루는 소재로 구분된 것으로, 이렇게 하면 정체성을 파악하기 쉬워집니다. 현재 유튜브에서는 다음과 같은 소재로 유튜브 채널 범주를 나누고 있습니다.

유튜브에서 동영상을 업로드 할 때 선택하는 카테고리 분류 차트는 위와 같습니다. 모두 15가지로 구분하고 있는데 이렇게 분류된 카테고리를 중심으로 검색을 통해 데이터를 노출해 커뮤니티를 구축하게 됩니다. 해당 카테고리는 대략 다음과 같은 내용으로 추정할 수 있습니다.

▶ 게임

- 최신 게임의 플레이 영상, 게임 리뷰, 게임 내 팁 및 트릭 공유
- e스포츠 대회 하이라이트 및 분석

- 게임 개발 과정 또는 게임 역사에 대한 다큐멘터리

▶ 과학기술

- 최신 과학 연구 및 발견에 대한 설명

- 기술 제품 리뷰 및 튜토리얼, 과학실험 및 DIY 프로젝트 가이드

- 인공지능, 로보틱스, 우주 탐사 등 첨단 기술에 대한 콘텐츠

▶ 교육

- 언어 학습, 수학, 과학 등의 교육적 강의

- 역사적 사건, 문화 등에 대한 콘텐츠, 학습 전략 및 공부 팁 공유

- 학생 및 교사를 위한 교육 자료 및 활동 아이디어

▶ 노하우/스타일

- 패션, 뷰티, 헤어 스타일 튜토리얼

- 개인 스타일 및 쇼핑 팁 공유, 인테리어 디자인 및 홈 데코 아이디어

- 건강 및 웰니스 관련 라이프 스타일 팁

▶ 뉴스/정치

- 최신 뉴스 요약 및 분석

- 정치적 사안에 대한 심층 토론 및 인터뷰

- 사회적 이슈 및 글로벌 이벤트에 대한 보도, 정치적 풍자 및 해설

▶ 비영리/사회운동

- 사회적 문제에 대한 인식 제고를 위한 다큐멘터리

- 자선 단체나 비영리 조직의 활동과 성과 소개

- 환경 보호, 동물 권리, 인권 등의 주제에 대한 인터뷰와 토론

▶ 스포츠

- 다양한 스포츠 경기의 하이라이트 및 분석

- 프로 선수 또는 코치와의 인터뷰

- 특정 스포츠에 대한 튜토리얼 및 훈련 팁

▶ 애완동물/동물

- 애완동물과 함께하는 일상 브이로그

- 동물 행동학에 대한 교육적 콘텐츠

- 야생 동물 보호 및 구조 활동 소개

▶ 엔터테인먼트

- 셀럽 인터뷰 및 엔터테인먼트 뉴스

- 영화, TV 쇼 리뷰 및 분석

- 대중문화에 대한 흥미로운 사실과 이야기

▶ 여행/이벤트

- 여행지 가이드 및 여행 팁

- 문화 축제 및 이벤트 취재
- 숨겨진 관광 명소 탐방

▶ 영화/애니메이션

- 신작 영화 예고편 및 리뷰
- 애니메이션 제작 과정 소개
- 영화 제작자나 애니메이터와의 인터뷰

▶ 음악

- 뮤직비디오, 커버 곡, 원곡 발표
- 음악 제작 과정 및 작곡 튜토리얼
- 음악가 인터뷰 및 라이브 공연

▶ 인물/블로그

- 일상 브이로그, 여행 브이로그
- 개인적인 경험과 이야기 공유
- 책 리뷰, 생활 꿀팁 등 개인적 관심사 소개

▶ 자동차/교통

- 자동차 리뷰 및 테스트 드라이브
- 자동차 수리 및 유지 보수 가이드
- 자동차 쇼 및 모터스포츠 이벤트 취재

▶ 코미디

- 스케치 코미디, 패러디 비디오

- 스탠드업 코미디 공연

- 코미디언과의 인터뷰 및 코미디 쇼 소개

　　이렇게 다양하게 채널을 소재별로 구분했지만, 콘텐츠의 경계는 없다고 생각됩니다. 2~3가지 소재를 섞어 새로운 형태의 콘텐츠로 만들 수도 있기 때문이죠. 자동차를 리뷰하면서 코미디나 엔터테인먼트 예능 형식으로 진행할 수도 있는 것처럼 말입니다.

3. 왜 유튜브를 운영해야 하는가?

유튜브 채널을 운영한다는 것

유튜브를 만들어 운영하는 것은 어떤 일일까요? 이는 크게 2가지 행동으로 정의될 수 있습니다. 먼저 내가 만드는 채널이 무엇을 하는 채널인지, 어떤 정보를 줄 것인지, 어떤 즐거움을 줄 것인지 채널 존속의 '목적'을 정해 이에 대한 브랜드 아이덴티티를 만드는 것입니다. 그리고 두 번째로 그 메시지를 전하기 위해 지속적으로 콘텐츠(영상)를 만들어 업로드하는 것이겠죠.

유튜브 채널을 처음 만들다 보면 이런저런 콘텐츠를 하고 싶다는 다양한 생각이 듭니다. 그러다 조회수가 잘 나오는 콘텐츠가 생기면 그런 콘텐츠를 지속적으로 만들어 올리게 되고 그러다 보면 한동

안 최초 기획과는 다른 방향의 콘텐츠들이 계속 업로드되기도 합니다. 그러던 와중 댓글이나 커뮤니티에서의 제안을 보게 된다면 또 다른 방향성의 콘텐츠가 만들어질 수도 있죠.

초보자의 경우 큰 나무(채널의 방향성)를 생각하지 못하고, 하나하나 영상을 만드는 것에 급급하게 됩니다. 그렇게 쫓기듯 영상을 만들어 올리다 큰 반응을 못 얻게 되니 제풀에 지쳐 유튜브 채널을 포기하는 경우가 많습니다. 또한 처음 의도와 전혀 다른 채널로 바뀌게 되는데, 이렇게 운영하는 사람일수록 성공 확률보다 중도 포기할 확률이 높아집니다.

이럴 때는 유튜브 기업의 입장에서 생각해 볼 필요가 있습니다. A라는 유튜버가 있다고 할게요. 처음엔 음식 관련 영상을 올리다가, 이후에 갑자기 기타 연주 영상을 올리기 시작했다고 가정해 봅시다. 심지어 나중에는 캠핑 장비 리뷰를 올리면 유튜브를 관리하는 입장에서 이 채널을 어떻게 정의할까요? 음식 유튜브? 음악 유튜브? 캠핑 유튜브? 결국 유튜브는 기업이니 돈을 벌기 위해 해당 영상을 클릭한 시청자들에게 광고를 보여줘야 합니다. 그런데 채널 성격이 불분명하니 관련 광고를 정하기도 어렵고, 타깃이 모여있지 않으니 광고 효과도 높지 않다고 판단할 수밖에 없는 거죠. 결국 이런 일이 반복되면 자연스럽게 노출량도 줄 수밖에 없는 것입니다. 그리고 유튜브 알고리즘은 그 채널과 유사한 채널을 연관 지어 추천해 주는데, 이렇게 채널 성격이 불분명하면 유사 채널로 추천받기도 어려워지기 때문에 결국 채널 성장에 긍정적인 효과를 가져오지 못합니다.

비단 알고리즘 문제만이 아닙니다. 시청자 입장에서 봐도 문제입니다. 어쩌다 A가 개설한 채널을 보게 되더라도, 이게 먹방 채널인지, 음악 채널인지 파악하기 어렵다면 구독으로 이어질 확률이 낮아집니다. 물론 유튜버 개인의 매력이 높으면 먹방을 하든, 음악을 하든 상관이 없을 수도 있죠. 그냥 유튜버 개인이 좋을 수도 있으니까요. 하지만 개인보다 콘텐츠 내용으로 승부하는 경우는 구독자가 쉽게 인지하도록 유튜브의 정체성을 정하고 가는 것이 중요합니다.

이런 이유로 유튜브를 만들 때 채널의 방향성을 정하는 것이 중요합니다. 그래야 콘텐츠 기획 방향도 쉽게 잡히고 큰 방향에 맞는 콘텐츠가 계속 생산되어 유튜브의 알고리즘에 쉽게 노출됩니다.

나의 고객은 누구인가

식당을 해도 고객과 지역에 대한 조사가 매우 중요합니다. 유동 인구는 얼마인지, 예상 고객들의 구매력은 어떠한지 등을 파악해야 하죠. 이는 유튜브 채널 개설에서도 마찬가지입니다. 성공하는 채널을 만들고 싶다면 내 채널을 보고 즐길 사람들이 누구일지 예측하는 것이 매우 중요합니다.

채널의 방향성이 잡히면 무엇을 할지 대략의 운영 방향이 서게 됩니다. 그렇다면 더욱더 핵심 타깃 구독자를 설정하기가 쉬워지죠. 400만이 넘는 유튜브 채널 〈허팝〉의 경우 초등학생 구독자가 많습니다. 그래서 머릿속으로만 생각하던 실험을 직접 해보는 것이 의미를 갖는 것이죠. 철저히 아이들의 눈높이에서 영상을 만드는 것입니다.

초통령의 원조라고 불리는 유튜브 크리에이터 도티도 눈높이에 맞는 콘텐츠를 만들어 성공한 케이스입니다. 도티 방송의 가장 큰 특징은 '클린함'입니다. 방송 초기부터 현재까지 모든 콘텐츠에서 욕설 등의 발언을 사용하지 않으며, 10대 초중반 학생들을 겨냥한 방송이다 보니 학교 교우관계를 고려해 방송 진행 시 유튜버와 시청자가 아닌, 화면을 사이에 둔 친구처럼 콘텐츠를 운영합니다.

도티는 한 인터뷰에서 게임을 좋아해 '마인크래프트'로 게임 콘텐츠를 만들면 좋겠다고 생각했는데, 콘텐츠를 계속 만들다 보니 거기에 호응하는 세대가 10대였다고 합니다. 그래서 어린 친구들이 편했기 때문에 이들에게 좀 더 친화적인, 그들의 취향에 맞는 콘텐츠를 했던 것이 성공 비결이라고 밝힌 바 있습니다.[30]

알고리즘적으로도 핵심 타깃이 정해지면 콘텐츠가 확산되기 쉬워집니다. 동일 연령대나 지역, 언어의 시청 조회가 한 채널에서 반복적으로 계속 일어난다면 향후 비슷한 연령대나 지역의 시청자들에게도 해당 채널의 콘텐츠를 보여줄 확률이 높아지기 때문입니다. 어차피 알고리즘으로 나의 콘텐츠를 추천하게 되는 시스템에 잘 적응하기 위해서도 타깃을 정하는 것은 중요합니다.

---

30) https://hub.zum.com/yes24/30668

나는 어떻게 보여질 것인가

최근 SNS 트렌드는 실제 현실의 자기 신분을 온라인까지 가져오지 않는 분위기입니다. 부캐를 만들어 오프라인에서 나타내지 못한 자신의 이야기를 하는 경향이 나타나고 있죠. 특히 젊은 층을 중심으로 그런 현상이 점차 강해지는 것으로 보입니다. 그래서 사람들은 SNS상에서 소통하는 사람들이 실제로 어떤 사람인가를 알기 어렵습니다. 다만, SNS에 비친 상대방의 페르소나 형상을 추측하고 대화를 이어 나갈 뿐입니다.

사람들은 인터넷으로 타인의 일상을 볼 때 직접적인 정보 이외에도 배경 등의 간접정보까지 인지하여 상황을 추측합니다. 옷을 잘 입거나 명품을 가지고 있거나 아주 유명인들만 갈 수 있는 특별한 곳을 가기만 해도, 그것을 본 사람의 시각에 주어지는 직접적인 정보 이외의 부분까지 생각을 뻗칠 수 있고 이는 호감도에까지 영향을 미칠 수 있습니다.

이런 이야기를 하는 이유는 채널의 정체성을 구축하는 데 있어 페르소나(Persona)의 개념을 적용하면 좋기 때문입니다. 특히 개인형 유튜브 채널일 경우 더욱 그러합니다. 페르소나는 그리스 어원으로 '가면'을 의미하는데, '외적 인격'을 뜻하는 말로 주로 사용됩니다. 영화 속 페르소나는 영화감독 자신의 분신이자 특정 성격을 가진 인물로 사용되는 것이 대표적인 예죠. 유튜브에서 채널의 정체성은 결국 일종의 페르소나이며, 채널을 만든 사람은 이를 통해 소통합니다.

유튜브 시청자들은 채널에 유입되었을 때 복잡하게 생각하지 않고 단지 등산 전문가의 채널인지, 야구 전문가의 채널인지, 취준생의 채널인지 식으로 채널을 단순화해서 이해하려 합니다. 그렇기에 유입되는 유튜브 사용자들이 쉽게 채널을 정의 내릴 수 있도록 자신이 원하는 채널의 페르소나 모형을 설정해 놓고 거기에 맞춰 콘텐츠를 기획하는 것이 좋습니다.

유튜브에서는 적당한 이미지 프레이밍도 필요합니다. 프레이밍은 동일한 피사체를 어떤 시각으로 보느냐에 따라 의미가 달라지는 현상을 의미합니다. 이 채널에서 나는 누구로 보여질 것인가. 이 채널에서는 나는 어떻게 보여질 것인가. 이런 점을 고민해야 한다는 것이죠.

페르소나는 창작자 입장에서 나의 채널을 어떻게 생각하는지, 다른 사람이 내 채널을 어떻게 봐주었으면 좋겠는지, 실제로 사람들은 나의 채널을 어떻게 바라보고 있을지 이 세 가지를 중심으로 구축되어야 합니다. 이런 관점을 고려해 적절한 영상을 기획하고 만들어 채널을 운영한다면 적절히 프레이밍 된 나의 모습을 보여줄 수 있을 것입니다.

시청자는 나에게서 무엇을 얻어갈 것인가

일반적으로 유튜브 채널을 만들 땐 내가 무엇을 줄 수 있는가를 먼저 생각해야 합니다. 물론 콘텐츠를 만드는 입장에선 당연한 생각이겠지만, 결국 시청자 없이는 채널이 생존할 수 없기 때문입니다. 채널을 꾸미는 초창기라면 일단 나의 콘텐츠를 한 번이라도 보기 시작한 사람의 눈길을 끌어 호감을 얻어내야 하겠죠. 그러기 위해서는 내 채널에 들어온 사람의 기호나 목적에 맞는 채널이 되어야 합니다.

뒤집어 이야기해 보면 내 채널에 들어온 사람들이 내 채널로부터 무엇을 얻어갈 것인가를 먼저 생각해야 한다는 것입니다. 표현을 바꿔 채널을 기획할 땐 철저히 시청자 중심에서 생각하고 콘텐츠를 만들어야 한다는 말을 강조하고 싶습니다.

예를 들어 차량 정비 유튜브 콘텐츠 경우, 아주 초보자를 대상으로 한 유튜브 채널 콘텐츠라면 경정비에 대한 팁을 소개할 수 있을 것입니다. 아니면 채널의 타깃이 자동차 전문가라면 부품은 어디서 구매하는지, 수리 장비는 어떤 브랜드가 좋을지 등의 깊이 있는 정보를 담아야 합니다. 만약 올드카를 정비하는 유튜브라면 전국의 오래된 부품상이나 고물상에서 부품을 찾는 과정을 보여줘도 좋고, 연락할 수 있는 정보를 공유해도 좋겠지요.

타깃 시청자가 나로부터 무엇을 얻어갈 수 있는가를 뒤집어 이야기하면, 나는 그들에게 무엇을 지속적으로 줄 수 있는가가 될 것입니다. 즉, 내 채널을 필요로 하는 사람들이 지속적으로 추후에 얻어갈 수 있는 무언가가 있어야 구독이 이뤄집니다.

구독 버튼을 누르는 행위에 대해서 한번 생각해 봅시다. 사람들은 좋은 콘텐츠를 발견했다고 무작정 구독을 누르지 않습니다. 하나의 콘텐츠가 마음에 든다면 또 다음에 이어지는 다른 콘텐츠를 시청하고, 두세 번 시청한 뒤에 추후에도 이 채널의 콘텐츠를 보고 싶다는 판단이 들 때야 구독으로 이어집니다.

여기서 핵심은 구독자가 추후에도 또 보고 싶은 콘텐츠를 생산하는 채널이냐는 것입니다. 해당 채널이 주는 정보나 재미, 즐거움 등이 필요 없거나 단순한 내용이라면 구독을 누르지 않습니다. 내가 필요로 하는 콘텐츠이고 추후 다시 보고 싶은 생각이 들어야만 구독을 누르게 됩니다.

그렇게 내 채널에서 얻어갈 것을 정해 놓으면 채널 기획이 쉬워지고 다양한 영상을 기획할 수 있는 가능성도 커집니다. 하지만 다수의 유튜브 크리에이터들은 영상을 몇 개 만들어 올려보고, 반응이 나오는 쪽으로 계속 채널의 방향을 바꾸는 경향이 있습니다. 예를 들자면, 여행 유튜브인데 라면을 먹은 영상이 조회수가 잘 나오면 한두 번 음식 콘텐츠를 만들어 올리게 되고, 최종적으로는 먹방 유튜브로 전향을 하기도 하는 거죠. 물론 몇몇 채널은 이런 방식으로 아예 채널 성격을 바꾸기도 합니다. 하지만 당장 조회수가 안 나온다고 자꾸 채널의 성격을 바꾸다 보면 이것도 저것도 아닌 채널이 되는 경우가 많습니다.

채널을 기획하면 지속적으로 최소 6개월은 실험해야 하고 그래도 버틸 여유가 있으면 1년은 꾸준히 지켜봐야 합니다. 채널을 운영하면 유튜브 스튜디오 앱에서 지표를 볼 수 있습니다. 유튜브 스튜디오는 채널을 관리하고 분석하는 데 필요한 데이터를 제공합니다. 크리에이터들은 유튜브 스튜디오를 통해 동영상을 업로드하고 편집하고,

조회수·지난 28일

전체　외부　YuTube검색　추천 동영상　재생목록

전체 트래픽 대비 비율　　　　**43.5%**

세미트럭	8.0%
강정수 박사	7.2%
사이버트럭 가격	5.6%
카누 전기차	4.4%
canoo	4.0%

'유튜브 스튜디오'를 보면 시청자들이 어떤 키워드를 사용해 내 채널에 유입되었는지를 알 수 있다. 이를 토대로 6개월 이후 조금씩 방향을 틀어가면서 내가 원하는 방향과 내가 잘할 수 있는 콘텐츠, 그리고 구독자들이 원하는 방향으로 영점을 잡아 나가는 것이 중요하다.

섬네일과 자막을 추가하고, 댓글과 수익을 관리하고, 채널의 성과와 최신 트렌드를 파악할 수 있습니다. 꾸준히 데이터가 쌓인 후 유튜브 스튜디오를 보면 나의 채널을 찾아온 사람들 중 구독자는 얼마나 되며, 어떤 키워드로 찾아 들어왔는지 알 수 있고, 어떤 유사 콘텐츠가 있는지, 나의 구독자는 어떤 점을 알고 싶어하는 지를 쉽게 파악할 수 있습니다.

구독의 패러독스

핵심은 구독자가 어떨 때 구독을 누르냐는 것입니다. 구독 버튼을 누르는 경우는 추후 보고 싶은 콘텐츠가 있거나 시청 과정에서 이해는 안 되지만 도움이 될 것 같다는 콘텐츠가 있을 때입니다. 제가 해외에서 본 재미있는 기사 중 하나는, 야한 콘텐츠의 경우 조회수는 높지만 구독 버튼은 잘 안 누른다고 하더군요.

이런 관점에서 구독 버튼을 누르게 만들려면 "구독, 좋아요, 알림 설정해 주세요."라고 이야기하는 것보다 결국 구독자가 필요로 하는 정보를 이야기하거나, 구독자의 카타르시스를 해결해 주는 콘텐츠를 지속적으로 업로드해야 합니다.

여기서 '지속적'이란 말이 중요한데, 검색하고 좋은 콘텐츠를 발견했다 하더라도, 업로드 주기가 불규칙하거나, 업데이트가 한참 동안 이뤄지지 않는다면 구독자들은 구독 버튼을 누르길 주저합니다. 최근에는 콘텐츠의 범람으로 시청자들이 최종 업로드 날짜를 확인하는 경우도 많아졌고, 시간이 많이 지난 콘텐츠를 타임라인에 올리는 경향도 과거보다는 줄어든 것 같습니다.

유튜브 채널을 만들면 링크를 만들고 소셜미디어에 올려 구독 해 달라고 이야기합니다. 구독의 패러독스라 볼 수 있죠. 구독자가 많으면 무조건 좋은 것인가? 일단 구독자가 늘면 좋긴 하겠지만, 타깃팅이 안 된 상태에서 구독자만 늘어가는 것도 권장할 만한 일인지는 한 번쯤 생각해 볼 필요가 있습니다. 유튜브 채널 구독자의 공통점이 없다

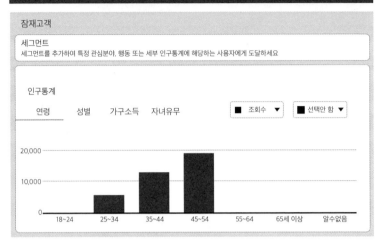

잠재고객

세그먼트
세그먼트를 추가하여 특정 관심분야, 행동 또는 세부 인구통계에 해당하는 사용자에게 도달하세요

인구통계

연령   성별   가구소득   자녀유무   ■ 조회수 ▼   ■ 선택안 함 ▼

20,000

10,000

0
    18~24   25~34   35~44   45~54   55~64   65세 이상   알수없음

'구글 애즈'라는 구글에서 만든 셀프 서비스 광고 프로그램을 보면, 해당 타깃을 설정하게 되어 있다. 여기서 연령, 성별, 가구소득, 자녀 유무에 따라 타깃을 선정할 수 있으며, 세부적으로 지역부터 취미, 음악, 음식까지 아주 디테일하게 설정할 수 있다.

면 유튜브 입장에선 헷갈릴 수밖에 없는 거죠.

유튜브 입장에선 광고를 최적화해 적합한 광고를 하고 적중률을 높여야 합니다. 이때 구독자들이 파편화되면 광고 타깃층을 설정하기 어려워지고 적중률도 높이기 어렵습니다. 일부 유튜브 마케팅회사에서 해외 구독자를 모집해 구독자 수를 늘리는 행동을 하기도 하는데 이런 관점 때문에 권장하지는 않습니다. 이런 행동은 매크로, 혹은 어뷰징과는 조금 다른 행동이긴 하나 바람직한 행동은 아닙니다.

구독자가 늘어나는 것은 좋은 현상입니다. 하지만 상식적으로 그룹핑이 가능한 세대나 취미나 지역, 경제적 상황이 드러나면 좋을 것

관심분야 세그먼트
음식 & 음식점

*People grouped by their interests and routines
related to food, beverages, dining, and cooking*

추천 이유
나와 유사한 광고주를 기반으로 한 추천 잠재고객

주간 노출수
100억~1조

예상 기준:
대한민국, 한국어, 동영상

관련성이 가장 높은 잠재고객 세그먼트
여성 관련 미디어 팬
라틴 음악 팬
출장객

관련성이 가장 높은 YouTube 카테고리
과일, 채소
쇠고기
요리 및 조리법

구글 애즈가 잠재 고객을 정하는 방법. 구글은 관련 음악의 종류, 고기의 종류까지 분류해서 광고를 보여준다.

입니다. 같은 취미를 가진 사람이 한 영상을 지속적으로 보고 있다면 해당 콘텐츠에 연관된 광고를 붙일 때 효율이 높아지기 때문이죠. 예를 들어 낚시 유튜브 채널을 지속적으로 보는 사람들의 데이터가 있다면, 그들에게 낚시용품 광고를 노출시킬 경우 훨씬 많은 제품 판매를 유도할 수 있을 것입니다. 이런 타깃군이 잘 형성되어야 광고 효율이 높아지고 결국 유튜브 광고를 활용하려는 광고주들도 더욱 많이 늘어납니다.

이런 점을 유튜브 콘텐츠 제작 시 고려하면 좋습니다. 내 채널의 콘텐츠가 관련 내용을 타깃으로 하는 광고와 함께 방송된다면, 더욱 많은 노출이 가능할 것입니다. 물론 유튜브 채널이 흥하려면 일차적으로 영상 콘텐츠 자체를 잘 만들어야 하지만, 이런 운영 로직을 고려해서 콘텐츠를 제작하고 채널을 운영한다면 더욱 훌륭하겠죠. 그러면 잠재고객들에게까지 노출이 될 것이고 이에 광고 효율이 높아지면 수익도 높아질 것입니다.

결국 검색이 되어야 한다

좋은 영상을 만드는 것만큼 중요한 것이 유튜브 알고리즘에 적합한 콘텐츠를 만드는 일입니다. 많은 이들의 시선을 사로잡고 흥미를 유발하여 클릭할 수 있는 콘텐츠를 만드는 것이 무엇보다 중요합니다. 콘텐츠가 아무리 좋아도 관심을 끌지 못하면 힘들게 만든 콘텐츠를 보여줄 기회조차 얻을 수 없기 때문이죠.

유튜브의 알고리즘 원리에 관해 이야기해 보려 합니다. 앞에서 언급했지만 공개적으로 알고리즘에 관해 알려진 바는 없습니다. 하지만 언론을 통해 알려진 유튜브 알고리즘은 '시청자들의 체류 시간을 극대화하는 방향으로 짜여 있다.'라고 알려져 있습니다.

결국 구글은 검색에 기반하여 검색 내용과 가까운 콘텐츠를 우선 보여주고, 그 외에는 검색하는 사람이 좋아할 만한 콘텐츠, 그리고 그중에서도 다른 사람들이 시청하고 그 결과 시청 시간이 길었던 콘텐츠를 우선으로 올릴 것이라고 추측할 수 있습니다.

시청 시간이 긴 콘텐츠는 잘 만든 콘텐츠라 볼 수 있습니다. 그러기 위해서는 결국 검색되어야 하는데 이와 연관해 공식적으로 정확히 알려진 바는 없습니다. 다만 수많은 크리에이터들의 경험과 리버스 엔니지어링 등 일부 연구자들의 노력으로 유튜브 검색에 대한 기초적인 추측은 가능하게 되었습니다.

2022년 유튜브는 세미나를 통해 알고리즘에 관한 흥미로운 답변을 내놓았습니다. 이들은 "유튜브 추천 시스템은 동영상을 기준으로 시청자를 찾기보단, 시청자를 기준으로 동영상을 찾습니다."라고 발표한 바 있습니다.

그러므로 내 영상이 노출되려면 '시청자에게 어떤 영상을 보여줘야 만족하고 행복해할까?'라는 고민이 필요합니다. 시청자가 모든 열쇠를 가지고 있고, 유튜브는 그들에게 가장 잘 맞는 영상을 추천해

주는 것이 목적이기 때문입니다.

그렇다면 유튜브는 시청자가 좋아하는 영상을 어떻게 알 수 있을까요? 유튜브 스튜디오를 접속해 보면, 가장 눈에 띄는 것 중 하나가 정면에 보이는 시청 시간 지표입니다. 온라인에 유튜브 알고리즘 관련 검색을 해봐도 가장 많이 언급되는 것이 시청 시간입니다.

유튜브 스튜디오 분석탭에 접속하면 바로 보이는 메인화면에서 조회수와 시청 시간, 구독자와 예상 수익 등 주요 지표를 확인할 수 있습니다. 유튜브는 매일매일 800억 개가 넘는 시청자 신호를 계속 학습하여 최적화해 나간다고 합니다. 따라서 유튜브 스튜디오를 적극 활용해 여기에 나타나는 데이터를 분석하고 이를 고려한 콘텐츠를 생산함과 동시에, 적합한 검색 키워드를 설정해야 합니다.

한 가지 팁을 드리자면, 엑셀 파일에 날짜별로 특이점을 기록해 놓으면 좋습니다. 특정 콘텐츠 업로드 이후 반응을 기록해 놓는 식이죠. 이렇게 하면 어떤 류의 콘텐츠를 어떤 방식으로 올렸을 때 좋은 반응이 나타나는가를 알기 쉬워집니다.

물론 시간이 지나 유튜브 스튜디오를 보면서 어떤 콘텐츠가 업로드되었는지 추후 분석이 가능은 하겠지만, 주 1회라든지 업로드 시점마다 정리해 놓으면 한눈에 어떤 콘텐츠가 어떤 반응을 일으켰는지 쉽게 알 수 있습니다.

특히 특정 콘텐츠가 인기를 끌었다든지 아니면 갑자기 사람들이 빠져나갈 때 특정 콘텐츠에 대한 댓글이 원인이 된 것 같다든지 등 변곡점이 될 만한 사항을 적어놓으면 나중에 콘텐츠를 기획하거나 제

유튜브의 검색창에 특정 키
워드를 입력하면, 연관 검색
어가 추천된다.

작할 때 큰 도움이 됩니다. 만약 혼자 채널을 운영하고 있다면 이런 작업이 덜 필요할 수 있지만, 기관이나 수익형 채널을 운영할 때는 이 방법이 좋은 가이드가 됩니다.

클릭을 위해서는 섬네일 제작이 중요하다고 말하지만 그것보다 먼저 검색을 통해 첫 화면에 보이는 상위 게시물에 들어올 수 있는 검색어 설정이 더욱 중요합니다. 이를 위해서는 해시태그 작업과 SEO 작업이 중요합니다. 그래서 채널을 기획할 때는 어떤 내용을 다룰 것인지 정한 상태에서 관련 키워드를 분석해 채널 이름을 정하는 것이 좋습니다.

구글 트렌드 등을 분석해 해당 내용과 관련해 사람들이 어떤 키워드에 관심을 두는지를 살펴본 후, 이를 조합해 채널명으로 만들어보세요. 그리고 검색 창에 떠오르는 예상 검색어를 활용하는 것도 좋은 방법입니다.

가끔 관념적인 언어나 추상적인 말로 채널명을 정하기도 하고, 무턱대고 말을 줄여서 앞 글자만 딴 단축어로 채널명을 정하기도 합니다. 그러나 이런 방법은 연예인이나 인플루언서 같이 채널 개설자가 엄청나게 유명한 경우가 아닌 다음에는 추천하지 않습니다.

일반인으로 유튜브를 처음 시작하면 해당 채널의 브랜딩을 하는데 꽤 많은 시간이 필요합니다. 효율적으로 채널을 운영하는 것이 오래 살아남을 수 있는 비결입니다. 상식적인 범위에서 사람들이 검색할 키워드를 조합해 검색이 잘 될 만한 채널 네이밍을 만들어 주세요.

퍼스널 브랜딩과 채널 브랜딩의 차이

유튜브 콘텐츠는 정말 많습니다. 그 많은 채널 중 내 채널을 기억하고 찾아오게 만들기 위해 브랜딩은 필수적입니다. 다양한 정의가 있겠지만, 브랜딩은 제품 또는 서비스에 대한 사람들의 인식에 영향을 주기 위해 의도적으로 취하는 행동을 의미합니다. 브랜딩을 통해 사람들이 계속해서 내 브랜드를 선택하도록 유도할 수 있습니다. 그렇다면 유튜브에서의 브랜딩은 어떻게 해야 할까요?

a. 퍼스널 브랜딩

소셜미디어 시대의 퍼스널 브랜딩이란 온라인 세상에서 나만의 브랜드를 구축하고 홍보하는 것입니다. 더 나아가 자신의 좋은 브랜드 평판을 바탕으로 경제적인 부분까지 연결시켜 경제적 이익을 얻을 수도 있습니다. 그리고 향후 부가가치를 높여 더욱 다양한 비즈니스 기회와 더 높은 경제적 수익을 창출할 수 있게 만듭니다.

퍼스널 브랜딩은 소셜미디어 시대를 맞아 개인 또한 콘텐츠를 만들 수 있게 되면서 더 주목받기 시작했습니다. 영상으로 커뮤니케이션이 가능한 시대가 되면서 팬들과 깊은 유대감까지 실시간으로 쌓을 수 있는 환경도 조성되었습니다. 퍼스널 브랜딩은 유튜브 개인 채널을 운영하는 사람들에게 해당되는 경우가 많습니다.

요즘 공중파나 케이블TV에는 유튜버들이 대거 출연하고 있습니다. 과거 방송 작가들은 블로거나 지인 찬스를 많이 썼다지만, 지금은 유튜브 채널을 보고 출연자를 섭외하는 경향이 높아졌다고 하네요. 왜냐하면 유튜버는 아마추어지만 카메라를 두려워하지 않고, 카메라 앞에서 말하는 훈련이 되어 있기 때문에 선호한다고 합니다. 이처럼 유튜브 플랫폼에서 인플루언서로 성장하면서 추후 브랜딩이 더 된다면 향후 다른 플랫폼으로도 확장해 나갈 수 있습니다.

퍼스널 브랜딩을 위해서는 자신만의 페르소나를 정립하면 빠르게 목적을 달성할 수 있습니다. 페르소나에 부합하는 나만의 콘텐츠를 하나 둘 모으고 SNS를 통해 세상과 공유하며 자신과 같은 가치를 추구하는 사람들과 만나 지속적으로 커뮤니케이션해야 합니다. 퍼스널 브랜딩을 하기 위해 어느 하나의 분야에 고도의 전문성을 갖지는 않아도 됩니다. 내가 되고 싶은 나의 목표를 설정하고, 그것에 도달하기 위해 노력하며 성장하는 모습을 나누는 것 자체도 콘텐츠가 될 수 있기 때문입니다.

앞으로는 기업의 일원으로 살기보다 최종적으로 개인 자체가 기업이 되길 희망하는 시대가 왔다고 생각합니다. 자신만이 할 수 있는 스토리텔링이 있거나 콘텐츠가 있다면 유튜브에서 소통하며 명성을 얻고 돈을 버는 퍼스널 브랜딩을 만들어 나갈 수 있을 것입니다.

b. 채널 브랜딩

공공 유튜브라면 개인과는 다른 브랜딩 전략을 고려해야 합니다. 단순하게 공공을 대상으로 하는 마케팅이 아니라, 해당 기관의 철학과 정체성을 갖고 명확한 타깃과 이를 공유하려는 노력을 펼쳐야 합니다. 공공채널들은 홍보나 공익캠페인, 브랜디드 콘텐츠 등 마케팅 커뮤니케이션을 지속적으로 펼쳐왔습니다. CSR(Corporate Social Responsibility, 기업의 사회적 책임)이나 CSV(Creating Shared Value, 사회적 가치 창출), SDG(Sustainable Development Goals, 지속가능목표) 등도 친숙한 용어라 할 수 있죠. 하지만 유튜브 채널은 단순히 콘텐츠를 진열해 놓는 장소가 아닙니다.

유튜브의 시대에 공공 유튜브는 여러 영상 콘텐츠를 통해 지속적으로 커뮤니케이션해야 합니다. 여러 번 반복적으로 노출해 좋은 이미지를 가져올 수 있는 광고부터 일회성 커뮤니케이션을 목적으로 하는 각종 영상들까지. 목적에 맞는 영상들을 계획해 배치하고 지속적으로 구독자에게 메시지를 송출해야 합니다. 예를 들어 잘 만든 영상을 채널 상단에 놓아 주목받는 동영상으로 반복 노출시키는 것도 하

나의 방법이 될 수 있습니다.

또한 공식 채널뿐 아니라 조금 더 연성화된 브랜드 채널로 나누는 것도 하나의 전략이 될 수 있습니다. 공식 채널은 정보를 중심으로 운영하고, 브랜드 채널은 직원들이 출연하거나 재미있는 예능형의 콘텐츠를 통해 친근하게 소통하는 방법입니다. 서브 채널을 개설하면 브랜드 채널명도 부드럽게 정할 수 있어 딱딱하지 않은 커뮤니케이션이 가능해집니다.

최근 공공채널에서 조회수를 노리고 무리한 콘텐츠를 제작해 사과를 반복하는 경우가 가끔 눈에 띕니다. 공공채널은 장기적인 계획을 가지고 하나하나 이미지를 쌓아나가는 과정이라 볼 수 있습니다. 단순히 조회수를 통해 돈을 노리는 것이 아닌 만큼, 나의 타깃에게 도움이 될 만한 콘텐츠를 지속적으로 쌓아 브랜드를 축적하는 것이 중요합니다.

그리고 공공채널은 신뢰도가 중요합니다. 공공성을 강조하는 채널답게 검증된 콘텐츠를 보여주는 것이 무엇보다 중요합니다. 공공채널이라는 특성상 신뢰도가 높아야 사람들이 더욱 몰리기 때문입니다. 특히 오타라든지 아주 기본적인 사실관계조차 점검하지 않고 업로드하는 경우가 있는데, 이런 점을 결코 간과해서는 안 될 것입니다.

채널 기획의 프로세스

실제 채널을 기획할 때는 우선 내가 하려는 채널의 유튜브 포지셔닝부터 파악하는 것이 좋습니다. 먼저 채널에 관련된 메인 키워드를 작성해 보면 관련 키워드가 추천된다는 것을 알게 됩니다. 이때 생성된 키워드로 유입과 경로, 시청자층을 구축할 수 있습니다. 그리고 동시에 내 채널과 연관된 검색어도 같이 찾을 수 있어 채널 기획에 더 효과적입니다.

실제 유튜브 채널 개설은 어떻게 준비하고 진행해야 할까요? 유튜브의 기획, 제작, 운영 프로세스를 한번 정리해 보겠습니다.

[채널 기획]

① **주제 선택:** 유튜브 채널을 시작하기 전에 어떤 주제나 카테고리에 대한 콘텐츠를 제공할 것인지 선택해야 합니다. 이 주제는 여러 요소를 고려하여 결정해야 하는데 자신의 관심사, 전문 지식, 시장

수요, 경쟁 상황 등을 고려하는 것이 좋습니다.

② **타깃 정의**: 누구를 대상으로 채널을 운영할 것인지 정의하는 과정입니다. 이때 나이, 관심사, 언어, 지역 등을 고려해야 합니다.

③ **시장 조사**: 선택 주제와 타깃층에 관한 분석을 수행해야 합니다. 예를 들어 경쟁 채널은 무엇인지, 동종 채널의 수요와 공급 상황은 어떠한지를 보고 이와 관련된 트렌드, 키워드 분석이 필요합니다.

④ **콘텐츠 전략 개발**: 채널 목표와 방향을 설정하고, 콘텐츠 제작 및 게시 빈도를 결정해야 합니다. 콘텐츠 유형(예: 튜토리얼, 리뷰, 블로그, 엔터테인먼트 등)을 결정하고, 어떤 컨셉을 가질지 고려해야 합니다.

[콘텐츠 제작]

⑤ **장비 및 소프트웨어 구입**: 필요한 카메라, 마이크, 조명, 편집 소프트웨어 등을 구입하고 이와 관련된 기술을 익혀야 합니다.

⑥ **브랜딩 및 채널 이름 선택**: 채널의 브랜딩 요소를 정의하고, 채널 이름(슬로건)을 선택해야 합니다. 채널 이름과 슬로건은 타깃층을 고려해 추후 생산될 영상이 쉽게 인지될 수 있어야 합니다.

⑦ **동영상 제작**: 동영상을 지속적으로 제작하고 업로드합니다. 시청자들이 내 채널을 지속적으로 보도록 구성과 내용 등 콘텐츠의 퀄리티를 신경 써야 합니다.

[유튜브 채널 운영]

⑧ **커뮤니티 구축**: 소셜미디어를 활용하여 채널을 홍보하고, 시청자

와 상호 작용하며 채널 커뮤니티를 구축해야 합니다.

⑨ **콘텐츠 스케줄 관리**: 콘텐츠 일정을 관리하고, 꾸준하게 콘텐츠를 업로드해야 합니다. 일정한 업로드는 시청자들에게 신뢰감을 주기 때문입니다.

⑩ **성과 모니터링**: 통계/분석 도구(유튜브 스튜디오)를 사용하여 채널 성과를 모니터링하고, 시청자 피드백을 수집(커뮤니티 탭 활용)해 개선점을 찾아야 합니다.

⑪ **성장 전략**: 채널을 확장하고 성장시키기 위한 전략을 개발해야 합니다. 광고, 협업, 소셜미디어 홍보 등을 고려해야 합니다.

유튜브를 잘한다는 의미

유튜브 채널을 잘 운영한다는 것은 어떤 의미일까요? 저는 앞에서 이제는 소셜미디어에서 하루를 보내는 시대라고 말한 바 있습니다. 스마트폰을 활용해 콘텐츠를 손쉽게 촬영, 편집하고 업로드 하는 시대. 영상을 쉽게 만들 수 있으니 영상으로 소통하고 함께하는 것이 익숙한 세대. 그런 플랫폼 위에서 영상을 기반으로 커뮤니케이션하는 시대입니다. 그렇다면 결국 유튜브를 잘한다는 것은 무엇일까요?

① 동영상 커뮤니케이션을 잘하는 것
② 채널의 기획에 맞게, 의도하는 대로 한 방향 동영상을 지속적으로

업로드하는 것

③ 업로드한 동영상에 공감하는 사람들이 늘어나는 것

④ 유튜브 채널을 기반으로 나와 생각이 같은 사람들과 교류하는 것

⑤ 궁극적으로 커뮤니티가 형성되고 팬이 생겨나는 것

이런 단계별로 유튜브를 매개로 커뮤니티를 형성해 팬을 만드는 것이 우선일 것입니다. 그렇게 되면 팬들은 영상을 보든, 멤버십에 가입하든, 슈퍼챗을 구매하든 경제적으로 보답하게 됩니다. 그리고 그 보상을 기반으로 다시 콘텐츠를 만들어 지속 가능하게 운영하는 것. 그것이 유튜브를 잘하는 핵심입니다.

유튜브 콘텐츠 제작하기

과거에 비해 영상 제작 방법과 기술이 눈부시게 발전했습니다. 스마트폰 하나로 촬영, 편집, 자막 작업에 영상 업로드까지. 유치원생부터 노인까지 누구나 영상 제작을 할 수 있게 되었죠. 주위를 돌아봐도 스마트폰만 가지고도 채널을 운영하는 사람이 많아졌습니다. 3장에서는 본격적으로 유튜브 콘텐츠를 제작하는 방법을 알아봅니다.

1. 제작 방법이 쉬워졌다고
영상 제작이 쉬운 건 아니다

간단한 쇼츠 영상의 경우 혼자서도 스마트폰으로 충분히 영상 제작이 가능합니다. 재미있는 장면을 1분 내외로 촬영한 뒤, 자막 유무에 상관없이 촬영된 콘텐츠가 재미있다면 충분한 거죠. 하지만 여전히 영상 제작은 결코 만만한 작업이 아닙니다.

유튜브 채널을 개설해 본 경험이 있는 독자라면 당연히 영상을 만들어 본 경험이 있을 것입니다. 그러나 기껏 촬영하고 편집해서 올렸지만 유튜브 채널 조회수는 결코 쉽게 오르지 않죠. 링크를 만들어 카카오톡으로 뿌려보지만 구독해 주겠다는 지인들마저 구독하지 않아 섭섭한 마음이 들 수도 있습니다. 겨우 10분 정도의 영상을 만들기 위해 며칠을 노력했는지 모를 것입니다. 어쩌다 스마트폰이나 컴퓨터가 다운될 때도 있고 말이죠.

주위에 내 영상을 본 친구들은 두 번 다시 내 채널을 찾아오지 않습니다. 한두 번 의무감으로는 봐주겠지만 본인들이 필요로 하지 않으면 결코 내 채널은 흥할 수 없습니다. 다시 말해 영상에는 시청자들이 객관적으로 재미있거나, 도움 되는 정보가 있어야 한다는 뜻입니다. 영상 하나 만드는 데도 이렇게 힘이 드는데, 보통 한 달에 8개 정도는 만들어야 알고리즘의 선택을 받을 수 있으니 정말 힘든 일인 거죠.

그런데, 유튜브를 하려면 한 가지 잊지 말아야 할 것이 있습니다. 유튜브는 누구에게나 오픈된 영상 플랫폼이라는 것입니다. 그 말은 나의 영상이 프로들이 만든 영상과도 경쟁한다는 뜻입니다. 다시 말해 내가 만든 영상의 위아래로 유명 연예인들의 영상이 놓일 수도 있고, 넷플릭스나 디즈니플러스 등 비싼 제작비가 들어간 영상이 놓일 수 있다는 것이죠. 어떻든 결국 내가 만든 영상이 그들과 싸워서 선택받아야 하는데, 그 정도로 잘 만들 수 있을 것인가 생각해 봐야 합니다. 기술적으로 그들과 싸워 선택받을 정도의 영상을 만들지 못할 것 같다면 다른 방법을 찾아야 합니다. 결국 내가 올린 영상이 나의 타깃에게 도움이 되는 내용인지, 나의 콘텐츠로 그들의 눈을 사로잡을 수 있을 것인지 고민해야 합니다.

영상을 선택받기 이전 섬네일과 해시태그의 도움을 받을 수도 있겠지만, 섬네일이 뛰어나다 하더라도 재미없거나 도움이 되지 않는 영상이라면 시청자들이 바로 이탈할 것입니다. 구독으로 이어지지도 않고요. 유튜브 채널을 잘 구축하려면 좋은 영상을 지속적으로 만들어 업로드하는 것이 기본입니다.

사람들의 영상 소비 패턴이 변했다

영상 유통 기반이 레거시 미디어에서 소셜미디어나 OTT 등으로 바뀌고, 스마트폰이 대중들의 삶에 지대한 영향을 끼치면서 사람들이 영상을 유통하고 소비하는 패턴이 달라졌습니다. OTT 대표격인 넷플릭스는 초창기에 '빨리 보기' 기능이 없었습니다. 시청자들은 당연히 콘텐츠가 재생되는 속도대로 시청해야만 했었죠. 그런데 2019년부터 넷플릭스는 영상 재생속도를 시청자가 선택할 수 있는 기능을 제공하기 시작했습니다.

넷플릭스 관계자들의 전언에 따르면 넷플릭스 고객센터에 '빨리 보기' 옵션을 넣어달라는 요청이 많았다고 합니다. 아마도 넷플릭스보다 먼저 '빨리 보기' 기능을 제공했던 유튜브 시청 경험이 여기에 영향을 미쳤을 것입니다.

이제 어디서나 '빨리 보기'로 콘텐츠를 소비하는 사람을 찾기는 그리 어려운 일이 아닙니다. 특히 온라인으로 학습할 때 '빨리 보기'는 많이 사용하는 기능입니다. 지루한 부분은 스킵하고 보는 사람들이 많아진 거죠. 실제로 영상 콘텐츠 '빨리 보기'를 한 경험이 있는지 알아보는 조사가 있었습니다.[31] 그 조사에 따르면 대체로 젊은 세대가 '빨리 보기'한 경험이 많았고, 남성이 여성보다 높은 비중이었습니

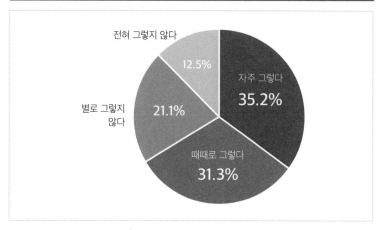

당신은 평소 영상을 빨리 감기로 보나요?

전혀 그렇지 않다
12.5%

자주 그렇다
35.2%

별로 그렇지
않다
21.1%

때때로 그렇다
31.3%

아오야마 가쿠인 대학교 학생을 대상으로 한 설문조사 | 출처: 이나다 도요시, 『영화를 빨리 감기로 보는 사람들』

다. 특히 젊은 세대 중 20대가 가장 많았습니다.

아오야마 가쿠인 대학교 학생을 대상으로 한 설문조사에서 평소 영상을 '빨리 보기'로 본다는 질문에 약 66%의 학생이 '그렇다'라는 의견을 보였습니다.[32] 그렇다면, 왜 이렇게 영상을 빨리 보는 미디어 소비 행태가 생겼고 특히 젊은 세대는 그러한 경향을 더욱 크게 보이는 걸까요?

이와 직접적으로 관련된 논문은 보이지 않지만, 그 해답을 생각해 본다면 아마도 이유는 세상에 볼 것들이 너무 많아서 그런 게 아닌가 여겨집니다. 세상의 모든 콘텐츠와 이벤트가 스마트폰을 통해

---

31) 이나다 노요시, 『넝화를 빨리 감기로 보는 사람들』(서울: 현내시성, 2022)
32) 이나다 도요시, ibid, 20쪽.

소비되고 있습니다. 모든 생산자는 콘텐츠 소비자의 눈을 차지하기 위해 서로 경쟁하고 있고요. 이들은 결국 사람들의 관심을 가지기 위해 스마트폰 사용 시간을 점령하는 것을 목적으로 경쟁합니다. 그런데 수없이 새로 생산되는 유튜브 영상뿐 아니라 OTT 플랫폼마저 다양해지는 모습입니다. 심지어 레거시 미디어인 방송사들도 지나간 방송을 재편집해 유튜브 등에서 클립 형태로 제공하고 있습니다.

'빨리 보기'하는 콘텐츠는 따로 있다

'빨리 보기'가 유행하면서 미디어 수용 행태에도 영향을 미치고 있습니다. 반복해서 짧은 콘텐츠를 시청한 경험이 학습되면, 추후 긴 콘텐츠를 소비하는 데도 영향을 주기 때문입니다. 그렇다보니 영화 길이도 점점 과거보다 짧아지고 있고, 드라마도 짧은 회차로 나누어 '빈지 워칭'(binge watching, 몰아보기라는 뜻으로 방송 프로그램이나 드라마, 영화의 시리즈물 따위를 한꺼번에 여러 편 몰아서 보는 것)을 유도하거나, 지겹지 않도록 중간 광고를 적절하게 유지하는 등의 방법으로 시청자들의 눈을 사로잡고 있습니다.

'빨리 보기'는 주로 '본 디지털 네이티브'인 어린아이들이 많이 사용합니다. 아이들은 누가 가르쳐 주지 않아도 유튜브를 보며 자신이 보고 싶은 장면으로 돌리는 습관을 갖고 있습니다. 일반적으로 유튜브에서 더블탭을 하면 10초가 이동되므로 10초 단위로 '빨리 보기'가

넘어가는 것에 사람들이 학습되고 있는 것입니다.

그렇다면 '빨리 보기' 하는 콘텐츠는 어떤 콘텐츠일까요? 크게 보면 콘텐츠를 소비하는 목적은 정보와 재미로 구분할 수 있습니다. 정보와 재미라는 말은 콘텐츠 소비 목적을 '알고 싶다'와 '보고 싶다'로 나눠줍니다. 알고 싶은데 재미가 없으면 빨리 보고, 보고 싶은데 지루하거나 관심이 없는 부분이 나오면 빨리 스킵을 하는 것이죠. 예를 들어 정보를 얻고자 하는 콘텐츠가 있는데, 그 정보를 획득하는 방법이 지겨우면 시청자들은 '빨리 보기'로 스킵하며 보거나 눈을 밖에 두고 귀만 열어 놓든지 합니다.

젊은 세대가 조금 더 '빨리 보기'에 익숙한 이유는 윗세대는 과거 한 방향의 레거시 미디어에 학습이 되어있는 세대라 지루한 것을 참을 수 있는 데 반해, 젊은 세대는 상대적으로 덜 학습이 되었고 수용자가 미디어를 제어하는 방법과 기기를 다루는 기술이 진화했기 때문입니다.

이에 비추어 볼 때, 젊은 사람이 재미있다고 느낄 수 있는 영상은 천천히 생각하게 만드는 영화, 드라마 콘텐츠가 아닙니다. 전개가 빠른 영상으로 굳이 넘겨보지 않아도 되는 영상이 재미있는 영상이 되는 것입니다. 이러면 감정을 극대화하는 장면은 불필요하게 느끼게 됩니다. 그리고 긴 콘텐츠를 지속적으로 본 경험이 적기 때문에, 어느 정도 시간이 길어지면 자연스럽게 집중도도 떨어집니다. 그럴 때도 '빨리 보기'로 콘텐츠를 소비하게 되는 것이죠.

'빨리 보기' 형태가 늘어나면 상대적으로 접하는 콘텐츠 개수는 늘어날 수밖에 없습니다. 또한 초반에 시청하다 다른 콘텐츠를 찾아 나서는 현상도 증가하게 됩니다. 새로운 콘텐츠는 지금도 끊임없이 생산되고 시청자 입장에서 볼 수 있는 콘텐츠는 무한대에 가깝습니다. 그러니 지루하거나 도움 안 되는 콘텐츠는 빨리 스킵해서 필요한 부분만 보거나 아예 다른 콘텐츠로 넘어가 버리는 것이죠.

쇼츠가 활성화하자 높아진 콘텐츠의 관용도

유튜브나 온라인에서 유통되는 콘텐츠의 관용도(Latitude)가 점차 높아지고 있습니다. 관용도(Latitude)는 원래 필름 카메라에 사용되던 말로, 이미지의 질이 아주 심하게 떨어지지 않는 범위 내에서 허용되는 노출 과다나 노출 부족 상태를 말합니다. 콘텐츠에서는 메시지가 전달되는 완성도 정도로 이해할 수 있습니다.

쇼츠가 활성화되면서 누구나 쉽게 콘텐츠를 제작할 수 있게 되었습니다. 편집이 거의 없는 쇼츠 콘텐츠는 기존 방송사에서 만들어 송출하던 유형이 아닌 '날 것'이라 볼 수 있습니다. 화면도 흔들릴 수 있고, 자막도 예쁘지 않고, 오디오도 잘 들리지 않지만, 그냥 핵심 내용에 주목하게 만드는 쇼츠를 계속 보다 보니, 그냥 쇼츠는 그런 것이라고 받아들이게 된 것이죠.

이런 영향은 롱폼 콘텐츠에도 영향을 미쳤습니다. 유튜브는 숏폼과 롱폼을 구분하지 않는 혼합된 플랫폼이기 때문에, 롱폼에서 자막의 디자인 등 완성도가 떨어져도 맥락이 이해된다면 너그럽게 콘텐츠를 봐줍니다. 물론 오디오던, 자막이던, 촬영이던 잘 만들어진 콘텐츠가 더욱 몰입되고 오랜 시청 지속시간을 기록하겠지만 분명한 것은 과거보다 콘텐츠의 관용도가 높아졌다는 점입니다.

볼까? 말까? 판단은 1.2초

SBS 뉴스 운영진이 발간했던 책 〈1.2초 찰나의 유혹〉을 보면 페이스북의 〈스브스 채널〉에서 영상을 10초 이상 시청한 비율은 시청자 중 절반이 안되며, 다수는 3초 안에 떠나간다고 합니다.

담당하던 저자들이 직접 인턴과 에디터들을 대상으로 페이스북 타임라인에서 콘텐츠 개당 평균 소비 시간을 관찰해 보니 1.2초의 시간이 소비되었다고 합니다. 즉, 시청자들은 콘텐츠를 매우 빠르게 취사 선택하는데 익숙해져 있으며, 1.2초 안에 선택받지 못하면 노력이 헛수고가 되어 버린다는 것입니다.

이 데이터도 이미 몇 년 전 자료로, 이제는 이 시간이 더 단축되었을 가능성도 있습니다. 물론 유튜브 콘텐츠는 조금 다를 수 있습니다. 하지만 너무 많은 콘텐츠 속에 시청자들의 눈을 초반에 잡지 못하면 가치 있는 콘텐츠로 살아남기 어렵기는 예나 지금이나 마찬가지입니다.

2. 몰입하게 만드는 콘텐츠

여러분이 생각하는 잘 만든 영상은 무엇인가요? 세상에는 정말 많은 종류의 콘텐츠들이 있습니다. 영화, 드라마, 예능 등과 유튜브 영상, 소셜미디어의 다양한 광고, 그리고 옥외 미디어의 현란한 광고까지 다양하죠. 처음엔 시청자들의 눈을 사로잡는 것이 가장 중요하겠지만, 시청 시작 이후에는 몰입해 지속적 시청을 하도록 만드는 것이 무엇보다 중요합니다.

몰입(沒入, flow)이란 무엇인가?

TV를 시청할 때 너무나 재미있는 나머지 시간이 순식간에 흘러간 기억이 있는지요? 그렇게 시간이 사라질 만큼 콘텐츠에 빠진 이유는 바로 콘텐츠에 몰입되었기 때문입니다.

몰입(flow)의 개념은 1920년대 문화인류학에서 처음 제시되어 사회심리학과 여가심리학 등의 분야로 확대되어 사용되고 있습니다. 몰입 개념을 심리학에 적용한 칙센트미하이는 몰입을 '인간이 완전히 몰입했을 때 느끼는 전체적인 감정이나 기분'이라 정의했으며, 이후 삶이 고조되는 순간에 물 흐르듯 행동이 자연스럽게 이루어지는 느낌으로 최적의 경험으로 기술과 도전이 균형 잡힌 상태, 다른 어떤 일에 관심이 없을 정도로 지금 하는 일에 푹 빠져 있는 상태로 개념화하고 있습니다.[33]

몰입은 마치 '물 흐르는 것처럼 편안한 느낌', '하늘을 자유롭게 날아가는 느낌'과 같습니다. 칙센트미하이는 우리가 좀 더 자주 몰입을 경험할 수 있도록 우리의 의식을 조절하면 삶의 질은 저절로 향상될 것이라고 말했습니다.

과거 제가 방송국 프로듀서를 할 때, 다수의 선배들에게 "영상을 제작할 때 바보상자를 보는 것처럼 만들어라. 즉 시청자들이 아무 생각 없이 보도록 만들어야 한다."라는 말을 들었습니다. 실제로 잘 만든 영상은 몰입이 쉽고 시청자들이 아무 생각 없이 콘텐츠 내용에 빠져들게 됩니다. 결국 좋은 콘텐츠는 좋은 소재를 가지고 시청자들이 내용을 잘 이해하도록 촬영, 편집된 제작물일 것입니다. 아마추어의 경우 흔들리게 촬영하거나 자막 글자가 잘 안 보이게 만드는 경우가 많은데 이런 제작물을 계속 보고 있자면 즐겁다기보단 시청 자체가 힘이 듭니다.

몰입이 어려운 영상을 계속 보는 것은 힘든 일입니다. 그런 점에서 시청 시간이 긴 영상이 좋은 영상이라 말할 수 있습니다. 유튜브 측에서도 평균 시청 지속시간이 가장 중요하다는 내용의 인터뷰를 한 바 있습니다. 이네스 차(Ines Cha) 아시아·태평양지역 크리에이터 생태계 및 게임 파트너십 총괄의 인터뷰에 따르면 "흔히 조회수와 구독자 수를 최우선 지표로 생각하지만, 실제로 가장 중요한 지표는 시청시간이다. 시청 시간이 길다는 것은 시청자가 영상을 통해 좋은 경험을 했다는 의미이고, 좋은 경험을 한 시청자는 유튜브 플랫폼을 더 자주 찾을 것이다. 유튜브 영상 추천 알고리즘도 시청 시간이 기준이다. 시청자가 오래 보는 콘텐츠가 관련 영상으로 뜰 확률이 높다. 수익화 측면에서도 시청 시간이 긴 영상을 광고주에게 적합하다고 인식한다. 섬네일 낚시 영상으로 아무리 조회수를 올려도 수익이 떨어지는 이유는 이 때문이다."라고 했습니다.[34] 그러므로 유튜브 영상에서 시청 시간을 길게 잡아놓을 수 있는 양질의 콘텐츠를 지속적으로 만들어야 합니다.

33) 주정민, 양승준 공저, "유튜브 개인방송 진행자 속성이 콘텐츠 시청행위에 미치는 영향: 6개 장르 비교를 중심으로", 『커뮤니케이션 이론』(한국언론학회, 2021), 128-170쪽.
34) 김소희·최상현, ibid.

영상은 글쓰기의 연장이다

제가 방송국에 들어갔을 때 선배 PD들로부터 들은 이야기가 있습니다.

"영상은 누구나 봐야 하니 초등학생이 봐도 쉽게 이해가 될 수 있어야 해."

중학교 2학년 수준으로 만들어야 한다고 말했던 선배도 있긴 했으나, 그냥 누구든지 쉽게 이해할 수 있는 수준으로 만들어야 한다는 말인 듯했습니다. 미디어 종류도 적었던 2000년대 초반 이야기이니 영상 콘텐츠를 제작한다는 것은 소수의 인원만이 할 수 있는 직업이었고, 현재와 달리 당시 대부분의 사람들은 TV를 통해서만 영상 콘텐츠를 접할 수 있었기에 영상은 모두가 즐길 수 있도록 쉽게 만들어야 했습니다. 너무 쉬운 플롯은 호기심을 자극하기 어려우므로 신기한 이야기나 눈길이 가는 소재를 기반으로 콘텐츠를 만들어야 했겠죠.

영상은 기본적으로 글쓰기의 연장입니다. 그만큼 잘 짜여 있어야 합니다. 어쩌면 책보다 더욱 탄탄한 구성이 필요하다고 볼 수 있습니다. 책은 읽다가 지치면 그만두고 나중에 다시 읽을 수 있는 반면, TV를 통해 보는 영상은 그렇지 못합니다. 물론 OTT나 스트리밍이 대세인 이 시대에는 보던 영상을 저장해 놓고 추후 다시 볼 수 있지만, 집중도를 높일 수 있는 영상을 제작해야 한다는 점은 여전히 중요합니다.

영상이 기본적으로 글쓰기와 맥락을 같이 한다는 것은 시청자들에게 호기심을 불러일으키며 자연스럽게 관심을 끌어야 한다는 공통점이 있기 때문입니다. 스토리텔링은 과거나 현재나 여전히 중요한 요소니까요. 스토리텔링의 중요성은 OTT 및 스트리밍 시대에 더욱 빛을 발하고 있습니다. 호기심을 불러일으키는 서사는 마치 〈헨젤과 그레텔〉에서 빵조각을 남기며 따라올 여지를 남기는 장면을 떠올리게 합니다. 긴 시간을 시청하는 것은 참으로 힘든 일이지만, 다음 화가 어떻게 될지에 대한 궁금증 때문에 계속 보게 되는 힘이 있으니까요.

이런 점은 고예산 영화, 드라마, 영상물에만 적용되는 것이 아닙니다. 최근 유튜브 영상들은 서두에서 시청자들이 궁금해할 만한 내용을 잠시 보여주고, 끝까지 시청할 수 있도록 유도하는 구성을 즐겨 사용하고 있습니다. 호기심을 불러일으켜야 답을 얻기 위해 꾸준히 시청하기 때문이죠. 때론 앞부분이 지겨워도 뒷부분에 나올 해답을 찾기 위해 기다리기도 합니다.

영상 제작의 기본이 글쓰기에서 시작된다는 것은 영상 기본 구조가 스토리를 바탕으로 시작되기 때문입니다. 영상매체의 특징은 글이 가진 스토리 이외에 다른 요소들이 있다는 점입니다. 촬영된 영상을 바탕으로 오디오, 자막이 들어가는 거죠. 화면이 단순하게 움직이는 것을 넘어 인물이 출연하면 사람들은 그 출연자들의 감정까지 읽게 되고, 여기에 음악이 깔리면 더욱 감정의 증폭이 일어납니다. 잘 안 들리는 말이나 이해 안 되는 상황은 상황 자막이나 말 자막으로 정리해 이해와 몰입을 도와 연출 의도를 잘 드러냅니다.

베스트셀러 작가 김영하는 "독자는 때로 취조 하듯이 작품을 읽는다.[35] 작가가 작품에 쓴 모든 것을 의심하는 것은 소설 독자의 오랜 습관이다."라고 말했습니다.[36] 영상도 마찬가지입니다. 인터뷰이가 잘못된 내용을 말하거나 영상에 인용된 자료가 상식과 다르다면 프로그램 신뢰도가 떨어져 시청에 악영향을 끼칩니다. 시청 중에 동의하기 어렵거나 사실관계가 잘못된 내용이 나오면 시청자는 스토리에 몰입하지 못합니다. 따라서 사전 자료 검증 등을 꼼꼼히 해서 몰입에 방해 될 만한 요소를 차단해야 합니다.

잘 만들어진 영상 콘텐츠가 가진 특성들

과연 어떤 콘텐츠가 잘 만들어진 콘텐츠일까요?

① 구독자들이 좋아할 소재여야 한다.

좋은 소재는 평소 보기 어려운 것이거나 사람들이 궁금해할 만한 것들입니다. 유튜브 영상 제작은 일정한 구독자 및 시청자들을 대상으로 하기에 그들이 보고 싶어 하는 바와 일치하는 것이 중요합니다. 예를 들어 TV 프로그램 〈구해줘 홈즈〉처럼 이사 갈 집을 찾고 있을 때, 좋아하는 연예인이 나와 집을 구한다고 하면 눈길이 갈 것입니다. 혹시 인테리어를 좋아하는 사람이라면 영상을 보며 대리만족을 얻을

---

35) 김영하, 『읽다 - 김영하와 함께하는 어섯 날의 문학 답사』,(서울. 문학동네, 2018), 130쪽.
36) 김영하, ibid.

수도 있습니다.

② 구성이 좋아야 한다.

구성 작업은 프로그램 기획을 구체화하는 작업입니다. 대본에는 없었어도 촬영에서 발견한 재미있는 부분을 찾아낸다든지, 여러 요소를 잘 편집해서 끈끈한 스토리를 만드는 것이 구성이고 이는 영상 작업에서 아주 중요한 부분입니다.

영상 구성은 사실 영상 제작 초보자들이 가장 어려워하는 부분이기도 합니다. 촬영 및 편집기기가 디지털 기반으로 변하면서 일단 최대한의 분량을 녹화해 놓은 후 모인 자료들을 편집하면서 구성하는 경우가 많아지기도 했습니다. 하지만 무작정 그러기엔 후반 작업이 너무 힘들어지기 때문에 촬영 전 가구성, 촬영 후 편집구성은 잘 짜여 있어야 합니다. 그래야 촬영도 효율적으로 할 수 있고, 후반 작업도 효율적인 진행이 가능합니다. 그렇게 작업한 영상이 밀도도 높고 재미도 있는 경우가 많습니다.

경험이 없는 초보자들은 영상 콘셉트에만 공을 들이기가 쉽습니다. 하지만 촬영 전 대략의 구성은 정하고 가야 합니다. 이 구성이 세밀하면 세밀할수록 콘텐츠 제작 진행 과정도 매끄럽고 결과 또한 좋게 나옵니다. 심지어 촬영 전 구성이 치밀하다면 영상 엔딩 부분을 미리 촬영할 수 있습니다. 또한 영상을 어떻게 이어 붙일 것인지 예상할 수 있기에 불필요한 촬영을 안 하게 되어 촬영에 드는 시간과 노력도 줄일 수 있습니다.

③ 촬영과 편집이 기본에 충실해야 한다.

잘 만든 콘텐츠가 되려면 몰입이 중요한데, 몰입을 위해서는 촬영과 편집 상태가 좋아야 합니다. 좋은 촬영의 기본은 카메라 구도의 안정성입니다. 독자 중 일부는 콘서트장에서 흥분하며 촬영한 기억이 있을 것입니다. 신나는 음악에 맞춰 몸을 흔들며 촬영한 뒤 나중에 촬영본을 보면, 너무나 흔들리는 화면에 속이 불편해진 경험이 있을 수 있습니다.

여기에는 시청환경도 중요합니다. 비교적 흔들리는 화면이라도 작은 스마트폰 화면으로 시청하면 상대적으로 덜 흔들리는 것 같이 느껴지며, 대형 TV로 시청하면 상대적으로 더욱 흔들리게 느껴집니다. 그러므로 촬영할 때 구도의 안정성을 위해 삼각대 등을 사용해 시청자들이 콘텐츠에 몰입하도록 돕는 기술이 필요합니다.

최근에는 화면 전환에 익숙해져서인지 정지된 화면을 지겨워하는 시청자들이 많습니다. 그래서 짐벌과 스테이블라이저 같은 촬영용 장비를 사용하는 경우도 생겨납니다. 하지만 무턱대고 움직이면서 촬영하면 추후 편집을 리듬감 있게 붙이기 어려워집니다. 그러므로 움직이는 장면을 촬영하더라도 카메라 구도를 안정적으로 가져가 줄 필요가 있습니다.

3. 영상 콘텐츠 잘 만들기

이 책을 보고 있는 독자들은 유튜브를 사용해 봤고, 채널 개설 경험도 있으며, 한두 번 본인이 만든 영상을 업로드해본 분도 있을 겁니다. 사실 유튜브는 직관적인 인터페이스로 구성되어 있습니다. 그런데 책으로 보면서 따라하기 혼란스러운 부분이 많습니다. 특히 개인별 컴퓨터 세팅이 상이하기 때문에 책으로만 설명하기엔 어려운 점이 많습니다.

시중에 나와 있는 유튜브 관련 도서 중 다수는 유튜브 업로드하는 법이나, 유튜브 스튜디오를 보는 법 같은 기초적인 플랫폼 사용법에 관한 것입니다. 이외에는 프리미어나 파이널 컷 등의 영상 편집 소프트웨어를 사용하는 방법에 관한 책이 다수입니다. 최근에는 모션그래픽에 대한 수요가 늘어나 애프터 이펙트에 대한 관심도 늘었는데,

기획	준비		촬영		편집	출력	업로드
주제 정하기	섭외				가편집		
자료 조사	촬영 준비				CG 작업		
기획안 작성	스케줄 정리				종합 편집		
구성	체크 리스트				더빙		
					음악 작업		
사전 제작(Pre-production)			제작 단계(production)		후반 작업(Post-production)		

영상 콘텐츠 제작 단계

이 또한 유튜브에 콘텐츠가 집중돼 있음을 알려주는 사례 중 하나입니다.

이 책에서는 어떻게 하면 효율적으로 영상 콘텐츠를 잘 만들지 유튜브를 운영하는 입장에서 기본적으로 알아야 할 기획, 촬영, 편집, 업로드 방법 순으로 정리해 보려 합니다.

영상 제작 순서는 크게 3부분으로 나뉘는데 사전제작 단계, 그리고 실제 촬영이 이루어지는 제작 단계, 그리고 편집과 업로드가 이루어지는 후반 작업 단계입니다.

사전제작(Pre-production)

사전제작은 주제 선정 후 주제를 뒷받침할 자료를 조사하고, 그 자료에 근거해 재미있는 기획/구성안을 작성하는 단계입니다. 이는 기획 단계로 어쩌면 가장 중요한 역할을 한다고 말할 수 있습니다. 사전 제작 기간 동안에는 보통 어떤 영상을 찍을 것인지 내용을 결정합니다. 그리고 그 내용에 맞는 방향 혹은 구성을 확정합니다.

이때 목표에 따른 구성을 가용범위 내의 예산안에서 확정지어야 합니다. 촬영 전 구성안은 최대한 자세히 준비해야 하고, 대본도 막연히 질문만 적어 것이 아니라 예상 질문에 예상 답변까지 반드시 적어 실제 촬영이 효율적으로 이뤄질 수 있도록 준비합니다. 출연자는 어떤 의상을 입고 나올 것인지, 영상 중간에 게임이 있을 것인지 아닌지, 벌칙의 유무 여부 등 자세한 내용이 준비되어야 미리 상황을 예측해서 소품과 장소를 준비할 수 있고 촬영팀도 목적에 맞게 세팅할 수 있습니다.

촬영 시간도 잘 체크해야 하는데, 예를 들어 아침과 저녁 시간은 유사한 어두움을 가지고 있습니다. 이에 시청자들은 촬영된 시간이 아침인지 저녁인지 알기가 어렵죠. 그래서 사전에 계획을 잘 세워 아침에 저녁 신까지 촬영한다면 예산을 크게 절감할 수 있습니다. 이렇게 사전제작 준비를 마치면 실제 촬영에 들어가기 전에 최소한으로 점검해야 하는 것들을 확인해야 합니다.

▶ **사전제작에서 일어나는 일**

콘셉트/목표설정, 프로덕션 방향 설정, 구성안 및 대본 완성, 예산계획, 출연진 및 스텝 선정, 장비/기술 선정, 촬영 장소 및 스케줄 계획

사전제작 체크리스트

1) 소재와 주제는 확실히 정했는가?

2) 프로그램의 목표는 뚜렷하고, 가치 있는가?

3) 누구를 대상으로 만드는가?

4) 참신하고 창의적인 소재인가?

5) 현실적으로 제작 가능한가? 인원, 예산, 장비

제작 단계 (Production)

실제 촬영이 들어가는 단계입니다. 대부분의 영상 콘텐츠는 촬영본을 기준으로 제작에 들어가므로 촬영 현장에서 좋은 영상을 가져오지 못하면 후반 편집에서 만회하기 어려워집니다. 사실 사전제작 단계가 잘 준비되면 촬영은 오히려 가장 쉬운 단계가 됩니다. 제작에서 잘 기획된 내용을 실제 화면에 담아오면 되는 일이니깐요. 가끔 계획과 다른 일이 발생해 재촬영하는 경우도 있지만, 때론 계획과 다른 사건들이 오히려 재미있는 하나의 해프닝이 되어 스토리를 풍성하게 해줄 수도 있습니다.

제작 단계에서는 촬영 전 메모리카드를 잘 준비하는 것이 중요합니다. 용량이 큰 메모리카드를 사용해도 되지만, 메모리카드를 여러 개 준비해 오전이나 오후용으로 나누어 사용하는 것이 안전합니다. 만약 녹화가 안 된 부분을 발견했다면, 즉시 재녹화 할 수 있도록 현장에서 체크하는 것도 중요합니다.

촬영할 때 시각적인 효과가 중요한 부분은 높은 화소로 촬영해야 합니다. 4K 등의 고화소로 촬영하면 추후 편집 시 영상에서 이미지를 크롭하거나 조정할 수 있어 유용합니다. 다만 4K 이상으로 오래 촬영하면 데이터가 지나치게 커지고, 필요 이상의 여러 카메라를 사용하면 너무 많은 데이터가 발생해 추후 편집에 고사양 컴퓨터가 필요할 수도 있습니다.

촬영 시 어처구니없게 녹화 버튼을 누르지 않는 경우도 가끔 발생합니다. 꺼진 불도 다시 보자는 말처럼 집중해서 촬영해야 합니다. 그리고 동시에 여러 대의 카메라를 사용하는 경우 카메라 녹화 버튼을 눌러놓고 시작 전 손바닥을 마주치는 장면이나 슬레이트를 치는 장면을 삽입해 편집의 기준점을 잡아놓으면 후반 작업에 큰 도움이 됩니다. 편집 시 프리미어 등의 편집 프로그램에서 자동으로 오디오를 맞춰주기는 하지만, 수동으로 싱크를 맞추는 것이 더 정확한 경우도 많습니다. 이에 꼭 시작과 마지막에 슬레이트를 쳐서 포인트를 남겨 놓도록 합시다.

영상만큼 중요한 것이 바로 오디오입니다. 오디오는 현장에서 입력 레벨만 보는 경우가 많은데, 가급적 촬영자나 오디오 감독이 이어폰을 사용해서 직접 들으면서 진행해야 합니다. 수음이 이상하게 들어오거나 혼선이 되는 경우가 간혹 있으니 꼭 확인하면서 촬영을 진행하세요.

촬영할 때는 시간 배분을 잘해야 합니다. 특히 해가 뜨거나 지는 시간에 촬영할 때는 빛의 색상이 바뀌니 주의해서 촬영합니다. 또한 출연자들의 스케줄을 잘 고려해서 무한대기하는 일이 없도록, 그리고 한 두 명의 미도착으로 전체 스텝이 기다리는 사태가 없도록 스케줄 체크 및 확인도 꼼꼼하게 해야 합니다.

더불어 촬영 시 후반 편집을 염두에 두고 촬영하는 것이 좋습니다. 추가 촬영이 필요 없도록 충분한 장면과 컷을 확보해야 합니다. 최근에는 짐벌 같은 것으로 들고 찍는 경우가 많아졌습니다. 짐벌이나 스테블라이저 등 카메라 무빙에 도움이 되는 장비를 사용할 때는 같은 화각의 컷을 동일하게 찍는 것보다 편집을 염두에 두고 다양한 화각을 고려해서 촬영하는 것이 좋습니다. 짐벌 등의 장비는 움직이는 장면이 예쁘게 촬영되므로 안정적이고 같은 속도로 촬영하면 편집 시 동적인 느낌을 살릴 수 있을 것입니다.

▶ 제작 단계에서 일어나는 일

촬영, 메모리 준비, 조명과 음향 제어, 화질 체크, 삼각대 및 짐벌 사용 여부, 출연진과 촬영장의 현장 진행, 데이터 백업

▶ 촬영 전 체크리스트

1) 스텝은 프로그램의 특성 및 연출 방법을 인지 했는가?
2) 카메라, 조명, 음향, 소품의 위치나 역할은 점검했는가?
3) 출연자의 스케줄과 동선, 대본 연습이 준비되었는가?
4) 전체적인 제작 스케줄과 장비 계획

5) 제작 과정에서 일어날 만한 문제점과 그에 대한 대비

1) 기획 목적에 맞게 촬영되고 있는가? 안정된 화면 혹은 움직임

2) 편집을 고려해서 촬영되고 있는가?

3) 녹음이 잘 되고 있는가?

4) 오디오가 잘 들어가고 있는가? 너무 높거나 낮지 않도록

5) 사이즈를 고려해 다양한 촬영이 되고 있는가?

후반 작업(Post-production)

후반 작업은 촬영 완료 후 이루어지며, 영상을 최종적으로 완성하는 매우 중요한 단계입니다. 편집으로 대표되는 후반 작업은 프로그램 기획 의도와 주제에 맞게 촬영한 내용을 재구성해서 연출자의 의도를 반영하는데 목적이 있습니다.

후반 작업은 촬영본을 가지고 추가로 다양한 영상이나 그림, 자막 등 비디오 소스와 음악 효과, 음향 효과 등의 오디오 소스를 합쳐 원하는 완성품을 만드는 제2의 창작 단계라고 할 수 있습니다.

▶ 후반 작업에서 일어나는 일

편집, 색 보정, 사운드 편집과 사운드 믹싱, 특수효과, 자막과 타이틀,

음악, 마스터링

후반 작업 순서는 프로그램 특성에 따라 달라질 수 있습니다. 광고나 홍보 영화 등 대본이 달라지지 않는 경우는 성우의 목소리를 먼저 녹음하고, 방송 같은 현장성이 필요한 경우는 먼저 편집한 뒤 후시로 성우의 목소리를 입히기도 합니다. 일반적인 후반 작업 순서는 가편집(자막 없는 순수의 컷 편집본) → 색보정 → 자막 작성 → 자막 제작 → 특수효과나 애니메이션, 모션그래픽, 타이틀 제작 → 종편(가편집본에 오디오, 자막, 성우의 목소리를 넣는 작업) → 음악 작업 및 음원 마스터링 순서로 진행됩니다.

편집은 촬영 장면을 적절히 자르고 순서대로 배열하여 이야기의 흐름을 만드는 것입니다. 이 과정에서 NG컷 등 불필요한 부분을 제거하고 여러 OK컷 중 최고의 흐름을 만드는 컷을 이어 붙이게 됩니다.

색 보정은 영상 색상을 조절하여 분위기를 설정하고, 연출 목적을 달성하기 위한 과정입니다. 최근에는 촬영 장비 다양화로 여러 카메라를 동시에 사용하게 됩니다. 그러면 브랜드마다 색을 표현하는 기술이 달라 피사체를 몰입해서 보는 데 어려움이 있습니다. 샷(Shot)마다 조금씩 다른 색상이 나와 집중하는데 방해를 받는 것입니다.

비록 카메라는 다를지언정 같은 색감을 줘서 일관성을 확보하는 것이 바로 색 보정 작업입니다. 색 보정은 영상의 밝기, 대비, 채도 등을 조절하는데 특정 카메라의 LUT(Look Up Table, 순람표)를 사용해서 필름 같은 느낌이나 영화 같은 느낌을 주는 경우도 많아졌습니다.

영상 자막의 다양한 역할

촬영본이 적고 영상 마스터의 길이가 길면 색 보정부터 하고 가편집하기도 합니다. 반대로 광고 등 영상 마스터 길이가 짧으면 가편집 후에 사용된 컷만 색 보정 하기도 합니다. 색 보정은 '다빈치리졸브' 같은 프로그램을 많이 사용하는데, 연출 목적에 맞게 자연스럽게 통일시키는 것이 중요한 기술이라 할 수 있습니다.

자막 작성은 영상 흐름에 따라 이름을 소개하거나, 추임새를 넣고, 정보를 알려주거나, 재미를 주거나, 상황을 강조하거나, 대사가 잘 안 들리는 상황을 말로 적어주고, 이해를 돕기 위해 통자막을 넣는 등 프로그램의 이해를 돕고 재미를 주는 역할을 합니다.

〈무한도전〉이후에는 제3의 출연진처럼 자막으로 재미를 더하는 경우가 많아졌습니다. 프로그램이 런칭되면 그 시즌에 사용할 자막이 세팅되는데, 제작하는데 가장 시간 소요가 많이 되는 것 중 하나가 바로 자막 디자인입니다. 유튜브에서는 건조하게 고딕체나, 궁서체 등 간단히 표현하는 것이 최근 트렌드로 보입니다.

애프터 이펙트 프로그램 대중화로 모션그래픽 활용이 많이 늘어났습니다. 광고영상과 달리 방송영상은 소모성의 경향이 많아 애프터 이펙트 활용도가 낮았지만, 최근에는 워낙 영상 콘텐츠가 범람하고 있고 모션그래픽 활용이 시청자들의 주목을 끄는 효과가 높기에 사용 빈도가 높아지고 있습니다.

편집은 연속성(Continuity)의 원칙이 있습니다. 연속성이란 편집 대상인 주체의 위치와 움직임, 색과 소리가 일관되어야 컷이 바뀌어도 같은 곳에서 같은 피사체를 바라고 보고 있다고 느껴 몰입할 수 있는 점을 말합니다. 최근 촬영 장비 가격이 낮아져서 여러 대의 장비를 사용하는 경우가 많은데 그럴수록 카메라 샷 사이즈를 고려한 촬영과 추후 편집 시 색상을 맞춰야 시청에 방해받지 않고 집중할 수 있게 됩니다.

4. 방송 영상과 다른 유튜브 영상

저는 유튜브 콘텐츠를 제작하는 프로덕션을 운영하고 있습니다. 따라서 경력직원을 뽑을 경우가 생기는데, 요즘 지원자 다수는 유튜브 플랫폼에서 사용될 영상 콘텐츠를 제작해 본 경험이 있는 사람들입니다. 저는 면접 시 TV 예능 장면을 보여주고 이런 자막이나 모션 디자인은 어떤지 물어봅니다. 그러면 대체로 이런 답변이 돌아옵니다.

"방송용 콘텐츠지 유튜브 콘텐츠가 아닌데요?"

과연 방송 영상과 유튜브 영상은 다른 것일까요? 만약 방송 영상과 유튜브 영상이 다르다면 어떻게 다른 것일까요? 여행 유튜버 곽튜브가 〈테오〉 채널에 등장해 한 말이 있습니다. 〈테오 유튜브 총회〉라는 프로그램에 출연한 곽튜브는 유튜브에서 제일 중요한 것이 '날것'이라고 말합니다. 오히려 카메라가 많으면 인위적으로 느껴지는 것이

출처: 테오 유튜브 총회 화면 캡처

많다는 것이지요. 유튜버 오킹도 TV 같은 제작 방송을 지양하고, 카메라 하나로 촬영하는 것이 유튜브스럽다는 말을 남겼습니다.

　카메라 한 대가 주는 의미는 무엇일까요? 유튜버 곽튜브나 오킹은 상징적인 뜻으로 카메라의 대수를 언급했다고 생각합니다. 그냥 그대로 꾸미거나 연출되지 않은, 소소한 그대로의 모습을 그들은 유튜브 영상이라고 생각하는 듯합니다. 물론 세상에는 너무나 많은 유튜브 콘텐츠가 있고, 이들이 생각하는 유튜브 영상의 특징과 다른 영상도 실제 많은 구독자를 모으며 성장하고 있습니다. 그렇다면 과연 유튜브의 영상문법은 어떻게 다른 것일까요?

유튜브의 영상문법

앞에서 일반적인 영상 제작 순서를 말했지만, 방송사 대비 소수 인원으로 제작이 이루어지는 유튜브 환경상 제작 방식에 몇몇 차이점이 있습니다. 이제는 작은 카메라 1대로도 콘텐츠를 만드는 시대가 되었고, 스마트폰이 좋은 촬영 장비가 되기도 합니다. 또한 모바일 기기를 활용한 제작과 소비가 증가하면서 가장 많은 이들이 활용하는 유튜브 또한 그 자체만의 콘텐츠 영상문법이 존재합니다.

유튜브에는 워낙 많은 콘텐츠가 있어 딱 짚어 '유튜브 콘텐츠의 특성은 이런 것이다.'라고 말하기는 어렵습니다. 심지어 매년 유튜브 영상의 트렌드도 조금씩 달라지고 있습니다. 제가 영상 관련 강의를 할 때, 최초 유튜브의 붐이 시작된 2010년대 초반 만해도 공중파 자막이나 촬영법을 알려달라는 요청이 많았습니다. 그 후에는 애프터이펙트를 활용한 모션그래픽 같은 프로그램 사용이 많아지며 좀 더 고난도의 활용법을 알려달라는 분위기가 이어졌습니다. 하지만 유튜브 영상도 최근에는 단순한 내용 전달을 위해 간단한 자막 정도만 넣는 분위기로 달라진 것 같습니다.

방송 영상 VS 유튜브 영상		
구 분	방송영상	유튜브 영상
시청 화면 크기	TV 기준	핸드폰 기준
화면비율	가로형 영상 기준	가로형 영상이 기본이나 쇼츠등 목적에 따라서 세로형 영상도 제작
자막 크기	미디어 콘텐츠가 소비되는 TV 기준에 따라서 변화	핸드폰으로 기준으로 가독성이 확보된 자막 사이즈
규제범위	표현의 자유가 제한적	유튜브에서 금지된 것들 이외에는 자유로운 표현이 가능. 다만 이로서 가짜뉴스 등 생산
영상의 길이	30분, 50분, 1시간 30분 등 편성시간 기준	1분 내외의 쇼츠부터 길이의 제한은 없지만 일반적으로 10분이내. TV용 영상보다는 짧다
콘텐츠 내용	예능, 다큐, 교양, 드라마 등	제한없음
촬영기법	여러대의 카메라로 3인칭 시점 많음	1인칭 시점부터 자유로운 영상 촬영 기법
자막 디자인	프로그램의 특성을 살려주는 잘 정리된 디자인	소비를 위한 단순한 폰트, 가독성 우선
인서트 샷	방송사의 자료실, 많은 인서트가 들어감	스톡활용, 방송 영상보다는 인서트 샷 적음

방송 영상과 유튜브 영상 사이에는 몇 가지 다른 점이 있습니다.

a. 시청화면 크기와 자막 사이즈

미디어 콘텐츠는 주로 소비하는 기기에서 최고의 결과를 내도록 제작
됩니다. 코엑스 3D전광판 옥외광고도 시청 위치를 고려해서 입체감
을 극대화시키는 것처럼요. 원래 영상은 주로 TV 화면에 기반해 제작
되어 왔습니다. 이에 거실에서 시청하는 TV와 소파 거리에 맞춰 자막
크기가 고려되는 것이 일반적이었죠. 예전에 만들어졌던 공중파 TV
프로그램 자막 사이즈와 최근 만들어지는 공중파 TV의 자막 사이즈
를 비교해 보면 한눈에 그 차이를 알 수 있습니다. 그런데 모바일 기

기를 기반으로 주로 소비되는 유튜브 자막 사이즈는 TV로 보는 영상의 자막보다 비교적 큰 편입니다. 그러다 보니 스마트폰으로 주로 즐기는 유튜브 콘텐츠를 TV에서 시청하는 경우 생각보다 큰 자막에 놀랄 수 있습니다.

b. 화면비율

TV로 송출되는 영상은 과거 4:3, HD가 도입된 이후에는 16:9 사이즈를 기준으로 제작되어 왔습니다. 그러다 소셜미디어가 활발히 사용되고, 스마트폰에서 영상으로 소통하는 경우가 많아지자 세로 형태로 제작되게 됩니다. 특히 쇼츠는 스마트폰 화면에 맞춰 세로 형태 영상을 기본형으로 합니다. 오히려 가로형 영상 콘텐츠에 아래위로 바를 대서 세로형에 맞춰 제작되기도 하죠.

세로형 영상에 맞춰 재편집된 가로형 영상

c. 규제 범위

유튜브 영상과 방송영상은 규제 범위에서 다양한 차이를 보입니다. 전통적인 방송 콘텐츠는 국가별 방송 규제 기관의 규제를 받죠. 이런 기관에서는 콘텐츠 품질, 광고 기준, 방송 언어 사용 등을 제한합니다. 반면, 유튜브 같은 온라인 플랫폼은 주로 자체적인 커뮤니티 가이드라인과 정책에 따라 규제되며, 국가별 법률도 일정 부분 적용됩니다. 그리고 전통적인 방송영상은 시청 연령 등급에 따라 콘텐츠를 제한하며, 특정 시간대에만 성인용 콘텐츠를 방송할 수 있습니다. 반면 유튜브는 연령 제한 기능을 통해 특정 콘텐츠에 대한 접근을 제한하지만, 사용자가 언제든지 원하는 콘텐츠를 검색하고 시청할 수 있다는 점에서 더 유연하다고 볼 수 있습니다.

광고에서도 규제 범위가 다릅니다. 방송 콘텐츠는 광고에 대한 엄격한 규제를 받습니다. 특정 상품을 언급하는 것을 제한하기도 하고, 상표를 엄격히 가리기도 합니다. 음주나 흡연 등 다양한 광고 제한도 존재하죠. 이와 달리 유튜브는 상대적으로 광고 규제가 덜 엄격하지만, 콘텐츠 제작자는 유튜브의 광고 정책을 따라야 한다는 점이 특징입니다.

언어와 표현의 자유에서도 두 콘텐츠는 다릅니다. 방송 콘텐츠는 욕설이나 선정적 내용에 대한 엄격한 규제를 적용합니다. 반면, 유튜브 콘텐츠는 비교적 자유로운 언어와 표현을 허용하죠. 다만 유튜브도 혐오 발언이나 폭력적 내용에 대해서는 제한을 두고 있습니다. 그리고 유튜브는 욕설이나 폭력적 내용 등을 AI에 의해 자동 분석해 해당 콘텐츠는 수익을 창출하지 못하게 하거나 알고리즘 노출에 제약을 가하는 패널티를 주는 것으로 알려져 있습니다. 방송과 유튜브 모두 저작권에 대한 규제를 받지만, 유튜브는 저작권 침해에 대해 자동화 시스템을 사용하여 저작권 보호를 시행합니다.

d. 영상의 길이

방송 영상 콘텐츠와 유튜브 콘텐츠의 길이는 다릅니다. 전통적인 방송 콘텐츠는 일반적으로 표준화된 길이를 갖습니다. 예를 들어, 뉴스 방송, 시트콤, 드라마 등은 보통 30분, 1시간 등으로 고정된 시간대에 맞춰 제작되죠. 이는 광고 시간, 프로그램 일정 등에 영향을 받는 것입니다. 하지만 유튜브 콘텐츠는 이에 비해 훨씬 유연합니다. 크리에이터는 몇 분짜리 짧은 클립부터 몇 시간에 달하는 긴 형식의 콘텐츠까지 다양하게 제작할 수 있습니다. 이는 시청자의 관심과 채널의 방향성, 유튜버 취향, 콘텐츠 특성에 따라 결정됩니다.

유튜브 콘텐츠는 방송 영상 콘텐츠 대비 길이가 짧은 편입니다. 아무래도 스마트폰으로 소비되는 시청 행위는 소파에서 TV를 보는 것보다는 불편하기 때문이죠. 따라서 시청자들도 유튜브를 길게 보는 것보다 킬링 타임이나 가볍게 시청하는 경향성을 지속적으로 학습하고 있는 것입니다.

또 일반 유튜버들은 방송사나 전문프로덕션과 달리 소수 인원이나 1인으로 제작하다 보니, 긴 영상을 제작하는데 상대적으로 부담을 느끼기 때문에 짧은 길이의 콘텐츠가 다수 제작되고 있습니다.

e. 콘텐츠 내용

전통적인 방송 콘텐츠는 뉴스, 드라마, 다큐멘터리, 예능 등 특정 포맷을 따르며, 대체로 특정 장르를 가집니다. 반면 유튜브 콘텐츠는 방송 콘텐츠와 유사한 장르도 있지만 기존 장르를 복합적으로 적용할 수 있습니다. 브이로그, 게임 방송, 교육, 리뷰, 튜토리얼, 웹 코미디 등 다양한 장르가 제작되고 있으며 콘텐츠가 더 개인적이고 즉흥적인 스타일을 가집니다.

콘텐츠 타깃이 다르기 때문에 영상 내용도 다를 수밖에 없습니다. 방송 콘텐츠는 일반적으로 넓은 대중을 타깃으로 하며, 다양한 연령대와 관심사를 아우르는 내용을 포함합니다. 그래서 누구나 봐도 쉽게 이해할 수 있도록 제작되는 측면이 있죠. 하지만 유튜브 콘텐츠는 특정 취미, 관심사, 연령대 등을 대상으로 소규모 타깃에 맞춰 제작되는 경우가 많습니다. 그러다 보니 특정 분야 유튜브 콘텐츠는 전문용어 사용 등으로 일반인들이 이해조차 어려운 콘텐츠도 많은 편입니다. 간혹 일부 유튜버들은 구글 알고리즘에 최적화되어 잘 노출되기 위해 일부러 특정 타깃만을 대상으로 한 콘텐츠를 만들기도 합니다.

과거 방송영상에서 시청자들이 영상에 참여하는 방법은 엽서나 전화였고, 그 뒤로 웹상의 시청자 게시판을 활용했고, 최근 일부 라이브 방송엔 실시간 댓글을 화면에 보여주기도 합니다. 하지만 방송 영상은 유튜브 콘텐츠에 비해 시청자들과의 커뮤니케이션이 상대적으로 어려운 편이었습니다.

이에 반해 유튜브 콘텐츠는 시청자의 댓글, 좋아요, 공유 등을 통해 크리에이터와 시청자 간의 직접적인 상호작용이 가능합니다. 또한 이런 상호작용을 적극적으로 콘텐츠에 나타내기도 하며, 상호작용 자체가 하나의 콘텐츠로 만들어지기도 합니다.

유튜브 콘텐츠는 신속성을 가집니다. 현재의 트렌드나 사건에 대해 신속하게 반응하고 업데이트할 수 있죠. 방송 콘텐츠는 속보가 있긴 하지만 제작과 방영까지 시간이 길어서 즉각적으로 반응하기 어렵습니다. 하지만 유튜브 콘텐츠는 신속한 제작이 가능하기 때문에 즉각적인 대응이 용이한 편입니다. 오히려 이슈가 생기면 노출을 위해 관련 유튜브 콘텐츠를 많이 만들어 올리기도 합니다. 때로는 조회수를 얻기 위해서 가짜뉴스나 낚시성 콘텐츠를 만드는 부작용도 존재하지만 기존 미디어에 비해 반응이 무척 빠르다는 장점은 여전히 도드라지는 부분입니다.

f. 콘텐츠 구성

방송 영상은 일반적으로 깊이 있게 다양한 내용을 담습니다. 아무래도 그렇게 해야 30분 이상의 긴 시간 동안 시청자들이 해당 콘텐츠에 주목하고 빠져들 수 있기 때문이죠. TV도 채널이 많아 경쟁이 심하기 때문에 더욱 잘 짜여진 구성에 노력을 기울입니다. 반면 유튜브 콘텐츠는 하나의 주제에 대한 답일 경우가 많습니다. 왜냐하면 유튜브 플랫폼 유입경로를 보면, 섬네일을 보고 섬네일 문구에 대한 질문이나 호기심이 발동해서 클릭을 하기 때문입니다.

그런 관점에서 잘 되는 유튜브를 보면 초창기에는 하나의 내용만 담는 경우가 많았습니다. 만일 '다이어트 할때 OO을 먹어라'라는 콘텐츠를 클릭했다면, 다이어트에 관한 특별한 이야기를 기대하지, 다이어트에 대한 전반적인 이야기를 기대하지는 않을 것입니다. 이렇게 대부분의 유튜브 영상은 하나의 질문에 대한 답이나 하나의 주제에 관한 이야기로 짧게 진행되는 경우가 많습니다.

한때 수익을 극대화하기 위해서는 시청 시간이 길어야 한다는 이야기가 나돈 적이 있었습니다. 물론 현재까지 시청 시간과 수익의 관계에 대한 공식적인 답변은 정확히 밝혀지지 않았습니다. 하지만 경험적으로 많은 유튜버들이 이야기하고 있기는 하죠.

그래서 많은 유튜버들은 섬네일이나 문구로 주의를 끌고 시청 시간을 늘리기 위한 여러 장치를 활용했습니다. 정답을 알려줄 듯하다가 영상 마지막에 답을 공개하거나, 어떨 때는 정답이 아예 없는 낚시성 콘텐츠도 많이 만들었죠. 이런 영상들의 특징은 '싫어요'가 많다는 점입니다. 장기적으로 이런 콘텐츠 구성은 구독자들의 사랑을 계속 받지 못합니다.

유튜브는 검색용으로 많이 사용한다는 결과가 있습니다. 사람들이 유튜브에서 검색하는 것은 궁금증을 해결하기 위함이기 때문에 그 욕망을 해결해 줄 콘텐츠를 만드는 것이 성공의 포인트라 할 수 있을 것입니다.

g. 촬영기법

아무래도 유튜브 촬영기법은 혼자나 소수 인원이 촬영하는 특성상 방송용 콘텐츠와 다를 수밖에 없습니다. 특히 스마트폰이나 액션캠을 많이 사용하는 만큼 역동적인 영상이 촬영되고, 있는 일을 그대로 내보내는 경우가 많다고 볼 수 있습니다. 이런 콘텐츠에 시청자들은 현실감을 느낍니다.

스마트폰이나 액션캠에서 촬영된 영상을 계속 보다 보면 옆에서 크리에이터와 함께한다는 느낌을 많이 받게 됩니다. 때때로 크리에이터가 진행하는 라이브 방송을 보기도 하고, 댓글을 보내고, 그 댓글을 크리에이터가 읽기도 하면서 더욱 가깝게 밀착되지요.

유튜버들의 촬영은 휴대가 간편한 스마트폰이나 고프로 등 액션캠을 많이 활용하는데, 그러다보니 이 기기 환경에 맞춘 1인칭이나, 2인칭이 중심되는 서사형 콘텐츠가 많이 만들어집니다. 예를 들어 방송 예능 콘텐츠는 많은 촬영팀이 모인 가운데 여러 대의 카메라를 사용해 동시에 촬영하는 경우가 많습니다. 이렇게 되면 진행자들이 이야기하는 것을 멀리서 3인칭 시점으로 지켜보게 됩니다.

이와 달리 유튜브 콘텐츠 촬영은 혼자 하는 경우가 많기에 보통 자신이 주인공이 됩니다. 이렇게 되면 유튜버가 카메라 넘어 관객에게 질문을 던지는 경우도 생겨나고 시청자들은 해당 크리에이터와 더 친근한 분위기가 조성됩니다.

좋은 예가 〈빠니보틀〉과 〈곽튜브〉입니다. 이들은 유튜브 시대에 새로운 여행 콘텐츠로 유튜브 시청자들의 눈을 사로잡았습니다. 주로 고프로를 갖고 촬영하며 값싼 여행지에서 몸으로 부딪치며 현장감 있는 콘텐츠를 제작했습니다.

과거 〈VJ특공대〉가 처음 등장하던 시절도 이와 비슷했습니다. ENG카메라(Electric News Gathering 카메라, 주로 어깨에 걸쳐서 들고 다니면서 찍는 카메라)는 좁은 공간 촬영이 어렵고 조명이 필요한 상황이 많기 때문에 기동성이 떨어졌습니다. 하지만 방송용 캠코더라고 부르는 PD-150 등의 등장으로 〈VJ특공대〉 같은 새로운 영상 콘텐츠가 나오게 된 것이죠. 캠코더 불리는 장비가 나오기 이전에는 정말 많은 촬영팀과 오디오팀, 조명팀 등 제작 스텝이 붙어 함께 영상을 만들어야 했습니다. 하지만 DSLR의 소형화와 유튜브용 카메라, 고프로 등의 발달로 현장감 있는 영상 콘텐츠가 제작되기 시작했습니다.

특히 〈빠니보틀〉과 〈곽튜브〉는 유튜브형 영상문법을 잘 활용했다고 생각됩니다. 이들은 상대적으로 조용한 곳에서 멘트를 적절히 넣으면서 촬영할 때도 최대한 덜 흔들리게 촬영했고, 편집에도 덜 흔들리는 장면을 사용했으며, 재미없는 장면은 빠르게 돌리는 편집을 선보였습니다. 이런 촬영법과 구성은 새롭게 시작하는 여행 유튜버들에게 큰 영향을 미쳤습니다.

공중파 프로그램 〈걸어서 세계 속으로〉를 보면, 3인칭으로 현상을 지켜보며 장면들을 멀리서 바라보듯이 관조적으로 촬영하는 경우가 많습니다. 반면 유튜브 여행 콘텐츠는 혼자 다니는 경우가 많기 때문에 본인이 설명하거나 본인 얼굴을 비추는 장면이 많습니다. 그리고 가끔 삼각대를 이용해 카메라를 멀리 세워놓고 본인이 이동하는 척하는 연출된 장면을 포함하기도 합니다.

　이 모든 촬영기법들은 기본적으로 촬영에 드는 에너지와 인력을 최소화하기 위함인데, 최근에는 인스타 360액션캠 등을 이용해 본인도 촬영하는 것은 물론 외부의 장면도 함께 360도로 촬영하는 시도도 늘어나고 있습니다. 하지만 이런 360도 촬영은 데이터가 많아 후반 작업에 드는 노력도 배로 들뿐더러, 배터리 등의 이슈로 동작시간이 짧아지는 단점이 있습니다. 촬영할 때는 주변 상황을 판단하고 추후 편집이 어떻게 진행될지 예측한 뒤 촬영해야 상대적으로 좋은 퀄리티의 영상을 얻을 수 있을 것입니다.

h. 자막 디자인

영상에 들어가는 자막(visual character) 작업은 영상에 들어가는 그림, 광고 등에 사용되는 글자를 디자인하고, 자막 발생기를 사용해 화면에 자막을 얹는 일련의 행위입니다. 영상에 들어가는 자막을 만드는 이유는 콘텐츠 내용을 시청자에게 명료하고 효과적으로 전달하는 데 있습니다.

　영상에서 쓰이는 자막은 출연자의 대사를 인용하여 옮기거나 상황의 정리, 제작진의 의도가 개입된 작위적인 설명, 해석, 평가 등을 중심으로 한 흥미 유발형 영상 자막이 다수입니다. 서양의 콘텐츠와 달리 특히 한국과 일본에서는 방송영상 디자인의 화려함이 발견됩니다.

　한국의 경우 과거엔 단순히 출연자 오디오의 정확성을 위해서 자

자막으로 연출 의도를 극대화했던 〈무한도전〉

영상 자막과 단순한 그래픽 효과를 더해 이야기의 몰입도를 높이는 〈라디오 스타〉

막을 사용했습니다. 이것이 바뀌게 된 시기는 〈무한도전〉부터입니다. 〈무한도전〉에서는 제작진의 의도를 넣어 재미있는 자막을 제작하기 시작했습니다. 이후 많은 예능에서 자막은 개성 있는 캐릭터를 구축하고 강화하며 돌발적이지만 평범한 에피소드와 해프닝 속에서 특별한 웃음을 창출해 내기 위한 기제로 계속 사용되어 왔습니다.

유튜브의 인기가 급속도로 퍼진 2010년대 중후반, 저는 영상 강의를 할 때 '방송국에서 쓰는 자막을 어떻게 만드느냐?'라는 질문을 많이 받았습니다. 그 당시 프리미어 등 영상 편집 프로그램에서 제공되는 자막은 아주 기초적인 것이라, 공중파나 케이블 영상처럼 보이기 위해서는 따로 다른 프로그램을 사용해야 했기 때문이죠.

그런 이유로 손재주가 좋은 사람들이 직접 포토샵 같은 프로그램을 사용해 방송 영상급의 자막을 만들기도 했었습니다. 반면 영상 자막을 포토샵에서 디자인할 능력이 되지 않으면 프리미어에서 제공하는 기초적인 자막을 사용하거나, 아니면 영상 자체를 포기하는 일도 많았고요.

이후 편집 프로그램이 발전해 다양한 템플릿을 제공하자 사람들은 더욱 화려한 모션그래픽에 주목하기 시작합니다. 컴퓨터 그래픽의 화려한 움직임에 모두가 애프터 이펙트를 사용한 효과에 관심을 보였습니다. 하지만 애프터 이펙트 프로그램은 초보자가 사용하기엔 조금 어려움이 있는지라 크몽 같은 프리랜서 사이트에서는 유튜브 편집자라는 직군의 업종이 새롭게 생기기도 했습니다.

최근 유튜브 자막은 간결한 것이 대세입니다. 유튜브 콘텐츠는 비

전문가들이 작업하는 경우가 많아 영상 자막 제작에 많은 시간이 필요합니다. 하지만 영상 제작에 익숙하지 않은 크리에이터들은 자막 제작에 많은 시간을 쓰기 힘듭니다.

게다가 유튜브는 콘텐츠를 끊임없이 주 1~2회 업로드해야 하니, 영상 자막에 대한 부담이 무엇보다 클 수밖에 없습니다. 영상 자막은 디자인 요소이기 때문에 자막 디자인이 멋지지 않으면 초보자가 만든 영상으로 보이거나, 전문성이 떨어져 보입니다. 자막 제작은 지금도 여전히 어려운 부분입니다.

영상 자막 작업은 폰트부터 크기, 위치, 두께, 그림자 등을 하나하나 수제품 뽑듯이 만들어야 합니다. 그러다보니 상상 이상으로 시간이 많이 걸립니다. 한 논문에 따르면 자막 하나가 평균 4초도 미치지 못할 만큼 자주 바뀐다고 하는데,[37] 5분짜리 유튜브 영상을 만든다고 가정해 봐도 엄청난 양의 디자인된 자막들이 필요한 것입니다. 특히 모든 말을 받아적거나 한 화면에 몇 개의 자막을 동시에 띄우는 것이 보편화되어 있어, 자막의 양은 엄청나게 많아질 수밖에 없었습니다.

그러나 이에 반해 최근 유튜브에서는 아주 간결한 자막이 대세가 되었습니다. 폰트도 몇 가지만 정해 놓고, 색상도 흰색과 검은색, 그림자도 기본값으로 놓고, 테두리만 진하게 해서 가독성 중심으로 사용하고 있습니다. 이런 단순한 디자인을 사용해야 편집 프로그램에서

---

37) 정수영, "TV 영상 자막의 특징 및 기능에 관한 연구: 지상파 TV 3사의 리얼 버라이어티쇼를 중심으로", 『한국언론학보』(한국언론학회, 2009), 153-176쪽.

반복적으로 쉽게 처리할 수 있기 때문입니다.

최신 프리미어 프로그램 등에서 자동 자막 받아쓰기 기능을 이용하면 단순 자막 작업을 과거보다 쉽게 처리할 수 있게 되었습니다. 이러면 조금 더 편하게 영상을 만들어 꾸준히 채널에 업로드하기 쉬워집니다.

몇몇 유튜브 인터뷰 프로그램은 아예 영상 자막을 만들지 않습니다. 다만 유튜브 시청자들은 자막을 읽는 것에 익숙해 있기 때문에, 업로드 되면 유튜브에서 제공하는 자동 자막 생성 기능을 활용하는 채널도 많습니다. 이런 채널은 제목이나 본문에 '자막을 켜 주세요.'라고 안내하기도 합니다. 하지만 이렇게 자막을 켜는 행위 자체를 귀찮아하는 유튜브 시청자들도 많기 때문에 어느 정도 수익을 얻은 채널은 편집자를 구해 하단 자막 작업만 따로 다는 방법을 취하기도 합니다.

유튜브가 방송 영상 디자인 영향을 받은 것이 아니라, 최근에는 방송 영상이 오히려 유튜브 자막 디자인 스타일에 영향받고 있습니다. 특히 〈신서유기〉의 경우는 2016년 시즌 1부터 단순한 유튜브 자막 디자인에 영향을 받아 간결하게 자막을 제작하고 있습니다.

i. 인서트 샷 (Insert shot)

영상에서 '인서트 샷'은 화면의 특정 동작이나 상황을 강조하기 위해 삽입한 화면을 말합니다. 현장에서 직접 촬영해 오는 인서트용 촬영본도 있겠지만, 다수는 방송국 데이터베이스나 관련 자료화면을 구한

유튜브에서 자동으로 생성되는 자막. 유튜브는 AI를 활용해 자막 생성 기능을 제공한다.

예능 프로그램 〈신서유기〉에서 사용된 간결한 자막

것입니다. 콘텐츠 내용과 직접 관련된 인서트용 영상은 시청자들이 콘텐츠를 이해하는 데 큰 도움을 줍니다. 이는 몰입을 위한 필수 요소라 할 수 있을 것입니다.

인서트 샷은 주로 정보전달을 강화하고, 이해도를 향상시키며, 시각적 흥미를 유발합니다. 정보 전달용 인서트 샷은 추가로 정보를 제공하기도 합니다. 뉴스 방송에서 기자의 목소리 위에 촬영한 인서트 영상을 보여주는 것이 대표적인 예 입니다. 또한 관련 통계를 인서트 샷으로 보여주며 시청자들의 이해를 향상시키는 것도 대표적 사례라 할 수 있습니다. 이외에도 불필요한 부분을 편집하고 인서트 컷으로 덮어 편집점을 모르게 하는 역할도 합니다.

그런데 유튜브 시대가 시작되자 인서트 샷을 상대적으로 적게 사용하게 되었습니다. 인터뷰 영상에서는 말 자막을 끊임없이 등장시키거나, 모션그래픽으로 해당 키워드에 움직임을 줘서 영상의 단조로움을 극복하려고 노력하기도 합니다.

사실 이렇게 유튜브에서 인서트 샷이 없어진 것은 저작권 이슈 때문입니다. 방송사는 자체 라이브러리에 저장된 영상과 이미 구매한 자료들이 있어 편하게 사용할 수 있습니다. 하지만 유튜브 크리에이터들은 스톡 사이트에서 저가로 구매한 제한적인 이미지나 무료 이미지 중심으로 인서트 샷을 사용하게 되니 아무래도 영상에 적합하게 사용할 인서트 샷이 부족할 수밖에 없습니다. 또한 제작 인원과 시간이 방송 영상에 비해 절대적으로 부족하니 그냥 인서트 없이 영상이 전개되는 것이 일반적입니다.

잘 만든 영상은 몰입이 되는 영상이라고 했습니다. 인터뷰에서 사람이 이야기하는 것을 들으면 머릿속으로 그 상황을 연상하게 되는데, 그 상황에 맞는 인서트 샷이 있다면 몰입하기가 더욱 쉬워집니다. 유튜브 영상을 제작하는 독자분들에게 이야기하지만 인서트 화면이 많고 좋을수록 영상의 몰입도가 높다는 점을 기억하시기 바랍니다. 결국 좋은 자료를 찾는 수고를 해야만 좋은 영상이 나올 수 있습니다.

라이브를 적극 활용하는 유튜브 콘텐츠

유튜브에서는 최근 생방송을 한 뒤, 특정 부분을 재편집해 방송하는 콘텐츠들이 눈에 띄게 늘어나고 있습니다. 〈슈카월드〉의 경우 보통 일주일에 한 번 몇 가지 주제를 라이브로 진행하고, 이후 잘못된 부분이나 재미없는 부분을 간략하게 편집한 후 시청자 타깃군이 주로 시청하는 시간에 업로드를 반복하고 있습니다.

〈슈카월드〉 뿐 아니라, 많은 유튜버들이 라이브를 한 다음 최소한의 편집본을 다시 업로드하곤 합니다. 이런 현상이 생긴 이유는 영상 제작 편수를 늘리는데 이 방법이 효율적이기 때문입니다. 라이브를 하면 해당 채널 구독자들과 소통할 시간이 늘어납니다. 또한 유튜브 정책상 라이브 스트리밍을 우선 노출시키다보니 더욱 많은 잠재 구독자에게 노출될 수 있다는 장점도 있습니다. 그리고 라이브 스트리밍에서는 슈퍼챗이 가능해 유튜버들에게 수익을 줄 수도 있습니다.

결국 유튜브는 자주 그리고 꾸준히 콘텐츠를 올려야 하는 플랫폼입니다. 그런 플랫폼에서 경쟁력을 갖기 위해 유튜버들은 다양한 방법으로 진화를 거듭하고 있는 것입니다.

5. 영상 콘텐츠의 퀄리티

영상 콘텐츠의 퀄리티란 무엇일까요? 잘 만든 영상 콘텐츠에 관해서는 많은 정의가 있을 수 있지만, 일반인들은 보통 4K급 화소나 화질을 퀄리티와 연결해 많이 언급하는 것 같습니다. 이외에도 화려한 모션그래픽을 보면서 퀄리티가 높다고 말하는 분도 있었습니다.

영상 콘텐츠 퀄리티를 결정하는 데는 너무 많은 변수가 있고, 다른 입장에서 제각각 답을 가지고 있을 것입니다. 하지만 제가 생각할 때 영상 퀄리티에 가장 영향을 미치는 것은 '몰입감'이 아닐까 싶습니다. 그렇다면 몰입감을 높게 만드는 영상 제작 요소는 무엇일까요?

① 화소나 화질보다 목적에 맞게 잘 촬영된 카메라 영상

② 피사체의 말하는 소리가 잘 들리게 편집된 오디오

③ 내용에 맞는 음악의 선정

④ 나레이션과 음악 볼륨의 적절한 믹싱

⑤ 영상 목적에 맞춰 디자인된 자막

⑥ 플롯이 잘 이해될 수 있는 자막 내용

⑦ 본문의 내용을 잘 이해하게 해주는 컴퓨터그래픽

⑧ 향후 전개가 어떻게 될지 궁금해하게 만드는 구성력

특별해 보이지 않아도 이것이 영상 퀄리티의 전부라고 말할 수 있습니다. 이런 요소들이 전체 맥락에 잘 어우러져야 퀄리티 높은 좋은 영상이라 말합니다.

잘 만든 영상 콘텐츠는 몰입감을 높여줘 시청 지속시간을 길어지게 만들어 줍니다. 앞에서도 이미 이야기했지만 유튜브는 시청 지속시간이 긴 콘텐츠를 좋은 콘텐츠로 판단하는 로직이 있습니다. 비단 유튜브뿐 아니라 TV에서도 잘 만든 콘텐츠는 자연히 눈이 가게 마련이고 몰입되어 내용에 스며들게 됩니다.

유튜브 콘텐츠의 퀄리티 높이는 법

그렇다면 이런 기본적인 상황 이외에 유튜브 콘텐츠의 퀄리티를 높이기 위해서는 무엇에 주목해야 할까요? 위의 내용을 모두 다 잘하면 좋겠지만, 주의해야 하거나 조심해야 할 핵심적인 몇 가지 사항을 정리해 보면 다음과 같습니다.

a. 콘텐츠의 정보를 잘 전달해야 한다.

영상에 담긴 정보만 좋으면 된다고 이야기하지만, 사실 정보가 좋아도 망하는 유튜브 채널이 많습니다. 모든 유명 교수님들 강의가 다 좋지는 않은 것처럼 말이죠. 강의를 잘하는 것과 지식 유무는 다른 것처럼 영상 콘텐츠 내용이 좋다고 유튜브 채널이 다 흥하지는 않습니다. 다만 정보 콘텐츠가 좋으면 망할 확률이 낮아지고, 흥할 확률이 높아지는 것일 뿐입니다.

성공을 위해서는 목소리 전달이 잘 되어야 함은 물론, 무슨 내용을 말하는지 하단 자막도 잘 들어가야 하고, 상황에 맞는 정리 자막과 이해가 잘 되기 위한 인서트 샷도 잘 넣어야 합니다. 그래야 시청자들이 영상 콘텐츠에 몰입하게 됩니다.

사실 이렇게 콘텐츠 정보를 잘 전달되도록 만드는 것이 편집 기술이고 영상 연출의 기술이긴 합니다. 하지만 유튜브는 일반인들이 만든 콘텐츠가 유통되는 플랫폼이다 보니 제작 퀄리티가 조금 미흡한 것이 사실입니다. 유튜브에서는 조금 지겹더라도 시청자들이 이탈하는 것을 막기 위해 빨리 보기라는 장치를 만들어 놓았습니다. 내용이 지겨우면 본인이 필요한 정보를 빨리 획득할 수 있도록 시청 시간을 조정하는 것이죠.

가끔은 상황이 잘 이해되지 않는 콘텐츠도 있습니다. 뜬금없이 갑자기 사라지거나 그냥 앞뒤 맥락 없이 등장하는 영상이 있죠. 어떤 분은 자신이 만든 영상편집본을 보면서 혼자 즐거워하시기도 합니다. 본인은 내용을 다 이해했으니 그러겠지만, 내용을 이해 못 한 시청자들은 그렇지 않습니다. 시청자 입장에서 콘텐츠를 냉정하게 바라보는 것이 필요합니다. 상황 이해가 어려우면 자막을 넣어 설명하거나 나레이션을 추가해 앞뒤 전후 맥락을 알려줘야 합니다. 상황을 잘 이해시키고, 재미를 던져주면서 다음 이야기로 유도해야 하는 것이죠. 시청자들은 관대하지 않습니다. 영상이 지겨우면 바로 다른 콘텐츠로 넘어간다는 점을 명심해야 합니다.

b. 오디오의 중요성

영상 제작에서 쉽게 간과하는 것이 바로 수음입니다. 수음이란 녹화 음성이나 현장 소리를 수집하는 것인데, 이 부분이 잘 녹음되어야 합니다. 요즘은 기술이 좋아져 볼륨을 올리거나 말하는 내용을 자막으로 처리한다고 합니다만, 사람의 목소리에는 감정이 들어 있기에 본촬영 시 주의 깊게 촬영해야 후반 편집에 큰 공을 들이지 않고 좋은 퀄리티의 콘텐츠를 만들 수 있습니다.

유튜브 콘텐츠의 경우 전문가도 아닌 데다 1인이 제작하는 경우가 많다 보니 촬영 시 여러 이슈가 발생합니다. 그나마 최근 고프로 등의 액션캠 문제였던 흔들림이 보정되었고, 수음 기술이 좋아져 다행입니다. 만약 오디오가 잘 안 들린다면 자막을 활용하면 좋습니다. 요즘에는 이어폰을 안 끼고 화면만 보면서 이해하는 경우도 많기에,

대사를 그대로 받아 적어주는 말 자막과 상황을 정리하는 상황 자막을 적절히 활용해서 콘텐츠를 만드는 것도 몰입도를 높이는 방법입니다.

c. 유행하는 밈 만발 금지

유튜브 콘텐츠를 보다 보면 비슷한 영상이 다양한 곳에 반복되어 사용되는 경우가 많습니다. 유튜브에서 주로 보이는 이 짧은 영상은 '밈'이라 불리는데, '와우 할아버지'나 장항선 배우의 '뭔 개소리야'가 대표적인 예 입니다.

원래 '밈(Meme)'은 모방을 뜻하는 '미메메(Mimeme)'와 유전자를 뜻하는 '진(Gene)'의 합성어로, 개체의 기억에 저장되거나 다른 개체의 기억으로 복제될 수 있는 비유전적 문화 요소 또는 문화의 전달 단위라는 의미입니다. 이 개념은 진화생물학자인 리처드 도킨스의 저서 〈이기적 유전자〉를 통해 처음 알려졌습니다.

온라인 커뮤니티에서 단순한 재미와 흥미를 위해 사용되기 시작한 '밈'이라는 개념은 빠르게 퍼져나갔습니다. 여기서 밈은 단순 모방이나 흉내와는 다르게 일상생활 속에서 끊임없이 재가공을 거듭해 전파된다는 특징을 가집니다.

유튜브에서도 이런 밈이 자주 활용됩니다. 특히 인서트 화면이 모자란 유튜브의 경우 어느 정도 쉬어가야 할 흐름이 나오거나 개그 코드가 필요할 때, 적당한 리액션이 필요할 때 이런 밈을 사용합니다. 하지만 맥락에 맞지 않게 뜬금없이 나오는 밈은 본래 콘텐츠의 흐름에

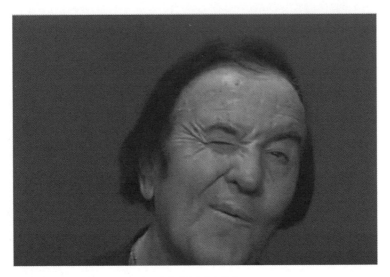
와우 할아버지로 알려진 벨기에의 가수 출신 연예인 에디 윌리.

방해되기가 일쑤입니다. 처음 본 밈이야 재미있겠지만, 반복되어 여기 저기 나오는 밈은 시청에 방해가 될 뿐이죠. 유행하는 밈을 잠깐 쓰는 것은 모르겠지만, 일단 유행이 지난 밈은 콘텐츠 흐름에 방해가 될 뿐이란 점을 명심해야 합니다.

d. 낚시하되 선을 넘지는 말아야 한다.

유튜브 플랫폼 특성상 정보를 알기 위함이나 무엇에 대한 답을 듣기 위해 콘텐츠를 선택하는 경우가 많습니다. 유튜버들은 섬네일을 통해서 클릭을 유도하는 경우가 종종 있는데, 가끔 지나치게 도를 넘는 경우가 보입니다. 어떤 내용이 궁금해 클릭을 해보면, 정답을 이야기 해주지는 않고 맨 마지막까지 시청하게 한 뒤 "이 부분에 대한 결론은 아직 안 났습니다."류의 결말로 실망감을 주는 경우가 많습니다.

유튜브를 잘한다는 것은 채널 구독자들과의 관계를 돈독하게 해서 지속적으로 향후 만들어질 내 콘텐츠를 기대하게 하는 것입니다. 이를 위해 크리에이터는 성실하고 진실되게 호기심을 해결해 줄 전문가임을 보여줘야 합니다. 그런데 이런 식의 낚시는 신뢰를 심어줄 수 없으니 지양해야 합니다.

e. 움직이는 것이라고 영상이 아니다.

관공서 채널이나 지자체 채널을 보면 영상인지 움직이는 파워포인트 화면인지 구분 안 되는 경우가 있습니다. 보통 공공기관의 유튜브 채널에서 자주 나타나는 현상입니다. 이야기해야 할 것이 많으니, 화면 가득 글자를 채워 놓고 AI 목소리로 텍스트를 그대로 읽거나 음악만 깔아 놓은 경우를 많이 봤습니다. 애프터 이펙트 프로그램이 대중화되면서 뭔가 그럴싸해 보이는 영상을 편집자 혼자 제작할 수 있게 되자 이런 류의 영상이 늘어나지 않았나 생각됩니다. 하지만 이런 영상 다수는 조회수나 시청 지속시간 측면에서 좋지 않은 결과를 가져오기 마련입니다.

움직이는 화면이나 글자를 제대로 된 영상이라고 할 수는 없습니다. 시청자들은 화면 속 내용을 보면서 다음에 어떤 내용이 있을 것인가 스토리를 따라 시청하고 있음을 기억해야 합니다. 움직이는 글자와 소리를 보면 뭔가 주목되는 것처럼 보이지만, 결국 머리에 남는 것은 아무것도 없습니다. 그러니 구성을 잡아 스토리를 입혀보는 것을 추천하는 바입니다.

잊지 마세요. 여러분들의 유튜브 영상 아래위로 넷플릭스나 공중파 전문가들이 유명 연예인과 함께 만든 수백억 원짜리 콘텐츠가 있을 수도 있음을. 결국 영상은 단순히 보여주는 것이 아니라 관심을 끌고 몰입해 시청하게 만드는 것임을 잊지 마시기를 바랍니다.

구성안을 작성해라

영상 제작이 일상인 방송국을 보면 기획안과 구성안 작성에 공을 많이 쏟습니다. 프로그램을 만들 설계도를 잘 작성하는 것이죠. 쉽게 생각해 보면 기획과 구성은 비슷한 것 같으나 다른 부분이 많습니다. 방송국 기준으로 설명해 보면 프로그램 제작기획서는 예산 집행을 위해 방송사 조직 내부에서 필요한 문건으로 간략한 프로그램의 기획 의도나 내용, 항목별 예산 등이 들어 있습니다. 사실 내부적으로 "이러한 영상을 제작하겠습니다." 같은 뜻의 개요를 파악할 수 있도록 작성한 문건이라고 보시면 됩니다.

반면 기획안에는 다음과 같은 내용이 들어갑니다.

① 프로그램 제목 ② 방송일시 ③ 방송 형식 ④ 진행자 ⑤ 기획 의도 ⑥ 주요 구성 내용 ⑦ 프로듀서 / 연출자 연락처

구성안은 기획안에 비해 영상의 실제 제작에서 적용할 수 있도록 자세한 내용이 담깁니다. 다시 말해 프로그램 기획이 방송 일정이나 포맷, 예산 등 제작에 필요한 기본사항을 결정하는 것이라면, 구성은 그 기획 의도에 맞게 아이디어를 숙성시켜 보다 구체적인 표현 방식, 배열순서, 진행 방식을 짜는 작업이라 보면 됩니다. 실제 영상물을 만들어 내는 연출자나 구성작가의 창의성, 아이디어가 가장 많이 적용되는 작업으로 같은 소재라도 구성 방식에 따라 프로그램은 천차만별의 모습을 가지게 됩니다.

구성은 설계도, 협업을 잘 준비할 수 있다

구성은 해당 프로그램을 어떻게 만들겠다는 설계도 같은 것입니다. 특히 유튜브 채널에서 영상 구성은 해당 영상 편집 계획까지 포함해야 합니다. 유튜브 콘텐츠 중 상당수는 무계획적으로 보일 때가 많습니다. 반면 경험 있는 크리에이터의 경우 이미 머리에 구성안이 정리되어 있는 것처럼 보일 때도 있고요.

그럼에도 불구하고 구성안을 작성해야 하는 이유는 결국 영상 작업은 협업을 잘해야 퀄리티가 올라가기 때문입니다. 협업을 하면, 촬영을 대신해 줄 수도 있고, 출연을 도와줄 수도 있고, 장소를 제공받을 수도 있고, 추후 영상 편집이나 그래픽에서 도움받을 수 있고, 음악에서도 도움받을 수 있습니다. 촬영 전 구성안을 작성해 공유하면 함께 준비하는 사람들이 영상에 대해 충분히 숙지한 상태에서 작업에 임할 수 있는 것입니다. 전문 출연자들은 해당 콘텐츠에 대한 학습을 사전에 준비 해오는 경우가 많습니다. 촬영의 경우도 연출 목적에 맞는 특수 장비를 미리 준비할 수 있게 되죠.

이렇게 구성안이 잘 갖춰져 있으면 협업에서 큰 힘을 발휘합니다. 영상 제작 같은 제작물을 만들 때는 작업자들과 긴밀한 소통이 필요한데, 그렇다면 더욱 구성안이 중요해 집니다.

유튜브 수익이 점점 줄어 브랜디드 콘텐츠를 만들지 않고 유튜브의 YPP만 가지고 채널을 유지하기가 점점 힘들어지고 있습니다. 브랜디드 콘텐츠를 의뢰하는 기관은 기업이나 공공기관, 지자체 등의 전문단체이니 그들과 협업하는 과정에서는 잘 만들어진 구성안이 필수라 할 수 있습니다. 최근 기업이나 공공채널도 브랜드 저널리즘 콘텐츠를 계속 만들고 있기 때문에 콘텐츠 제작이나 협업에 대한 노하우가 쌓여 있습니다. 특히 브랜디드 콘텐츠는 촬영을 마친 뒤 다시 내용을 바꾸기 무척 어려우니 광고주와 원활한 소통을 위해서라도 기획, 구성안으로 세부적인 그림을 그려가면서 진행해야 합니다.

또한 구성안의 큰 역할 중 하나는 효율적인 촬영 계획을 가능하게 한다는 것입니다. 예를 들어 서울역에서 출발해서 대전에서 촬영 후 다시 서울역에서 마무리하는 콘텐츠를 만든다고 가정해 봅시다. 시간 순서에 따른 여행 콘텐츠의 경우 서울-대전-서울로 마무리하는 일반적인 구성이 짜일 것입니다. 하지만 정보성 콘텐츠를 제작할 때, 서울로 돌아오는 장면이 필요한 상황이라면 서울역 실내에서 돌아온 것처럼 인사만 해도 되겠죠. 즉, 출발하는 장면을 서울역에서 찍고 나서, 같은 자리에서 동시에 다녀온 것처럼 마무리 장면을 미리 촬영할 수도 있습니다. 그리고 만약 대전까지 가면서 기차 안에서 대화하는 장면이 필요하다면 장비를 세팅하고 촬영하겠지만, 그런 장면이 필요 없거나 10초 정도만 필요하다면 아주 짧게 스케치만 하는 방식으로 촬영량을 줄일 수 있습니다.

요즘은 기술의 발달로 4K로 촬영하는 경우가 많습니다. 특히 무조건 큰 샷으로 촬영해 놓고 나중에 크롭하거나 확대시켜 좋은 장면을 가려내는 방식을 많이 취합니다. 하지만 좋은 사양의 컴퓨터라도 여러 개의 4K 영상 소스를 쌓아놓고 편집하면 속도가 느려지거나 버벅거리는 현상을 피하긴 어렵습니다. 어떤 경우엔 찍어놓고 편집할 엄두가 나지 않아서, 결국 영상을 제작하다 제풀에 지쳐 영상 퀄리티 마저 떨어질 수 있습니다. 결국 구성안을 잘 세워놓고 촬영에 임해야 놓치거나 빠트리는 것 없이 알찬 촬영이 가능합니다.

유튜브 구성안

구성안은 목적에 따라 양식이 다릅니다. 방송 영상의 경우 종합구성물인지 야외 ENG물인지 등에 따라서 구성을 잡고, 시간을 배분해야 촬영 분량을 가늠할 수 있게 됩니다. 일반적으로 구성안의 구성항목은 시간, 비디오, 오디오, 내용으로 구분됩니다.

유튜브 콘텐츠 구성안의 예시

항목	비디오	오디오	자막/Nar.
시퀀스 #1 행궁동의 과거	#1-행궁동의 성곽을 경계로 밖은 도시, 안은 한적한 동네	잔잔한 bgm	수원 시내 한복판에 위치한 수원 화성. 그리고 화성을 둘러싼 성곽 안에 위치한, 작고 고즈넉한 동네 행궁동. 여러분은 행궁동에 대해 들어본 적 있으신가요?
	#2-성곽, 벽화, 행궁동을 이루고 있는 사물들 클로즈		수원 시내 한복판에 위치한 수원 화성. 그리고 화성을 둘러싼 성곽 안에 위치한, 작고 고즈넉한 동네 행궁동. 여러분은 행궁동에 대해 들어본 적 있으신가요?
	#3-화성행궁과 팔달문 모습 #4-행궁동 내 오래된 건물들과 시장		수원 화성은 세계 유네스코 문화유산에 등재되어 었습니다. 그래서 수원 화성을 포함한 자치구역인 헹궁동은 재개발이 일절 금지되어 있는데요. 덕분에 행궁동은 수원 내에서 낙후된 동네로 알려져 있었습니다. 과거 수원의 도심이었던 화성에 사람들의 발길은 점점 끊어져만 갔죠.
시퀀스 #2 행궁동의 현재	#1-행리단길의 붐비는 거리, 가득한 식당과 카페 안		하지만 최근, 행궁동이 새로운 모습으로 바뀌었습니다. 수원 시민은 물론, 먼 지역에서부터 행궁동을 찾아오는 사람들로 길거리가 붐비기 시작했습니다.
	#2-행리단길의 전체 모습		사람을을 사로잡은, 행궁동만의 특별하고 새로운 매력. 무엇이었을까요?
시퀀스 #3 행궁동만의 감성	#1-주택 개조 카페, 식당의 외관과 내부 #2-루프탑, 루프탑에서 보이는 수원 화성 성곽		최근 레트로 붐이 찾아오면서, 주택을 개조한 카페와 식당들이 MZ세대의 '감성'을 사로잡았는데요 동네 특성상, 높은 건물을 짓거나 재개발이 불가능했던 행궁동이 이 젊은 세대의 감성을 사로잡을 수 있었습니다. 오래되고, 낡은 주택들이 멋진 카페와 식당으로 바뀌게 된 것입니다.
	#3-행궁동 벽화, 작은 골목길 #4-행리단길 차 없는 거리, 천천히 걸어가는 사람들	활기찬 bgm	이 '감성'은 행궁동 곳곳에서도 쉽게 찾아볼 수 있는데요. 골목길 벽을 따라 그려진 벽화와, 한적한 동네의 조용함은 바쁘고 정신없는 도시와 상반되는 분위기를 자아냅니다. 또한 행궁동의 중심길인 행리단길은 차가 다니지 않는, 차 없는 거리인데요. 더 여유롭게 행궁동 주변의 풍경을 감상할 수 있습니다.

하지만 유튜브 콘텐츠 영상 길이는 콘텐츠 제작자가 결정할 수 있으므로 영상 시간 배분은 추후 결정해도 괜찮아지게 되었습니다. 유튜브 영상은 혼자 촬영하는 경우가 많아 머릿속에 촬영 내용이 정리되어 있어서 굳이 편집 구성안을 따로 작성하지 않기도 합니다. 하지만 수익형 유튜브 채널이나 퀄리티를 높이는 목적의 영상을 제작할 때 시간적 여유를 두고 사람들의 생각과 의지를 모아 편집구성을 한다면 훨씬 좋은 콘텐츠가 만들어질 수 있습니다.

스토리보드와 콘티

콘티는 영화나 TV 드라마 촬영을 위해 각본을 바탕으로 필요한 모든 사항을 기록한 것입니다. 장면 번호, 화면 크기, 촬영 각도와 위치부터 의상, 소품, 대사, 액션까지 적혀 있습니다. 일반적으로 그림을 그려서 해당 비디오와 오디오의 상황을 자세히 적습니다. 그래서 촬영 스텝이 해당 콘티를 보고 소품과 내용을 준비하게 되죠. 콘티는 주로 광고를 제작할 때 많이 사용됩니다. 광고는 연출 의도 대로 촬영 현장을 꼼꼼하게 제어해야 하기 때문에 원하는 대로 옷을 입히거나 조명을 주거나 소품을 준비하는 경우가 많아 콘티가 필수적으로 사용됩니다. 스토리보드는 이야기 흐름을 그려놓은 것이라 이해하면 됩니다. 주로 광고주 PT용으로 많이 그리기도 하는데, 스토리보드와 콘티는 현업에서 혼용해서 사용하기도 하고 그 개념이 조금씩 달라지기

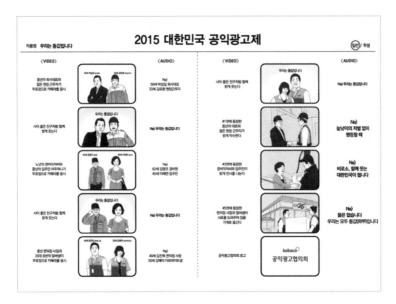

스토리보드 예시, 출처: 코바코

도 합니다.

유튜브 콘텐츠라고 하더라도 촬영 현장을 연출 의도 대로 제어해야 하거나 많은 스텝이 참여하고 광고주의 요청대로 정확히 촬영, 편집이 이루어져야할 경우 콘티까지 작성해야 합니다. 하지만 제작 인력과 시간이 부족한 유튜브 콘텐츠 제작 현실을 감안하고, 특히 현장에서 어떻게 구성될지 알 수 없거나 현장 제어가 불가능한 경우엔 콘티를 생략하는 때도 많습니다.

과거에는 콘티를 제작할 때 장면 하나하나 그림을 그리는 경우가 많았습니다. 그래서 콘티 전문 작가를 따로 두기도 했었죠. 최근에는 한국방송광고진흥공사(kobaco)가 운영하는 AI 기반 광고 창작 지원 서비스 '아이작'을 이용하면 손쉽게 콘티를 작성할 수 있게 되었습니다.

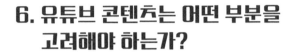

6. 유튜브 콘텐츠는 어떤 부분을
고려해야 하는가?

지금까지 일반적인 영상 콘텐츠 제작법을 알아봤다면, 이제부터는 우리가 제작하려는 유튜브 콘텐츠를 어떻게 만들어야 하는지 살펴보고자 합니다. 유튜브 콘텐츠를 잘 만드는 방법은 앞에서 이야기한 좋은 영상 만들기와 일치합니다. 다만 유튜브 영상은 조금 더 소재 범위가 다양하고 촬영이 밀접하게 이루어지며, 주제가 간결하고 영상으로 소통이 일어난다는 점이 다릅니다.

유튜브 콘텐츠의 기획

유튜브 콘텐츠 제작을 컨설팅 하다보면 '무엇을 이야기 할 것인가?'에 관한 고민보다 '어떻게 만들 것인가?'에 대한 고민이 많습니다. 이는 초보자들이 가장 많이 하는 실수입니다.

모여서 토크를 하는 영상을 만들겠다는 생각은 구성이 아닙니다. 모여서 '어떤 주제'를 '어떤 형식'으로 진행할지가 구성인 것입니다. 가장 중요한 것은 '무엇을 이야기 할 것인가?'입니다. 그리고 그것을 언제(업로드), 어떻게(섬네일) 보여주고, 어떻게 검색되게 (해시태그) 할 것이며, 어떻게 소통할지(댓글, 커뮤니티탭)가 중요합니다.

a. 기획: 새로운 것을 찾아라

유튜브 콘텐츠는 본인이 직접 연출, 기획, 촬영, 편집하는 경우가 많습니다. 따라서 기존 공중파나 케이블 등 방송국에서 연출된 영상이 아닌 자연스럽거나 다양한 관점의 연출이 가능합니다.

예를 들어 유튜브 채널 〈집 나온 부식〉의 경우 무인도 생활을 보여주거나 무엇을 직접 나무로 만들어 보는 콘텐츠를 하는데, 이는 공중파나 케이블 등 제도권에서 할 수 있는 것이 아닙니다. 나무로 워터슬라이드를 만들거나 황토 벽돌집을 짓고, 10미터 자이로드롭을 만들거나 40미터짜리 나무 짚라인이나 수상가옥을 만드는 등 처음부터 끝까지 긴 시간 동안 지켜보고 촬영해야 하는 작업이기 때문입니다.

물론 이런 콘텐츠를 만들려면 만들 수는 있겠지요. 하지만 제작비와 스토리텔링 등 여러 이슈로 방영하긴 쉽지 않을 것 같습니다. 하지만 이건 유튜브 콘텐츠이기 때문에 시청자들은 나무로 하나하나 만드는 과정을 지켜보고, 결과물이 만들어지는 과정을 응원하고 지켜보게 되는 것입니다.

"좋은 프로그램은 발명되는 것인가, 발견되는 것인가. 어느 쪽인지는 몰라도 한 가지는 확실하다. 좋은 프로그램이란 다음의 세 가지를 만족시킬 때에야 비로소 만들어진다는 것. 첫째 새로울 것. 둘째 재미가 있을 것. 셋째 의미가 있을 것. 그리고 가장 우선시해야 할 요소는 바로 '새로워야 한다'는 명제다."

- 나영석, 〈어차피 레이스는 길다〉 중 -

나영석 피디가 말하는 '새로워야 한다'는 것이 하늘 아래 처음 시도 되는 것은 아닐 것입니다. 너무 어렵게 생각하지 마세요. 나의 일상은 너무나 평범할지라도 남들이 보면 처음 보는 일상일 수 있습니다. 예를 들어 덤프트럭 운전하는 일도, 택배 배달을 하는 일도, 아이스크림을 만드는 일도, 붕어빵을 만들어 파는 일도 타인의 눈에서는 신기한 일이고, 그 안에서 갈등도 있고 해소도 있고 나름 새로운 이야기를 만들어 나갈 수 있습니다. 그러니까 주위에서 일어나는 일들을 유심히 지켜보고, 과거와는 다른 새로운 관점으로 프레이밍 한 뒤 그 과정을 스토리텔링해서 영상으로 제작하는 것. 이것이 유튜브에 있어 새로운 관점의 기획입니다.

b. 유튜브 콘텐츠의 구성
콘텐츠의 소재는 쉽게 찾되 너무나 뻔한 것을 하지 않아야 합니다. 누가 봐도 뻔한 소재는 시청자들에게 관심받기 어렵습니다. 소재가 뻔하더라도 다른 관점을 가져야 합니다. 골목길을 가는 콘텐츠라면 옛것을 발견하는 골목길 탐험대라든지, 집을 소개 해주는 프로그램이지만 자취방에만 특화된 내용이라든지 식으로 해당 채널을 구독하는 목적을 잘 찾아주고, 원하는 바를 해소시켜 주는 방향으로 나아가야 합니다.

유튜브 채널 〈과나〉처럼 음악을 만들어 그림과 함께 재미있게 영상을 구성해도 되고, 여러 콘텐츠로 제작되어 인기를 얻은 '직접 살 빼기'라든지, 간헐적 단식이라든지, 몇만 보를 걸어본다든지 같은 체험식 구성도 좋습니다. 외모에 자신이 있다면 그냥 여행 다니고 브이로그 찍는 콘텐츠도 좋습니다. 굳이 무엇을 설명하지 않아도 화면을 보고 있을 때 신기하거나 좋으면 됩니다. 고양이나 개를 찍어서 올리는데도 조회수가 나오는 것은 매력 있게 촬영하거나 구성했기 때문입니다.

유튜브는 영상으로 소통하는 플랫폼이지 일방적으로 영상만 보여주는 콘텐츠 무대가 아닙니다. 다만 영상을 잘 제작하는 것은 많은 노력이 들어가는 일이기에, 잘 만들고 계획된 콘텐츠가 상대적으로 높은 조회수와 시청 지속시간을 유도할 수밖에 없다는 것을 기억하세요.

유튜브 콘텐츠 구성에서 핵심적인 사항은 콘텐츠를 일방적으로 전달하는 것이 아니라 영상 너머에 있는 팬들과 같이 소통해야 한다는 점입니다.

구글 트렌드 홈페이지: https://trends.google.com/trends/

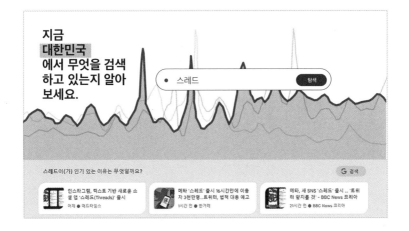

c. 콘텐츠 아이디어

그렇다면 어떤 콘텐츠를 만들어 내야 할까요? 유튜브는 결국 플랫폼
검색엔진을 통해 들어오던지 혹은 유튜브가 내 콘텐츠를 추천해 줘
야지만 유입이 될 수 있습니다. 영상을 계속 만들다 보면 무슨 영상을
만들어야 할지가 가장 큰 고민입니다. 그럴 때마다 최신 트렌드를 알

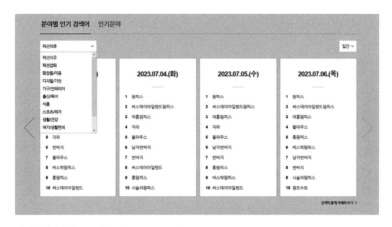

네이버 데이터랩: https://datalab.naver.com/

려주는 사이트를 참고한다면 큰 도움을 얻을 수 있습니다.

구글 트렌드(Google Trends)는 사용자들이 관심 갖는 주제를 실시간으로 보여주는 트렌드 지표입니다. 저널리스트들은 이 정보를 활용해 기사를 위한 아이디어를 얻을 수 있습니다. 구글 뉴스 등을 통해 얻은 트렌드 데이터를 제공하여 사회적 이슈 또는 사건에 대한 대중의 관심도를 설명할 수 있습니다. 구글 트렌드 홈페이지에서 실시간 인기 주제를 확인하고 이를 바탕으로 어떤 주제를 이용하여 무엇을 생산할지 정할 수 있습니다.

구글 트렌드는 수많은 데이터를 기반으로 자국뿐 아니라 전 세계 트렌드와 키워드 분석이 가능합니다. 기본 홈 화면은 실시간으로 인기 있는 검색어와 그 이유를 슬라이드 화면으로 보여주고 있습니다. 탐색 탭에서는 각 키워드 검색량을 살펴볼 수 있으며 비교할 검색어를 추가하여 여러 키워드의 트렌드를 함께 볼 수 있습니다. 실시간 인기 탭에서는 나라별, 날짜별, 실시간 인기 급상승 검색어도 살펴볼 수 있고요.

네이버도 이와 유사한 데이터랩 서비스를 제공하고 있습니다. 한국 사람들이 요즘 어떤 것에 관심이 있는지, 국내 인기 있는 분야가 뭔지, 어떤 키워드로 광고하면 효과가 있을지에 대한 정보들이 나와 있어 인터넷 마케팅에도 도움이 됩니다. 내가 생각하는 특정 시기에는 어떤 검색어가 인기가 있었는지 특정 시점의 검색어 이슈를 알고 싶을 때도 도움이 되는 통계서비스입니다.

구글 트렌드에서 한 가지 더 활용할 점은 키워드 검색 추이가 높아진 시점에 관련 뉴스도 표시된다는 것입니다. 키워드가 치솟았을 때의 관련 뉴스로 무엇이 있었는지 제목들이 보입니다. 이것을 이용해서 그때 왜 그 키워드 검색어가 많이 사용되었는지 주변 상황을 참고할 수 있습니다. 지역별 어떤 키워드 / 트렌드가 주목받았는지도 찾아볼 수 있죠.

이런 트렌드 검색엔진들을 이용하면 요즘 유행하는 것들, 시대에 맞는 트렌드를 보고 전략적으로 콘텐츠를 제작할 수 있습니다. 구글은 홈페이지에도 나와 있듯이 유튜브에 관련된 동향을 밝히는 데 도움이 됩니다. 유튜브 측은 알고리즘이 시청자에 의해 결정되며 이에 따라 진행된다고 언급한 바 있습니다. 유튜브의 행적을 알려주는 구글 키워드 / 트렌드 엔진을 사용하여 영상기획을 하는 것도 좋은 방법입니다.

7. 숏폼 콘텐츠가 떠오른다

최근 영상 분야 핵심 콘텐츠 트렌드는 '숏폼(short form) 콘텐츠'입니다. 숏폼 콘텐츠는 15초에서 최대 10분을 넘기지 않는 짧은 영상으로 제작된 콘텐츠를 말합니다. 일반적으로 숏폼이 10분을 넘기지 않는 영상이라고는 하지만 대부분 1분을 넘기지 않습니다. 달라진 콘텐츠 소비 습관으로 인해 짧게 핵심만 담은 콘텐츠가 환영받는 것입니다.

틱톡이 처음 등장할 당시만 해도 숏폼을 일시적 유행으로 치부하는 시각이 많았습니다. 하지만 지금 숏폼은 대세인 동시에 콘텐츠 소비에 있어 없어서는 안 될 존재가 되었죠. 숏폼을 제공하는 대표적인 플랫폼으로는 틱톡, 유튜브 쇼츠, 인스타그램 릴스가 있는데, 1분 미만의 영상 콘텐츠에 익숙해진 사람들이 점점 늘어나고 있습니다.

2022년 말 기준으로 틱톡은 13억 명이 이용하고 있으며, 쇼츠와

TIKTOK	YOUTUBE SHORTS	REELS(INSTAGRAM+FACEBOOK)
2022년 글로벌 이용자수	2022년 일 평균 조회수	2022년 12월 일 평균 조회수
13억 명	**300억 건**	**1,400억 건**
	(전년 대비 400% 증가)	(6개월 전 대비 50% 증가)

릴스의 평균 조회수는 각각 300억 건, 1,400억 건 이상으로 계속 성장세를 보이고 있습니다. 숏폼 콘텐츠는 10대를 중심으로 유행이 시작되었지만, 점차 10대 이외의 모든 연령대로 이용층이 확대되고 있습니다. 그로 인해 숏폼 사용자의 하루 평균 콘텐츠 시청 시간도 지속적으로 늘어나는 추세입니다. 숏폼 콘텐츠 시장의 확대는 영화, 드라마 같은 영상 미디어 영역을 넘어, 쇼핑, 마케팅, 음악 같이 다양한 분야에도 영향을 미치고 있습니다.

최근 한 설문조사에서 한국인들은 OTT보다 숏폼을 더욱 오래 본다는 결과가 나왔습니다.[38] 앱/리테일 분석 서비스 와이즈앱·리테일·굿즈에 따르면 숏폼 플랫폼(유튜브, 틱톡, 인스타그램)의 1인 당 월평균 시청 시간은 46시간 29분으로 OTT 플랫폼(넷플릭스, 웨이브, 티빙, 디즈니+, 왓챠, 쿠팡플레이)의 1인당 월평균 사용 시간 9시간 14분 대비 5배 이상 높은 것으로 조사되었습니다. 오픈서베이 '소셜미디어-검색포털 트렌드 리포트 2023'을 보면, 한국인의 숏폼 콘텐츠 시청 경험은 약 70%로 작년에 비해 11% 정도 상승했습니다. 숏폼 콘텐츠를 접해본 주요

---

38) https://www.wiseapp.co.kr/insight/detail/470

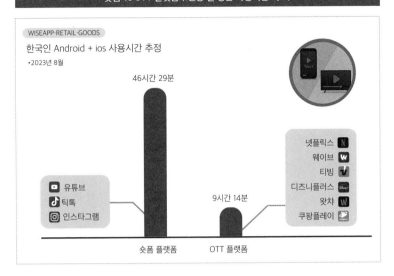

숏폼 vs OTT 플랫폼 (1인당 월 평균 사용시간 비교)

WISEAPP·RETAIL·GOODS
한국인 Android + ios 사용시간 추정
•2023년 8월

46시간 29분

▶ 유튜브
♪ 틱톡
◎ 인스타그램

9시간 14분

넷플릭스 N
웨이브 W
티빙 V
디즈니플러스 🄳
왓챠 W
쿠팡플레이 🄿

숏폼 플랫폼　　OTT 플랫폼

채널은 작년과 유사하며, 유튜브 쇼츠 〉 인스타그램 릴스 〉 틱톡 등의 순으로 나타났습니다. 각 숏폼 플랫폼의 특성을 간단히 정리해 보았습니다.

♪ 틱톡

틱톡은 중국 바이트댄스가 설립한 숏폼 전용 플랫폼입니다. 2016년 전 세계 150개 국가에서 75개의 언어로 서비스를 시작했습니다. 틱톡 이용자들의 자발적인 콘텐츠 제작과 업로드가 활발히 이어졌고, 음악이나 증강 현실 필터 등의 효과로 챌린지 붐을 일으킨 바 있습니다.

▶ 유튜브 쇼츠

유튜브 쇼츠는 2021년 6월 출시됐습니다. 정보전달 목적이 많아 틱톡에 비해 나레이션과 텍스트 활용도가 많은 편입니다. 기존 유튜브 콘텐츠를 숏폼으로 재가공해 원 채널로의 유입을 유도하기도 합니다.

◉ 인스타그램 릴스

2021년 2월 출시된 인스타그램 인앱입니다. 틱톡이 주도한 숏폼형 소셜미디어의 인기에 편승해 출시되었습니다. 짧은 길이의 영상 콘텐츠로 최근 최대 길이가 60초에서 90초로 늘어났습니다.

숏폼 콘텐츠의 성장요인은 무엇인가?

유튜브 쇼츠나 틱톡으로 대변되는 숏폼 콘텐츠 성장이 계속 뜨겁습니다. 지금도 많은 사람들이 숏폼 콘텐츠의 늪에서 빠져나오지 못하고 있는 상황입니다. 숏폼 콘텐츠 성장요인은 여러 가지가 있겠지만, 현대인들은 스마트폰을 중심으로 생활 패턴이 짜여져 있고 이를 통해 소비하는 시간이 많기 때문일 것입니다.

　또 콘텐츠가 짧아 누구나 쉽게 만들고, 재미없으면 쉽게 넘기면서 더욱 많은 콘텐츠를 시청할 수 있다는 특징도 가지고 있습니다. 콘텐츠 길이가 짧아 많은 콘텐츠가 끝없이 생산되고, 치열한 경쟁으로 이어져 더욱 자극적인 콘텐츠가 생산됩니다. 시청자들은 어떠한 콘텐츠를 보겠다는 동기가 없어도 그냥 무의식적으로 숏폼 콘텐츠를 보며 시간을 보내고 있습니다.

▶️ 쇼츠의 성장요인을 정리해 보면 다음과 같습니다.

① 누구나 만들 수 있다.

- 1분 정도의 짧은 콘텐츠이기 때문에 가능하다.

② 많은 이들이 시청한다.

- 알고리즘을 타고 많이 회자된다.

③ 특별히 잘 만들지 않아도 된다.

- 영상을 찍는 것 자체가 하나의 놀이이며, 쇼츠의 경우 스마트폰 자체에서 편집을 진행한다. 소셜미디어 놀이이다. 콘텐츠 퀄리티가 낮아지기도 하지만, 이에 시청자들이 익숙해 지면서 쇼츠 영상을 잘 만들어야 한다는 고정관념이 사라졌다.

④ 스와이핑이 되는 UI와 특별한 챌린지 그리고 인기 AR필터

- 숏폼 콘텐츠 다수는 세로형 UI를 가지고 있다. 사람들은 이에 학습되었고 위아래로 넘겨보는 데 익숙해졌다. 그리고 숏폼 콘텐츠는 챌린지형이 많다. 특정 동작을 따라 하거나 노래의 주요 포인트를 따라 부르는 영상들인데, 잘 만들면 라이징 스타가 될 수 있어 연예인들의 전격적인 홍보 무대가 되기도 한다. 쇼츠나, 틱톡, 릴스에서의 챌린지는 반짝 유행하는 콘텐츠가 아닌 하나의 카테고리로 자리를 잡고 있다. 또한 요즘 유행하는 밈 중에 챌린지는 꼭 빠지지 않고 있는데, 아무래도 같은 콘텐츠를 사람들이 참여

하며 확산하다 보니 자연스럽게 밈이 되고 있다. 틱톡의 경우 인기 AR 필터를 사용해 영상을 통한 놀이 문화로 확산시켜 나가고 있다.

기업, 공공채널들도 숏폼 콘텐츠 제작에 열중한다

요즘 MZ세대에게는 유튜브도 한물간 콘텐츠 취급을 받고 있을지 모릅니다. 이에 MZ세대를 겨냥해 기업과 공공채널들도 숏폼 콘텐츠 제작에 열중하고 있습니다. 숏폼을 좋아하는 세대는 숏폼 콘텐츠를 중심으로 콘텐츠 소비가 많이 일어나기에 해당 세대 타깃으로 숏폼 콘텐츠를 만들어 내는 것입니다.

CU 유튜브 공식 채널 〈씨유튜브〉는 쇼츠 웹드라마 콘텐츠인 '편의점 고인물'을 발표했습니다. 해당 콘텐츠는 발표 39일 만에 누적 조회수 1억 뷰를 달성했죠. 업계에서는 이 콘텐츠가 평균 영상 조회수 광고비로 환산하면 130배 넘는 광고 효과를 거둔 것으로 평가하고 있습니다.

다른 기업들도 숏폼을 적극 활용하는 모습입니다. 캠핑 플랫폼인 〈와이아웃〉에서는 아웃도어 관련 정보들을 숏폼 영상으로 만들어 캠핑과 글램핑장의 정보를 공유합니다. 인테리어 플랫폼 〈오늘의 집〉은 이용자들이 직접 게시한 숏폼 영상을 통해 소품과 인테리어 제품을 구매할 수 있는 서비스를 제공하고 있습니다.

공공채널쪽에서도 정보 전달을 위한 채널로 숏폼 콘텐츠를 많이 사용하고 있습니다. 충청남도 공식 유튜브 채널인 〈너두와 충남〉은 재치 있는 콩트 속에 충청남도 지역 정보와 정책을 효과적으로 녹여낸 숏폼 콘텐츠로 화제를 모았습니다. 또한 경상북도의 〈보이소 TV〉 역시 최근 급상승세를 타고 있는 숏폼 콘텐츠의 트렌드를 적극 수용하여 지속적으로 시리즈 콘텐츠를 발행하고 있는 모습입니다. 유튜브 쇼츠를 통해 간단한 정책 뉴스와 지역 소식, 캠페인 소개 외에도 공무원이 출연하는 흥미형 콘텐츠를 통해 시민들과 접점을 넓히고 있습니다. 그 중 '슬기로운 공무원 생활'은 연차별 출퇴근 유형을 소재로 하는 등 공무원 및 직장인의 현실적인 모습을 담아 숏폼 콘텐츠에 최적화된 짧은 호흡으로 구성해 〈보이소 TV〉의 인지도 상승에 기여하고 있다는 평입니다.

기업과 공공채널에서도 숏폼 콘텐츠에 주목하는 이유는 무엇일까요? 일단 숏폼 콘텐츠 제작 비용이 저렴하기 때문입니다. 그리고 자기 채널의 롱폼 콘텐츠를 잘라서 만들어 저작권 이슈 등이 생기지 않는다는 점도 장점입니다. 또한 기존 콘텐츠보다 시청자들의 기댓값이 낮다는 점도 한몫하고 있습니다. 그냥 재미있거나 나에게 필요한 정보라면 시청자들은 관대하게 시청하는 것입니다.

이런 숏폼 콘텐츠가 확장되어 커머스, 뉴스, 웹툰, AI, 스포츠 등의 내용을 담은 숏폼 춘추전국 시대로 접어들었습니다. 이러다 보니 기업이나 단체에서 영상 공모전을 열 때도 숏폼 콘텐츠를 기반으로 한 공모전이 늘어나고 있습니다. 아무래도 응모자들이 숏폼 콘텐츠 제작에 부담을 덜 느끼기 때문에 참가자 수도 많이 늘어나는 추세입니다. 네이버도 이런 숏폼 콘텐츠에 관심을 가지고 앱 메인화면에 클립을 전면으로 내세우고 시청자들의 관심을 끌고 있습니다.

롱폼 콘텐츠는 이제 필요가 없을까?

이렇게 사람들이 숏폼 콘텐츠로 몰린다는데, 숏폼 콘텐츠가 대인기인 상황에서 롱폼 콘텐츠는 이제 가치가 없어진 것일까요?

유튜브 숏폼 콘텐츠와 롱폼 콘텐츠 사이에는 몇 가지 주요한 차이점이 있습니다. 숏폼 콘텐츠는 일반적으로 짧고 간결하며, 빠르게 소비할 수 있는 형태로 제작됩니다. 숏폼 콘텐츠는 보통 몇 초에서 1분 이내의 길이를 가지고 있으며, 빠른 전달과 간단한 메시지에 중점을 두죠.

반면, 롱폼 콘텐츠는 더 길고 자세하며, 깊이 있는 내용을 다룹니다. 이들은 일반적으로 5분 내외, 혹은 10분 정도의 길이를 가지며, 주제에 대해 더 깊이 파고들고 자세한 정보를 제공합니다. 또한 시청자의 더 깊은 참여와 몰입을 만들어 낼 수 있습니다. 이러한 콘텐츠는 복잡한 주제를 다루거나 스토리텔링, 교육적 내용 등을 포함할 수 있으며 시청자가 콘텐츠에 더 오래 집중하도록 설계되어 있습니다.

이런 차이점을 바탕으로 독자 여러분들이 한번 생각해 보시기 바랍니다. 숏폼 콘텐츠를 주로 시청하는 경우, 어떤 브랜드의 콘텐츠인지, 어느 채널의 숏폼 콘텐츠인지 직관적으로 판단할 경우가 많았나요? 아마도 기억나는 숏폼 콘텐츠는 많지 않을 것입니다. 숏폼 콘텐츠는 즉각적인 만족감을 제공하며, 간단하고 빠른 메시지 전달에 초점을 맞추기 때문에 사람들은 단지 화면에만 집중할 뿐이기 때문입니다.

롱폼 콘텐츠는 이야기 서사 구조를 갖고 있고, 이를 선택한 시청자는 어느 정도 집중해서 볼 마음의 자세가 되어 있습니다. 시청자들은 재미가 없어도 시청을 할 수 있는 최대 몇 분의 한계를 가지고 있는데, 이는 일반적으로 자신이 클릭한 목적을 달성하기까지 이어집니다. 롱폼 콘텐츠는 주제를 철저하게 탐구하고, 다양한 관점을 제시하고, 시청자들에게 생각할 거리를 줄 수 있습니다. 이런 롱폼 콘텐츠를 지속적으로 생산하게 되면, 시청자들은 구독자를 넘어 팬으로서 관계를 정립하게 되는 거죠. 그런 이유로 숏폼은 숏폼대로 롱폼은 롱폼대로 각자의 역할에 맞는 전략을 세워서 유튜브 채널 운영 계획을 세워야 하는 것입니다.

숏폼과 롱폼의 크리에이티브 전략

유튜브의 숏폼 콘텐츠는 '쇼츠'입니다. 그렇다면 유튜브 쇼츠는 어떻게 제작해야 눈길을 사로잡을 수 있을까요?

유튜브는 자사 채널 〈씽크 위드 구글〉을 통해 숏폼과 롱폼의 크리에이티브 전략에 관한 글을 게재했습니다.[39] 게재된 글에 따르면 최근 비디오 콘텐츠 시장은 롱폼과 숏폼으로 나뉘어 아주 길거나 아주 짧은 영상으로 양극화되어 있다고 말합니다. 롱폼 영상은 스토리를 축으로 하며 OTT 스트리밍과 커넥트 TV의 성장에 따라 큰 화면에 적합한 높은 품질의 스토리텔링 콘텐츠로 막대한 제작비를 투자받으며 발전했다고 합니다. 반면 숏폼은 크리에이터가 주도적으로 만들며 모바일 화면에 최적화된 짧은 길이의 콘텐츠가 주를 이룬다고 합니다.

이 상반된 움직임 사이에서 시청자의 요구는 세분되고 고도화되고 있으며, 더 많은 콘텐츠를 향유하고 추천 알고리즘의 높은 정확도를 기대하고 있습니다. 또한 시청자는 시청 속도나 개인정보 제공 범위 등 제어권을 가지려고 한다고 밝혔습니다.

---

39) https://bit.ly/49eDb36

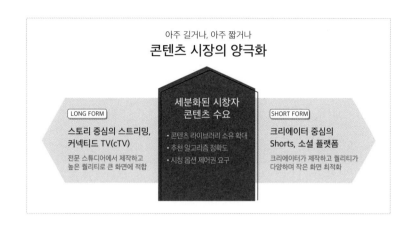

아주 길거나, 아주 짧거나
콘텐츠 시장의 양극화

세분화된 시창자
콘텐츠 수요

LONG FORM
**스토리 중심의 스트리밍,
커넥티드 TV(cTV)**
전문 스튜디어에서 제작하고
높은 퀄리티로 큰 화면에 적합

• 콘텐츠 라이브러리 소유 확대
• 추천 알고리즘 정확도
• 시청 옵션 제어권 요구

SHORT FORM
**크리에이터 중심의
Shorts, 소셜 플랫폼**
크리에이터가 제작하고 퀄리티가
다양하며 작은 화면 최적화

쇼츠 제작의 핵심 요소

너무나 많은 쇼츠의 예가 있고 활용 방법이 있어 일반화하긴 어렵지만, 성공하는 쇼츠를 보면 잘 통하는 핵심 사항이 있습니다. 일반적으로 쇼츠는 더 간단하고 직관적인 제작 방식을 사용합니다. 이는 종종 영상의 빠른 소비를 위해 설계되며, 유행을 따르거나 즉각적인 관심을 끌기 위한 목적이 강하다고 볼 수 있죠. 쇼츠 콘텐츠를 제작하는 것은 아주 직관적인 내용을 기반으로 합니다. 스토리상의 기승전결은 없는 것이 대부분입니다. 보통 1분 이내의 짧은 영상에 시청자들의 눈을 잡을 핵심만 담아 놓는 것이죠.

최근 '도파민 과다 분비'라는 말을 소셜미디어 등에서 흔히 볼 수 있습니다. 예능, 드라마 등을 감상한 후 흔히 볼 수 있는 호평의 한 표현입니다. 도파민은 우리의 감정, 행동, 반응 등에 영향을 미치는 신경

전달물질로, 성공적인 경험을 할 때 수치가 증가하며 행복감을 느끼게 합니다. 즉, 도파민이 과다하게 분비될 만큼 콘텐츠가 '재밌다'라는 뜻입니다. 쇼츠도 쉴 새 없이 자막이 나오고 춤이 나오고 음악이 나오고 정신없이 홀린 것처럼 빠져드는 콘텐츠들이 많습니다. 이는 단순히 한가지 상황을 극대화한 것으로 이런 영상들을 계속 보다 보면 도파민이 분비된다는 거죠. 즉 시청자들의 눈을 사로잡을 중요 포인트만 직관적으로 보여주는 것이 쇼츠의 핵심이라 볼 수 있습니다.

롱폼으로 요리 콘텐츠를 제작한다면 인사, 재료 소개, 요리 과정 등 다양한 구성과 컷으로 시청자들이 지루하지 않게 준비해야 합니다. 하지만 숏폼으로 만든다면 불필요한 과정을 전부 버리고 어떤 요리를 할지, 재료를 어떻게 쓰는지만 정리해서 1~2초 만에 영상과 자막과 나레이션 등으로 설명하고 넘어갑니다. 쇼츠의 핵심은 시청자의 눈길을 잡기 위해 사전 예고 없이 본론부터 들어가야 한다는 점이기 때문입니다.

쇼츠는 세로형 영상이 좋습니다. 가로형 영상을 편집해서 올리는 경우 화면 중간에 화면비율을 유지해야 하기 때문에 해당 영상이 작게 보이는 아쉬움이 있습니다. 혹 자막이 잘리더라도 화면을 꽉 채워 세로형 영상으로 다시 만들기도 합니다. 그리고 쇼츠는 틱톡의 '챌린지'처럼 유행하는 놀이나 이슈되는 내용을 짧게 만드는 것이 좋습니다. 유행하는 내용의 쇼츠는 검색 플랫폼에서 연관 영상으로 분류되어 해당 채널로 유입될 가능성을 높입니다. 쇼츠 제작의 특성상 만드는 데 많은 노력이 들지 않기에 이런 전략을 사용해 볼 만합니다. 이런 영상은 틱톡이나 다른 채널용으로 만들어진 영상을 혼용해서 사용할 수도 있고요.

　쇼츠를 제작할 때도 목적이 분명해야 합니다. 브랜딩을 위해서라면 스토리를 중심으로 하는 것이 좋고, 참여 유도라면 댄스 등의 챌린지 영상을 만들거나, 구매 전환을 위한 것이라면 커머스를 고려하는 것도 한 방법이 됩니다. 유튜브 채널에 콘텐츠를 잘 구비해 놓고 인상적인 부분을 발췌해서 쇼츠로 재편집해서 업로드하는 것도 일반적으로 많이 사용되는 방법입니다. 쇼츠를 주로 보던 사람들이 자신의 취향이나 흥미로운 영상을 발견할 경우, 해당 채널로 이동해 준비된 롱폼 콘텐츠를 소비하는 모습도 많이 발견되니까요. 쇼츠야말로 타깃을 잘 정해 놓고 그들이 보자마자 직관적으로 이해하거나 눈길을 줄 수 있는 초반 공략이 무엇보다 중요합니다.

　쇼츠 콘텐츠는 내용이 직관적으로 보여야 하므로 과한 자막을 넣어 눈에 띄게 하는 방법도 흔히 사용됩니다. 쇼츠 구성은 본 내용부터 시작되기 때문에 상황을 알게 해줄 자막이 큼직하게 등장하고, 기존 송출 영상을 재편집하는 경우도 기존 자막 위에 덧대어 새 자막을 올리기도 합니다. 또한 오디오를 안 듣고 영상만 보는 사람들을 위해 롱폼보다 상대적으로 더 큰 자막이 사용됩니다. 앞에서 말했듯 쇼츠는 직관적으로 내용을 이해시키는 것이 가장 중요하기에 헤드라인류의 폰트, 눈에 잘 띄는 폰트가 많이 사용되는 것입니다.

▶ 쇼츠에서 확산이 잘 되는 내용은 다음과 같습니다.

① 기존 영상 핵심만 가지고 재조합

② 리뷰

③ 제품을 소개하는 형태

④ 오리지널 콘텐츠 세로형으로 재조합

　　이런 관점에서 숏폼이야말로 아이디어가 가장 중요합니다. 연예인이 많이 출연했던 한 유명 숏폼 제작사의 경우 스마트폰으로 촬영한다고 합니다. 그만큼 퀄리티 보다는 뛰어난 아이디어와 명확한 타깃, 직관적인 이미지 연출이 중요하다는 의미겠죠. 이러한 연출이 가능하면 쇼츠를 적극 활용하는 것도 좋은 전략이 됩니다.

유튜브 채널 운영하기

 지금까지 달라진 미디어 환경과 영상을 대하는 사람들의 인식, 생활 속에 함께하는 유튜브의 특징까지 알아보았습니다. 그리고 거기에 맞게 수익을 만들거나 브랜딩할 유튜브 채널 기획 방법과 그 기획에 맞는 영상 제작 방법, 그리고 영상 콘텐츠 퀄리티를 올리는 법도 배웠습니다.

 이제는 여러분들이 가지고 있는 것들을 영상으로 올려야 합니다. 과연 영상을 어떻게 업로드하고, 어떤 설명을 달아야 사람들이 찾아오고 함께 소통할 수 있을까요?

1. 유튜브는 관계 비즈니스다

블로거들의 유튜브 도전은 성공했을까?

네이버는 검증되고 인기 많은 블로거 중 일부를 선정해 파워블로거로 지정하는 제도를 운영해 왔습니다. 그동안 파워블로거들은 네이버에서 인정하는 콘텐츠를 발간하는 동시에 네이버 플랫폼의 지원으로 인플루언서의 지위를 누려왔죠. 시간이 지나 네이버보다 유튜브의 인기가 뜨거워졌고, 네이버 블로그를 운영하던 사람들이 유튜브 채널을 추가로 개설해 동시에 운영하는 경우가 생겨났습니다. 하지만 네이버 파워블로거면서 동시에 인기 많은 유튜버는 그리 많이 보이지 않는 것 같습니다.

저도 잘 정리된 국내 정보를 찾을 때는 여전히 네이버를 애용합니다. 최근 검색 중에 인기 많은 한 블로거를 발견했는데, 이 블로거는 자신의 블로그에서 자기 유튜브 채널을 열심히 홍보하고 있더라고요. 그래서 그분의 유튜브 채널로 이동해 보니 블로그와 달리 유튜브는 너무 인기가 없었습니다. 영상 개수도 꽤 되는데 왜 이런 일이 발생했을까요?

네이버 플랫폼과 유튜브 플랫폼은 주력 커뮤니케이션 방식이 글과 동영상으로 다르다는 큰 차이를 가지고 있습니다. 그리고 궁금증을 해소하는 방법도 다릅니다. 네이버는 검색 키워드를 치고 궁금한 점을 찾아 능동적인 스크롤링으로 정보를 획득하죠. 이때 정보 정리가 잘 되어있으면 검색에 걸리고, 좋은 블로그가 됩니다. 반면 유튜브는 검색 키워드를 통해 제시된 콘텐츠 영상을 보면서 블로그보다 수동적으로 정보를 받아들이게 됩니다. 그러나 영상문법이나 스토리가 없는 단순 정보 나열로는 유튜브에서 재미를 느끼기 힘들고, 얻을만한 정보가 있어도 긴 시간 시청하긴 힘든 것이 현실입니다. 단순 나열은 재미없으니 구독을 누르거나 지속적인 반응을 만들 수 없겠죠. 결국 유튜브는 영상을 기반으로 좋은 관계를 이끌어내야 합니다. 그리고 한편의 영상으로 관계를 유지하기 힘드니 지속적으로 매력적인 콘텐츠를 만들어야 그 관계가 유지됩니다.

"굳이 따지자면 유튜브나 틱톡은 관계 비즈니스에 가깝고, 넷플릭스 등 OTT는 퀄리티 비즈니스에 가깝다."

〈썸원의 Summary&Edit〉라는 뉴스레터를 운영하는 윤성원 님의 말입니다. 유튜브나 틱톡 등의 플랫폼은 구독자와 좋은 관계를 유지하고 이를 확장시켜 나가는 것이 핵심이라는 의미입니다. 넷플릭스 등의 OTT에서는 철저하게 스토리나 화질, 효과 등의 서비스 퀄리티가 중요한 성장동력이 된다는 의미이고요.

유튜브도 이를 모르는 것이 아닙니다. 그래서 구독자들과 관계를 돈독하게 만드는 여러 장치를 두고 있습니다. 이를 가장 핵심적으로 꿰뚫어 보여주는 것이, 1차는 '조회수'이고, 2차는 '시청 지속 시간'이며, 3차는 '금전적 거래'입니다. 광고와 홍보영상, 방송영상부터 유튜브 영상까지 영상이라고 다 같은 영상이 아니듯, 영상으로 채널을 유지하는 비즈니스 형태는 다를 수밖에 없습니다. 유튜브 채널 운영에서 성공하려면, 영상을 기반으로 팬과 커뮤니케이션하며 좋은 관계를 유지하는 것이 핵심입니다.

유튜브의 성공을 꿈꾸는 자, 꾸준함을 가져라

유튜브 채널을 운영하는 것은 영상으로 소통하는 플랫폼에서 하나의 콘텐츠를 만드는 메신저로서 연출 의도를 가지고 직접 기획하고 촬영하고, 제작해서 꾸준히 업로드하는 것을 통칭하는 행위입니다. 여기서 유튜브를 잘 기획하는 것도 좋고, 촬영을 잘하는 것도 중요하며 SEO(Search Engine Optimization)를 고려해 섬네일도 만들고 해시태그를 잘 쓰는 것도 중요하며 가장 중요한 것은 꾸준히 팬과 소통하면서 교류하는 것입니다.

최근 다이어트에 관심이 생겨 이것저것 후기 중심의 유튜브 콘텐츠를 찾아봤습니다. 사실 유튜브의 최고 강점은 실제 사용 후기를 자세히 보여주는 것이 아닌가 싶습니다. 전업 크리에이터도 아닌데 어떻게 이렇게 영상을 공들여 꾸준히 만들어 낼 수 있는지 대단합니다. '탄수화물을 안 먹고 일주일을 지내봤다.'든지, '하루에 5만 보를 걸어봤다.'든지. 편집을 떠나 이런 과정을 꾸준히 보여주는 것 자체가 진정성 있는 기록이 됩니다.

제가 다이어트 후기 유튜브 콘텐츠를 보다가 정말 깜짝 놀랐는데, 그 이유는 생각보다 영상의 퀄리티가 너무나 좋았기 때문입니다. 하지만 이런 좋은 콘텐츠들도 구독자가 그리 많지는 않았습니다. 다수가 몇천 명에서 몇백 명 정도였죠. 1만 명이 넘는 유튜버들은 찾기 쉽지 않았습니다. 영상의 퀄리티가 이렇게나 좋은데 왜 이런 일이 일어났을까 궁금해지더군요.

영상제작자 실력은 과거보다 좋아졌습니다. 많은 시간을 영상 제작에 쏟았고, 다양한 튜토리얼을 통해 실력을 키웠으니까요. '엔바토'나 '브루' 같은 다양한 영상 보조 툴이나 템플릿을 제공해 주는 사이트의 등장으로 영상 퀄리티가 전반적으로 향상되었습니다.

그러나 늘어난 퀄리티에 비해 구독자가 많지 않은 이유를 분석해 보니 결국 지속적으로 콘텐츠가 올라오지 않았고, 몇 번 콘텐츠를 업로드하다가 일 년을 쉬는 등의 일들이 반복된다는 것을 알 수 있었습니다. 크리에이터의 개인적인 사정이 있겠지만, 사실 시청자들은 그런 사정을 모를뿐만 아니라 관심도 없습니다. 구독자들은 꾸준히 업로드가 안 되면 무관심해질 뿐입니다. 추후 생각 날 때 가끔 찾아는 보겠지만, 장기간 업로드가 안 된 채널은 구독자들로부터 구독 취소를 당하거나 잊혀 질 수밖에 없습니다.

구독을 유도한다는 것은 어떤 의미일까요? 아마도 좋은 콘텐츠를 발견했다고 바로 구독을 누르지는 않을 것입니다. 하나의 콘텐츠가 마음에 들면, 일단 그 채널의 다른 콘텐츠를 한 번 더 보고, 그때 맘에 들면 구독을 누르는 경우가 많습니다. 보통은 이런 프로세스에 따라서 구독을 누르죠. 혹은 그 이후 영상을 시청했던 채널의 또 다른 영상이 알고리즘의 추천을 받아 타임라인에 뜨게 될 때, 이를 선택하며 자연스럽게 구독으로 연결됩니다. 따라서 하나의 콘텐츠만 잘 만든다고 되는 것이 아니라, 채널 성격과 방향, 크리에이터의 매력이 지속되어야 구독에 영향을 미친다고 볼 수 있습니다.

이런 점에서 같은 관심사나 취미를 가진 사람들에게 우선 노출되도록 채널 방향성에 맞는 주제를 가진 콘텐츠를 지속적으로 업로드해야 합니다. 그래야 빨리 같은 성향의 시청자들에게 노출돼 구독자들을 늘릴 수 있을 것입니다.

간혹 한두 개의 영상으로 구독자를 급속히 많이 모은 크리에이터도 있습니다. 하지만 보통 이런 사람들은 특수한 매력 자본을 가진 사람일 경우가 많습니다. 예를 들어 하는 일이 독특하다든지, 평소에 잘 볼 수 없는 곳을 간다든지, 또 외모가 매력 있는 사람이라든지 하는 경우죠. 하지만 이렇게 인기를 얻어도 지속적으로 콘텐츠를 만들어 내지 못하는 채널은 결국 성장에 큰 제한을 받습니다. 원론적인 이야기이지만, 결국 콘텐츠를 지속적으로 만들어 내는 사람이 승리하는 구도인 것입니다.

1인 창작자의 증대와 유튜브 수익

우리나라에서 유튜브에 대한 관심이 높아진 것은 2020년 전후가 아니었나 싶습니다. 신문이나 TV 등 이곳저곳에서 대형 유튜버들 수익이 이슈가 되었죠. 그리고 그 당시 교보문고 등 서점을 가보면 유튜브 관련 책자가 여기저기 꽂혀 있었습니다. 아마 유튜버로 성공하면 큰돈을 벌 수 있다는 이유 때문이지 않았나 생각됩니다. 최근에는 경제적 자유라는 말이 유행입니다. 회사 월급보다 유튜버 수입이 많아져 조기 은퇴를 통해 경제적 자유를 꿈꾸는 직장인들이 관심을 갖는 것 같습니다. 그렇다면 과연 유튜브로 과연 큰돈을 벌 수 있을까요?

더불어민주당 한병도 의원이 국세청으로부터 제출받은 자료에 따르면 최근 1인 미디어 창작자 수가 급증하고 있다고 합니다.[40] 2019년 2,776명에서 2020년 2만 756명, 2021년에는 3만 4,219명으로 늘어났습니다.

2021년 종합소득세를 신고한 1인 미디어 창작자 3만 4,219명의

---

40) 박영훈, ""월 100만 원도 힘들어요" 결국 떠나는 유튜버 실상…아무리 얘기해도.", 『헤럴드경제』, 2023.09.03. https://n.news.naver.com/article/016/0002192075?cds=news_edit&fbclid=IwAR1YaIrWCHq2XJOMILEfjY9BEFN_6eDGzBCjrJs2FbCxMMdGq0ySEQM877Y

총수입은 8,588억 9,800만 원이었습니다. 유튜버 숫자가 증가하면서 수입 금액도 증가하는 추세입니다. 2019년 875억 1,100만 원에서 2020년 4,520억 8,100만 원, 2021년에는 8,588억 9,800만 원으로 증가하고 있습니다. 하지만 실상을 들여다보면 상위 1%에 수입이 몰려 있는 형국입니다. 상위 1%의 수입은 2,438억 6,500만 원으로 전체의 24.8%가량을 차지했습니다. 이들의 1인당 평균 수입은 7억 1,300만 원이었죠.

반면 많은 유튜버는 최저생활비에도 못 미치는 수입을 올리고 있습니다. 연평균 수입이 40만 원에 불과한 유튜버가 태반입니다. 국세청이 양경숙 더불어민주당 의원실에 제출한 '1인 미디어 창작자 수입 금액 현황' 자료에 따르면 2021년 수입 하위 50%의 연평균 수입이 40만 원에 그쳤다고 합니다. 이는 2019년의 100만 원보다도 줄어든 것입니다.

현장에서 유튜브 컨설팅을 하는 제 입장에선 유튜브로 돈을 벌기는 정말 녹록지 않다는 점을 강조합니다. 시간과 노력은 물론이고, 운도 따라야 하기 때문이죠. 조회수가 잘 나오는 것도 쉽지 않고 이에 포기하는 사람들도 많아질 수밖에 없습니다.

또, YPP를 통해 받는 광고 수익 배분도, 구글 측이 45%가량 떼고 주는 것으로 알려져 있는데, 이에 대한 한 유튜버의 말이 기억에 남습니다. 200만 구독자를 보유한 유명 유튜버는 "사흘 내내 영상 하나 만들어 조회수 100만을 찍으면 수익이 60만 원 정도 남는다."라며 "여기서 영상작업에 필요한 각종 비용을 빼야 하고, 작업을 돕는 팀원과 나눠야 한다."라고 말했습니다. 유튜버들이 조회수로 벌어들이는 월 수익이 세간에 알려진 바와 다르게 많지 않음을 이야기한 것입니다.

아무리 많은 구독자를 가진 유튜버라도, 매번 100만 조회수를 기록하기는 쉽지 않고, 알고리즘에 의해 조회수 부침이 심해질 수밖에 없습니다. 광고비도 1회당 1원 등으로 세간에 알려져 있지만, 이는 사실과 다릅니다. 지역 기반으로 광고비를 책정하는 구글의 책정 방식으로는 어떤 콘텐츠가 어느 지역에서 시청되었고, 누가 시청해서 어떤 소비가 이뤄졌는지에 따라 조회수 당 단가 측정이 다 다르기에, 어느 정도 수익을 버는지 정확히 알 수 없습니다.

하지만 여러 전업 유튜버를 만나는 제 입장에서 보면, 최근에는 2010년대 후반 유튜브 붐이 불 때보다 수익이 줄어들고 있다고 생각됩니다. 아마도 많은 사람이 유튜브 채널을 만들어 콘텐츠를 업로드하는 상황 속, 광고를 시청하는 인구는 한정되어 있어 조회수가 줄고 이에 수익도 같이 줄어들지 않았을까 싶습니다.

유튜브로 큰돈을 벌 수도 없는데, 왜 유튜브를 하는 것일까?

그럼 유튜브로 큰돈을 벌 수도 없는데, 왜 유튜브를 할까요? 일단 개인 채널의 경우 그래도 궁극적으로 돈이 되기 때문입니다. 과거만큼

YPP에서 주는 광고비로 큰돈을 벌기 쉽지 않지만, 인플루언서가 되면 협찬이나 브랜디드 콘텐츠 등 다양한 방법의 수익 창출 방법이 있습니다. 그리고 개인의 유명세에 따라 인플루언서로 사회적 지위가 높아지기 때문일 수도 있습니다.

비단 개인 채널이 아니라도 수익형 채널로서 많은 사람이 유튜브에 도전하고 있습니다. 얼마 전까지 제작자들이 모여서 콘텐츠를 잘 기획해 혼자서는 만들기 어려운 '진짜 사나이', '머니게임' 류의 메가 콘텐츠를 만드는 것이 유행이었습니다. 최근에는 이런 것들에 대해 수익이 줄고 리스크도 커짐에 따라 실속형 콘텐츠 제작이 많아지는 것 같습니다. '스튜디오 룰루랄라' 등의 디지털 스튜디오에서 박준형의 〈와썹맨〉과 같이 콘텐츠 자체가 플랫폼이 되는 비즈니스 모델을 만들어 나가는 추세입니다.

이는 웹 예능의 형태로 이어져 〈노빠꾸 탁재훈〉이나 〈피식대학〉 등의 채널이 큰 인기를 얻고 있습니다. 이런 웹 예능의 비즈니스 모델 원천은 PPL 같은 협찬입니다. 잘 계획된 광고는 TV 프로그램의 단순한 협찬보다 스토리에 연관된 내용을 활용해 시청자들에게 전달합니다. 또한 시청자들도 이런 웹 예능 광고나 협찬에 대해서 너그러운 마음을 가지게 되며 또 다른 콘텐츠로 이해하게 되기도 합니다.

공공채널 유튜브 개설의 궁극적 목적은 수익보다 브랜딩에 있습니다. 유튜브 플랫폼을 기반으로 상호 이해와 지지를 얻고 공공의 정체성을 제대로 알리며 이미지와 평판을 잘 구축하기 위함이지요. 기업의 경우 광고 마케팅, PR 효과를 고려해서 직접적인 잠재 소비자들과의 관계를 구축해 나가기도 합니다. 기존 레거시 미디어를 이용할 때보다 더 효과적인 이익을 거두거나 측정할 수 없는 다양한 바이럴 효과를 거두면서 효율적인 유튜브 채널을 개설해 운영하는 데 목적을 둔다고 볼 수 있습니다.

수익 측면에서 분석한 유튜브 알고리즘

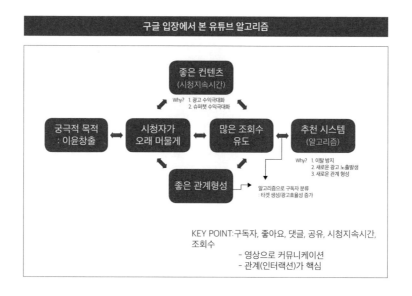

제가 만들어 본 〈구글의 입장에서 본 유튜브 알고리즘〉입니다. 유튜브는 영리를 추구하는 기업으로, 궁극적으로 많은 이윤을 창출하는 것이 가장 중요합니다. 그런데 유튜브엔 정말 방대한 데이터가 실시간으로 업로드되며 저장됩니다. 너무나 커서 서버나 트래픽에 드는 금액도 상상할 수 없을 정도로 엄청납니다. 따라서 유튜브 알고리즘은 수익을 더욱 극대화하는 방향으로 설계되어 있을 것입니다.

구글의 수익 극대화를 위해서는 시청자가 유튜브 플랫폼에 오래 머무르게 해야 합니다. 그래야 많은 광고를 보여줄 수 있으니까요. 따라서 유튜브는 시청자가 원하거나 관심이 가는 좋은 콘텐츠를 지속적으로 노출시켜야 합니다.

유튜브가 판단하는 좋은 콘텐츠는 시청 시간이 긴 콘텐츠입니다. 재미없는 콘텐츠는 평균적으로 긴 시청 시간을 기록할 수 없기 때문입니다. 그래서 유튜브는 평균적으로 긴 시청 시간을 가진 유튜버의 콘텐츠를 같은 관심을 가진 카테고리의 시청자들과 매칭시키려 합니다. 이것이 알고리즘의 핵심이지요.

만일 시청자와 해당 유튜브 채널이 잘 맞으면 시청자들은 '좋아요'나 '공유', '구독'이나 댓글을 씁니다. 유튜브는 이를 좋은 관계로 받아들이고 채널과 콘텐츠를 더 많이, 더 보기 좋은 상단에 위치시킵니다. 이렇게 기업의 수익 극대화라는 관점으로 보면 왜 구독, 좋아요, 댓글이 많아야 하는지 이해가 됩니다.

2. 섬네일

유튜브 사용자는 콘텐츠를 선택할 때 일반적으로 패턴을 보입니다. 먼저 섬네일 전체를 살펴보고, 해당 섬네일의 카피를 읽거나, 이미지를 보고, 콘텐츠 제목을 읽고 선택하죠. 이때 섬네일이 맘에 들지 않거나 눈에 들어오지 않는다면, 열심히 만든 영상을 선보일 기회조차 박탈당하게 됩니다. 그러므로 콘텐츠를 잘 만드는 것만큼 섬네일도 잘 만드는 것이 중요합니다.

이제 새롭게 시작하는 채널일 경우, 섬네일을 잘 만드는 것만큼 효과적인 방법은 없습니다. 포토샵 등의 프로그램을 사용해 만드는 섬네일은 영상 제작보다 훨씬 쉽게 만들 수 있습니다. 섬네일을 미리 템플릿화 시켜놓은 '망고보드' 같은 플랫폼을 이용하면 더욱 편하게 보기 좋은 섬네일을 만들 수 있습니다. 섬네일은 '그림판'으로도 만들

유튜브 시청 시 우측 공간에 다양한 섬네일이 보인다. 좋은 섬네일로 시청자들의 눈길을 잡아야 선택받을 수 있다.

수 있죠. 하지만 시청자들의 선택을 받으려면 어느 정도 퀄리티를 유지하는 것이 좋습니다. 섬네일이 곧 내가 시청할 영상의 프리뷰처럼 보이기 때문입니다. 섬네일은 크게 이미지와 텍스트로 이루어집니다. 그래서 선택받기 좋은 이미지나, 텍스트가 필요합니다. 섬네일에 사용할 좋은 이미지와 좋은 텍스트는 어떤 것일까요? 섬네일은 온라인 메뉴판 같은 것이기 때문에 흔히 마케팅에서 말하는 '콜투액션(call to action)'이 필요합니다. '콜 투 액션'은 온라인 마케팅에서 주로 사용되는 용어로 웹사이트, 랜딩 페이지, 이메일 또는 광고에서 고객으로 하여금 원하는 작업을 수행하도록 유도하는 짧은 문구를 말하는데, 주로 클릭을 유도하는 내용을 말하는 경우가 많습니다.

　유튜브라는 초거대 플랫폼의 많은 콘텐츠 중에 내 콘텐츠가 선택받아야 합니다. 그렇게 되어야 유입이 늘어나 내 콘텐츠를 시청하

는 사람들을 구독자로 만들 기회가 생기기 때문입니다. 섬네일 제작
에 노력을 기울이는 것은 매우 중요한 일입니다.

섬네일이란 무엇인가?

섬네일은 '맞춤 미리보기 이미지'라고도 하는데, 온라인에서 다양한
정보나 데이터를 포함한 그래픽 파일의 이미지를 작게 만들어 제공
하는 개인화 추천 서비스상의 이미지를 말합니다. 최근에는 섬네일을
활용한 추천 서비스가 성장하고 있는데, 이러한 서비스를 제공하는
대표적인 소셜 플랫폼이 바로 유튜브입니다.

　　지금도 수많은 영상 콘텐츠가 업로드되고 있으며, 시청자들의 선
택을 받기 위한 경쟁이 그 어느 때보다 치열하게 벌어지고 있습니다.
유튜브 콘텐츠 선택엔 섬네일, 크리에이터, 제목, 조회수, 유튜버의 인
지 여부 등 여러 가지가 있습니다. 하지만 모바일에서는 2개 분량의
섬네일 밖에 동시에 보이지 않기 때문에 콘텐츠 선택에 있어 섬네일
의 영향이 클 수밖에 없습니다. 이에 채널 운영자들은 시청자들의 선
택을 받기 위해 가장 먼저 섬네일을 손보기 시작합니다. 가장 흔한 것
이 섬네일을 자극적으로 만들거나, 본문과 상관없는 내용으로 만들
어 올리는 것입니다. 이에 '섬네일 낚시(Clickbait)'라는 말까지 옥스퍼드
사전에 등재될 만큼 섬네일 전쟁은 한창입니다.

　　이렇게 낚시를 통한 섬네일이 유행하면 아무래도 유튜브상의 콘

텐츠를 신뢰하기 어려워지기 마련입니다. 유튜브는 낚시성 섬네일에 대응해 다양한 방법을 모색 중에 있습니다. 유튜브 입장에서는 기본적으로 섬네일과 다른 내용일 경우 시청 시간이 짧을 수밖에 없을 테니 시청 시간 기준으로 콘텐츠를 분류할 가능성이 높습니다. 그래서 일부 유튜버들은 해당 섬네일에 대한 해답을 콘텐츠 말미에 두는데, 이에 시청자들은 마음에 들지 않는 경우 '싫어요'를 누르거나, 댓글에 부정적인 의견을 달기도 합니다.

이제 유튜브도 섬네일의 중요성을 파악하고 'YouTube 영상 제목과 섬네일 제작 팁'이란 영상 콘텐츠를 제작해 유튜브 크리에이터 공식채널에 업로드해 두었습니다.[41] 핵심 내용은 아래와 같습니다.

- 섬네일과 제목은 콘텐츠의 광고판 역할을 한다.
- 타깃 시청자층을 고려해 섬네일 디자인과 제목을 선택하라.
- 섬네일은 콘텐츠를 정확하게 반영해야 한다.
- 섬네일로 감정이나 스토리를 표현하는 것도 방법이다.
- 동영상 촬영 중에 섬네일용 사진을 찍어라.
- 섬네일을 만들 때 유튜브 커뮤니티 가이드를 위반하지 말라.
- 섬네일은 작은 화면에서도 눈에 띄도록 디자인하라.
- 3분할 법칙을 활용하여 섬네일을 구성하라.
- 다양한 색상과 요소를 사용할 때는 균형을 유지하라.

---

41) https://www.youtube.com/watch?v=AgOUsduFo_s

- 제목은 검색 가능성과 호기심을 고려하여 작성하고, 중요한 정보를 앞쪽에 두어라.

좋은 섬네일 만드는 법

그렇다면 좋은 섬네일은 무엇이고, 어떻게 하면 좋은 섬네일을 만들 수 있을까요?

유튜브에 영상을 업로드하면 섬네일을 만들어 올리지 않아도 자동으로 3개의 섬네일을 만들어 보여줍니다. 이런 섬네일은 동영상에서 랜덤으로 추출된 이미지이기에 선택을 받기 위한 매력이 드러나기 어렵습니다. 그래서 유튜버들은 섬네일을 따로 만들어 올리는 경우가 대부분입니다.

유튜브에서 권장하는 섬네일은 다음과 같습니다.

① 이미지 해상도는 1280×720 픽셀 (최소 폭: 640 픽셀)
② 이미지 형식은 JPG, GIF, PNG 중 하나
③ 업로드하는 화상의 파일 사이즈는 2MB 이하
④ 16:9의 가로세로 비율을 추천

다른 부분은 크게 문제가 되지 않으나 업로드하는 화상의 파일 사이즈가 2MB 이하가 되어야 하는 부분에서 자주 문제가 발생합니다. 하지만 이미지 크기를 줄여주는 프로그램을 사용하면 쉽게 2MB 이내로 만들 수 있습니다.

유튜브 사용자들은 굉장히 짧은 시간에 섬네일을 보고 선택 여부를 판단하기에 한번을 봐도 즉시 선택받을 수 있도록 인상 깊게 디자인해야 합니다. 시청자들이 섬네일을 보고 선택하는 것은 굉장히 직관적인 행위입니다. 무의식적으로 유튜브 화면을 스와이핑 하다가 잠시 지나가는 여러 섬네일 중 하나를 마음속으로 선택하는 시간은 아마 1초도 되지 않을 것입니다. 스와이핑한 섬네일이 지나간 뒤 다시 돌아와 선택하기는 쉽지 않은 일이니, 잠시 노출되더라도 선택받을 수 있도록 주의 깊게 만들어야 합니다. 선택받는 섬네일은 이미지가 인상적이거나 기억에 남는 문구가 써 있는 경우가 많습니다.

섬네일 이미지

섬네일 이미지 유형은 다양하나 클릭을 부르는 몇 가지 대표적인 형태를 보면 다음과 같습니다. 평범한 이미지는 다른 섬네일과 비교해 시선이 가지 않기 때문에 평소 잘 보기 힘든 이미지나 궁금함을 유발하는 이미지를 사용하면 클릭을 부르기 쉬워집니다.

① **출연자의 표정**: 놀라거나 슬퍼하는 등 표정이 풍부한 이미지를 사용하면, 해당 콘텐츠에서 일어난 일 때문에 사람이 놀라거나 슬퍼

하는 것으로 착각해 클릭을 유도합니다.

② **설명하기 쉬운 이미지 사용:** 해당 콘텐츠에서 직관적으로 내용이 떠오르는 이미지를 사용하는 경우입니다. 다만 한 장의 사진으로 모든 상황을 설명하면 안 되고, 이 이미지 이후에 어떠한 결과가 이어질지 궁금함을 더하는 이미지면 선택받을 확률이 높아집니다. 그리고 설명하더라도 한 컷에 타이트하게 클로즈업되는 물품이나 상황을 넣으면 시청자들은 더욱더 해당 섬네일을 선택하기 쉽습니다.

③ **평범하지 않은 이미지 사용:** 주위에서 평소에 보기 힘든 장면은 누구나 눈길을 줄 수밖에 없습니다. 섬네일 이미지도 특별한 것을

사용하면 클릭을 부르게 됩니다. 아래 섬네일 예시를 보면 좌측은 미니어처를 사용해 주의를 끌었고, 우측은 평범하지 않은 스쿠터가 궁금해질 것입니다.

섬네일 문구

섬네일 이미지의 예를 들었지만 사실 섬네일 선택에 가장 큰 영향을 미치는 것은 '문구'입니다. 섬네일 문구는 해당 동영상의 의미를 정확하게 설명하는 것이 일반적이고 호기심을 불러일으키는 콜투액션이 활용되기도 합니다.

섬네일 문구는 다양하게 작성되는데, 광고의 카피 문구 작성법과 유사한 부분이 많습니다. 섬네일의 글꼴은 화면에서 읽기 편한 글꼴이 많이 사용되나 헤드라인체 류의 보더라인 구별이 뚜렷한 디자인이 일반적입니다. 섬네일 우측 하단에 재생 시간이 표시되기 때문에 주로 좌측 정렬이 되며, 우측 하단에는 문자나 이미지를 넣지 않는 것이 일반적입니다.

섬네일은 영화 예고편 같은 효과가 있어 제대로 만들면 본편 영상을 보고 싶게 만듭니다. 저는 특히 이미지가 기억에 남거나 카피가 기억에 남아야 한다고 생각합니다. 그래서 많은 크리에이터들이 섬네일용 이미지를 '섬네일 각'이라면서 따로 촬영하기도 합니다. 놀란 표정 등 어쩌면 내용과 상관없는 이미지라도 자극을 주고 눈길을 잡기 위해 섬네일용 이미지를 영상 제작 전후로 작성하기도 하는 거죠.

섬네일 문구는 사용자들의 관심을 받는 것이 목적이므로 기본적으로 광고 마케팅에서의 카피를 떠올리면 됩니다. '카피'란 좁은 개념으로 보면 광고물에 있어 아이디어나 크리에이티브의 핵심이 되는 메시지를 문자나 멘트로 표시한 것을 의미합니다. 결국 카피는 소비자를 설득하기 위해 쓰는 것으로, 각 요소들은 목표 고객의 호기심과 관심을 끌게 하고 욕구를 일으켜 구매하도록 하는 설득 기능이 있어야 합니다. 관심을 끌고 욕구를 일으켜 구매하도록 하는 것이 광고 카피라면 관심을 끌고 욕구를 일으켜 클릭하게 하는 것이 섬네일 문구라고 정리할 수 있을 것 같습니다.

섬네일 카피 작성의 실제

아래는 카피 관련 책에서 기원한 예시를 통해 유튜브 섬네일에 적용하면 좋을 것 같은 7가지 요소를 저의 인사이트로 재정리해 본 것입니다.[42)]

a. 문제점 지적하기

누구나 문제점을 가지고 있습니다. 특히 시청자의 해당 관심 분야가 나의 유튜브 채널일 경우, 구독자가 평소 고민하던 부분을 제시해 준다면 자연스럽게 클릭으로 유도할 수 있습니다. 또한 문제점을 '아무도 모르는 ○○비결 3가지' 식으로 제시해 준다면, 시청자 입장에서는 잠시 참고 보자는 마음으로 시청 지속 시간이 높아집니다.

- **문제**: 신입사원들에게 자주 일어나는 문제, 일론 머스크가 간과하고 있는 중대한 문제
- **실수**: 남자들은 모르는 데이트 실수, 한국인이 영어를 할 때 자주 하는 실수 5가지
- **습관**: 20대 피부에 나쁜 습관, 초등학교 입학하는 아이에게 필요한 3가지 습관
- **잘 안되는 사람**: 연애가 잘 안되는 사람들의 특징, 공부가 잘 안되

---

42) 간다 마사노리, 기누타 쥰이치 공저, 『무조건 팔리는 카피 단어장』, (동양북스, 2021)

는 환경

b. 욕망에 호소하기

인간의 욕구는 '갖고 싶은 욕구'와 '잃고 싶지 않은 욕구'로 나뉩니다. 그중 사람들은 '잃고 싶지 않은 욕구'가 더 강한데 이는 손실 회피 편향이고, '만원 더 저렴'보다 '만원 손해 보고 있어요'가 더 큰 자극을 줍니다. 인기와 돈 등 사람의 욕망을 건드리는 섬네일 카피는 분명 많은 클릭을 불러오게 됩니다.

- **인기:** 불친절한데 인기 많은 라면집의 비밀
- **돈:** 앞으로는 대차대조표로 돈 번다, 자는 동안에도 돈 벌리는 시스템
- **성공:** 비즈니스의 성공은 디자인이 좌우한다, 성공하는 리더의 숨은 공통점 3가지.
- **이긴다:** 앞으로는 시대에 역행하는 것이 이긴다, 청약에서 이기는 좋은 정보

c. 질문 던지기: 행동을 촉구하거나, 궁금하게 만들거나

여러분들이 어릴 적 학교에서 어려운 문제에 맞닥뜨렸을 때 그 답이 궁금한 적이 있었을 것입니다. 쉬운 문제일수록 더욱 그렇습니다. 유튜브 섬네일도 마찬가지입니다. 섬네일 카피에서 질문을 발견하면 사람들은 머리로 답을 생각하게 됩니다. 그 답을 모르면 정답이 궁금할

것이고, 답을 알아도 정답과 맞는지 찾아보고 싶은 충동에 빠집니다. 이런 행동을 촉구하는 질문은 쉽게 클릭을 유도할 수 있습니다.

- **왜:** 동네 철물점은 왜 망하지 않나?, 왜 프렌치 레스토랑의 메뉴는 긴 것일까?
- **어떻게:** 망했던 ○○회사는 어떻게 부활했을까?
- **알고 계셨나요:** 프로바이오틱스의 효능을 알고 계시나요?
- **이유:** 비 오는 날 통증이 더 심한 이유, 아이들이 아이폰을 선택하는 이유
- **밝혀져:** 불행한 일이 한꺼번에 일어나는 원인이 밝혀져

d. 시청자에게 공감하기

사실 어떤 상황을 이해하는 것과 공감하는 것은 절대적으로 다른 문제입니다. 그러기에 행동을 유발하기 위한 여러 연구가 심리학에서 진행 되어왔는데, 결국 어떠한 행동이 일어나는 데는 공감이 기반 되어있는 경우가 많습니다. 유튜브 섬네일 카피도 공감되는 카피는 본인의 문제를 알아주는 듯한 느낌을 받는 것입니다. 이런 감정을 자극하는 카피는 어떤 것이 있을까요?

- **귀찮은:** 화장 고치기 귀찮은 여성들은 주목, 귀찮은 양치질 안 해도 되는 법
- **포기:** 다이어트를 포기한 사람들에게 희소식, 금연을 포기한 당신

에게만 알려드립니다.

- **혼자:** 혼자 준비하는 생성 AI 제작법, 혼자 일 잘하는 방법 5가지
- **늦지 않았다:** 40대에도 늦지 않게 공부하는 방법, 늦지 않게 70대를 맞이하는 법

e. 해결책 알려주기: 방법, 실토, 효율성 강조하기

해당 채널의 문제점은 이미 채널 운영자나 시청자나 모두 알고 있을 것입니다. 낚시 관련 채널이라면 낚싯대가 잘 부러진다든지, 무겁다든지 하는 공감 이슈가 있겠죠. 그럴 때 해결책을 던지면 반드시 구독자들의 클릭으로 이어집니다.

- **공략법:** 거문도에서 삼치낚시 공략법, 최단 시간으로 최대효율을 얻는 방법
- **실토:** 현직 판사가 실토한 '전관예우', 여대생이 실토한 아르바이트를 그만둔 이유
- **필승 패턴:** 겨울철 섬낚시 채비 필승 패턴
- **단 ~분으로:** 단 5분으로 정리하는 핵심 메시지, ○분만에 알 수 있는 비법

f. 욕망 자극하기: 비밀과 새로움

나만 특별한 정보를 알고 있다는 소망은 누구나 가지고 있을 것입니다. 유튜브 섬네일도 나에게만 알려주는 비밀스런 정보라면 누구나

궁금해할 것입니다. 또한 사람은 새로운 정보 등을 알려고 하는 욕망이 있습니다. 이런 비밀스럽고 새로운 점을 알려고 하는 욕망을 공략하면 좋습니다.

- **비밀, 비법:** 글로벌 기업의 성공 비밀, 매일 먹어도 질리지 않는 맛
- **절대로 말하지 않는:** 여행사가 절대로 말하지 않는 예약의 비밀
- **새로운:** 운동에 대한 새로운 상식
- **획기적:** 생산성을 향상하는 획기적인 해결책, 삶이 달라지는 획기적인 아파트

g. 수준 나누기

유튜브 콘텐츠에서 무언가를 배우는 사람이 많습니다. 유튜브에서 배운다는 것은 아마도 금전을 투자할 만큼 그리 중요하지 않은 일이거나, 평소 관심은 있어, 한 번 정도 시도해 본다는 정도로 이해하면 될 듯합니다.

이 경우 대부분은 초보자일 테죠. 상급자라면 이미 유튜브 동영상을 찾아보지 않을 것이고, 상급자를 대상으로 한 콘텐츠는 상대적으로 인기가 없으니까요. 그럴수록 초보자나 수준을 나눠 콘텐츠를 만들거나 섬네일을 만들면 효과가 큽니다.

- **기초:** 기초부터 배우는 한국어, 생선요리의 기초만 알면 일식이 두렵지 않다
- **완전 정복:** 자기소개서 완전 정복, 전국 고속도로 완전 정복

- **기본 중의 기본**: 비즈니스맨의 수트 스타일, 기본 중의 기본을 알려드립니다
- **○○도 알 수 있는**: 원숭이도 알 수 있는 포토샵, 유치원생도 알 수 있는 코인 만들기
- **고급편**: 어도비 일러스트레이터의 고급편

동영상 내용이 좋아도 아무도 보지 않는 경우엔 대책이 필요합니다. 또한 섬네일이 멋져도 콘텐츠 자체가 매력적이지 않다면 결국 아무런 의미가 없기 때문에 섬네일도 좋아야 하고 영상 콘텐츠도 좋아야 함은 당연합니다.

3. 해시태그

해시태그란 무엇인가?

해시태그, 즉 샵(#) 기호에 키워드나 문구가 붙은 형태는 디지털 커뮤니케이션에서 널리 사용되는 도구입니다. 해시태그는 특정 주제나 토픽에 대한 포스트나 메시지를 분류하는 데 사용됩니다. 예를 들어, '#축구'는 축구와 관련된 모든 콘텐츠를 하나의 카테고리로 묶습니다. 또한 사용자는 특정 해시태그를 검색함으로써 관련된 콘텐츠를 쉽게 찾을 수 있게 됩니다. 예를 들어, 인스타그램에서 '#여행'을 검색하면 여행과 관련된 사진과 이야기들을 찾을 수 있는 것이죠.

버거킹이라고 쓰인 해시태그를 클릭하면, 버거킹만 열거된 영상이 나옵니다. 이렇게 키워드별로 동영상을 정리해서 군집성을 보여주

영상 밑부분에 #AI, #버거킹 #도리토스 #아마존 이렇게 네 개의 해시태그가 보인다.

는 것이 해시태그입니다. 해시태그가 왜 중요하냐면 이 영상이 어떤 영상인지 제작자 관점에서 정의할 수 있고, 유튜브는 이런 해시태그를 참고해 영상을 분류하기 때문입니다.

해시태그 사용 시의 이점

해시태그는 검색 최적화(SEO, Search Engine Optimization: 웹사이트나 웹 페

이지가 검색엔진에서 더 높은 순위를 얻어 더 많은 방문자를 유치하도록 만드는 과정)를 개선 시킬 수 있습니다. 해시태그는 유튜브 검색 알고리즘에 영향을 미치며, 적절한 해시태그를 사용함으로써 콘텐츠가 특정 키워드나 주제와 관련된 검색 결과에서 더 높은 순위에 나타날 수 있게 만듭니다.

또한 해시태그를 잘 사용하면 타깃에게 유튜브 채널을 잘 노출할 수 있게 되죠. 좋은 해시태그는 창작자들이 자신의 비디오를 특정 관심사, 주제 또는 커뮤니티와 연결하게 만듭니다. 예를 들어, '#ClimateChange' 해시태그는 기후 변화에 대한 의견과 정보를 공유하는 데 사용됩니다. 해시태그는 특정 이벤트, 트렌드 또는 사회적 이슈를 검색하고 관심 있는 타깃에게 노출하게 만드는 중요한 방법이 됩니다.

또한 기업이나 브랜드에서 자신만의 고유한 해시태그를 만들어 지속적으로 사용하면 해당 해시태그 자체가 브랜드가 될 수 있습니다. 슬로건을 해시태그로 만들어 지속적으로 사용하면 이에 관심 있는 사람들은 그에 반응하게 되죠. 예를 들면 나이키라면 '#JustDoIt'을 해시태그로 사용할 수 있는데, 이는 브랜드에 대한 관심을 그대로 이어 나갈 수 있게 만듭니다. 만약 사회적 메시지나 가치를 반영하는 해시태그를 사용한다면, 이에 동의하는 사람들은 해시태그에 반응할 수밖에 없죠. 환경 보호에 앞장서는 기업이라면, 환경에 관심 있는 메시지를 전달하기 위해 '#SaveOurHome'이라는 해시태그를 사용해 기업이미지를 개선할 수 있습니다. 그리고 이런 해시태그를 같이 사용

제목과 설명에 #을 달면 채널 특성을 고려해 해시태그가 자동으로 추천된다.

하는 사람들끼리 커뮤니티가 생겨 콘텐츠를 통한 확장도 기대할 수 있습니다. 유튜브에서 해시태그를 적절하게 활용하는 것은 콘텐츠의 가시성과 영향력을 높이고 타깃에게 더 쉽게 도달하며, 자신의 브랜드를 강화하는 데 도움을 줍니다.

해시태그는 동영상에 제목이나 내용을 추가할 때 자동으로 추천됩니다. 이러한 자동 추천은 향후 콘텐츠를 기획하는 데 도움이 될 수 있습니다.

과거에는 해시태그를 많이 달면 달수록 좋다는 소문이 있었습니

YouTube에 업로드되는 동영상과 마찬가지로 해시태그는 YouTube 커뮤니티 가이드를 준수해야 합니다. YouTube 정책을 위반하는 해시태그는 콘텐츠 아래에 표시되지 않으며 삭제될 수도 있습니다. 해시태그를 사용할 때 다음 정책을 준수하시기 바랍니다.

· 공백 미포함: 해시태그에는 공백이 포함되지 않습니다. 해시태그에 단어 2개를 포함하려면 #두단어, #단어둘과 같이 붙여 쓰세요.
· 과도한 태그: 동영상 또는 재생목록 1개에 지나치게 많은 태그를 추가하지 마세요. 태그를 많이 추가하면 할수록 검색 중인 시청자나 청취자에게는 태그의 관련성이 떨어지게 됩니다. 동영상 또는 재생목록에 60개가 넘는 해시태그가 있는 경우 YouTube에서는 콘텐츠의 각 해시태그를 무시합니다. 태그를 과도하게 추가하면 업로드 항목 또는 검색결과에서 동영상이 삭제될 수 있습니다.
· 혼동을 야기하는 콘텐츠: 동영상 또는 재생목록과 직접적으로 관련이 없는 해시태그를 추가해서는 안 됩니다. 관련이 없거나 혼동을 야기하는 해시태그를 사용하면 동영상 또는 재생목록이 삭제될 수 있습니다. 혼동을 야기하는 메타데이터에 대한 정책을 자세히 알아보세요.
· 괴롭힘: 개인이나 집단을 대상으로 한 괴롭힘, 모욕, 위협, 폭로 또는 협박을 목적으로 해시태그를 추가해서는 안 됩니다. 이 정책을 위반하면 동영상 또는 재생목록이 삭제됩니다. 괴롭힘 및 사이버 폭력에 대한 정책을 자세히 알아보세요.
· 증오심 표현: 개인이나 집단을 대상으로 폭력 또는 증오심을 조장하는 해시태그를 추가해서는 안 됩니다. 인종차별, 성차별 또는 기타 비방하는 내용이 포함된 해시태그를 추가하지 마세요. 이 정책을 위반하면 동영상 또는 재생목록이 삭제됩니다. 증오심 표현에 대한 정책을 자세히 알아보세요.
· 성적인 콘텐츠: 성적이거나 음란한 내용의 해시태그를 추가하면 동영상 또는 재생목록이 삭제될 수 있습니다. 성적 호기심을 유발하는 동영상은 YouTube에서 허용되지 않는 경우가 많습니다. 성적인 콘텐츠에 대한 정책을 자세히 알아보세요.
· 저속한 언어: 해시태그에 욕설이나 불쾌감을 주는 용어를 사용하면 동영상이나 자생목록에 연령제한이 적용되거나 동영상 또는 재생목록이 삭제될 수 있습니다.

- 해시태그가 아닌 태그: 해시태그를 추가하는 것은 허용되지만 일반적인 설명을 하는 태그나 반복적인 문장을 설명에 추가하는 것은 여전히 금지됩니다. 이 정책을 위반할 경우 동영상 또는 재생목록이 삭제되거나 불이익이 발생할 수도 있습니다. 혼동을 야기하는 메타데이터에 대한 정책을 자세히 알아보세요.

다. 그래서 크리에이터들은 최대한 많은 키워드를 선택해 해시태그에 적어놓기도 했었죠. 하지만 너무 많은 해시태그가 알고리즘에 해를 입혔는지 15개까지의 해시태그만 인정한다고 공식 발표했었습니다. 하지만 2023년 들어 60개로 최종 변경되었네요. 그러니까 60개 안에서 이 영상이 어떻게 분류되고, 사람들이 어떻게 찾을지 고려해 해시태그를 잘 짜 보시기 바랍니다.

해시태그 작성법

해시태그를 정할 때는 해시태그용 단어를 전략적으로 사용하는 것이 중요합니다. 기준은 본인이 검색한다고 생각해 보면 쉬워집니다. 예를 들어, '#점심', '#비오는날', '#강남역맛집', '#교대고기집' 같은 키워드는 당연히 검색량이 많겠죠. 그런데 이런 키워드를 두고 업로드하는 영상도 여전히 많으니, 그들과 알고리즘으로 싸워 이겨야지만 상위에 노출될 수 있습니다.

물론 꼭 상위에 노출되지 않아도 되겠지만 유튜브 사용자들이 스크롤을 내려 아랫쪽에 위치한 영상까지 찾아 클릭하는 경우는 상대적으로 적기 때문에 당연히 상위에 노출되는 방법을 찾아야 합니다. 열심히 만들었는데 내가 만든 영상이 있는 줄도 모른다면 얼마나 슬픈 일이겠습니까. 일단 먼저 한번 노출이라도 시켜야 클릭해서 시청할 기회가 생긴다는 점을 기억해 두세요.

저렇게 상위 키워드에 노출되기 힘들면 검색할 만한 키워드 순서를 고려해 해시태그를 전략적으로 배치하는 것도 방법이 됩니다. 예를 들어 '#비오는날점심강남역국수'라든지 '#강남역지리산돼지고기맛집' 등 구체적인 단어 한두 개를 섞어 전략적으로 배치해 보는 것입니다. '#강남역에서밥을먹고싶어요' 이런 해시태그는 사용하기 어렵겠죠.

해시태그를 작성하기 어렵다면 인기 있는 콘텐츠의 해시태그를 분석해 보는 것도 방법입니다. 현재까지는 해시태그의 정확한 알고리즘 또한 알려진 바가 없어 조회수가 잘 나오는 콘텐츠의 해시태그를 비슷하게 따라 하는 것도 요령입니다. 기존에 많이 작성되지 않은 해시태그로 나에게만 맞도록 커스터마이징을 한다면 지속적인 업로드가 필요할 것입니다. 그 이후 해당 해시태그를 사용하는 사람들이 늘어난다면 유튜브의 알고리즘도 나의 콘텐츠와 인기 콘텐츠가 같은 맥락임을 이해하게 되어 이후 추천 콘텐츠로서 올라갈 확률이 높아지게 됩니다.

다들 해시태그를 사용해야 한다고 하지만 궁극적으로 해시태그를 사용하는 이유를 생각해야 합니다. 첫 번째는 시청자들이 원하는 종류의 콘텐츠에 나의 콘텐츠가 부합된다고 알려주기 위함이고, 두 번째는 내가 만든 콘텐츠가 이런 유형의 콘텐츠라고 유튜브 알고리즘에 알려주기 위함입니다. 마지막으로, 내가 말하고자 하는 내용이 이런 것이라며 새로운 키워드로 유행을 시키거나 마케팅의 도구로 사용할 수 있습니다. 예를 들어 공공기관에서 댄스 페스티벌을 한다면 '#경기도댄스'라든지 아니면 기업에서 제품명을 해시태그로 만든다면 내 콘텐츠를 원하는 타깃과 연결해 줄 것입니다.

4. 유튜브도 SEO를 해야 한다

유튜브는 전 세계에서 구글 다음으로 많이 사용되는 검색엔진입니다. 실제로 통계에 따르면 유튜브의 월간 활성 사용자는 무려 26억 명이 며 월간 검색량은 30억 회라고 합니다. 유튜브 SEO는 구글 검색엔진 에서의 SEO와 결을 같이 합니다. 이는 검색 결과 상위에 노출되는 것 이며, 추천 목록에서 더 높은 순위를 얻기 위한 전략 및 기법을 말합 니다. SEO의 주요 목적은 관련 키워드에 최적화하여 타깃이 쉽게 찾 을 수 있도록 만드는 것이라 할 수 있습니다.

오른쪽의 이미지는 지금 글을 작성하는 순간에 '검색 최적화'라 는 키워드로 검색해 본 결과를 올린 것입니다. 수많은 검색 최적화에 관련된 영상이 나오는데, 상위에 노출되면 더 많은 클릭을 유도할 수 있습니다.

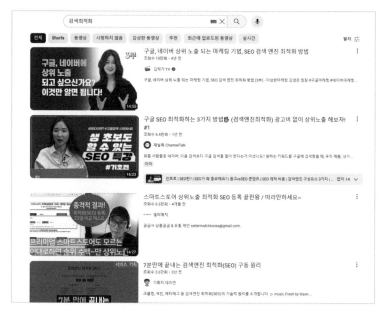

'검색 최적화'라는 키워드로 검색한 결과

그럼 어떻게 하면 내 채널 콘텐츠가 상위에 노출되도록 할 수 있을까요? 유튜브는 동영상 제목, 섬네일, 설명란 및 시청자 참여도를 통해 해당 검색어에 대한 동영상의 연관성을 판단해 노출 순위를 매긴다고 밝혔습니다.[43] 이러한 영역을 키워드에 기반해 전략적으로 최적화하는 작업을 바로 '유튜브 SEO'라고 합니다.

유튜브 SEO를 하기 위해서는 먼저 지표를 통해 현재 채널의 퍼포먼스, 게시 콘텐츠의 경쟁력, 그리고 시청자의 참여도를 분석해야 합

---

43) https://www.youtube.com/watch?v=hPxnIix5ExI

유튜브 스튜디오

니다. 그 지표 데이터를 알 수 있는 곳이 바로 유튜브 스튜디오입니다.

유튜브 스튜디오는 채널을 관리하고 분석하는데 필요한 기능을 제공하는 도구로 PC와 모바일에서 모두 사용할 수 있습니다. 유튜브 스튜디오를 통해 동영상을 업로드하고 편집하고, 섬네일과 자막을 추가하고, 댓글과 수익을 관리하고, 채널의 성과와 최신 트렌드를 파악할 수 있는 것입니다.

유튜브 스튜디오에 접속하는 방법은 다음과 같습니다. 먼저 유튜브에 로그인 해 우측 상단 프로필을 클릭하면 유튜브 스튜디오로 연결됩니다. 유튜브의 전체적 상황을 알 수 있는 '대시보드'와 영상을 업로드할 수 있는 '콘텐츠', 현재 조회수와 시청 시간을 알 수 있는 '분석', 이외에도 '댓글', '자막' 등 여러 기능을 조정할 수 있도록 탭이 구분되어 있습니다. 특히 유튜브 SEO를 위해서라면 '분석' 툴을 잘 활용해야 합니다.

분석 툴에 접근하면 상단에 가장 먼저 보이는 화면이 '조회수', '시청 시간', '구독자', '예상 수익'입니다. 사실 이 '조회수', '시청 시간', '구독자'가 유튜브 채널 운영의 핵심이라 할 수 있습니다. '예상 수익'은 콘텐츠 제작자가 관심 있어 하는 내용이라 자주 찾아보기에 인터페이스상 가장 먼저 보이게 한 것으로 생각됩니다.

① 조회수

조회수는 채널 내 동영상을 조회한 횟수를 의미합니다. 주로 정상적인 조회수로 카운팅이 되는데, 한 명이 여러 번 클릭 했다든지, 반복해서 시청한 경우는 차후 자동으로 수정이 됩니다.

특정 기간에 따른 조회수를 확인할 수 있는데 추이를 기록해 놓으면 해당 기간에 무슨 영상 때문에 유입이 많아졌는지 확인 할 수 있습니다. 예를 들면, 단순히 영상이 잘 만들어져서인지 아니면 기획이 좋아서 유사 키워드를 타고 조회되었는지 알 수 있는 것이죠. 그리고 해당 채널이 계속 상승세에 있는지 아니면 하락세에 있는지 확인할 수 있는데, 조회수가 많아지면 기본적으로 구독자 수와 시청 시간이 많아집니다.

② 시청 시간

시청자가 특정 기간에 내 채널의 동영상을 시청한 시간을 의미합니다. 단위는 시간을 기준으로 합니다.

③ 구독자

채널을 구독하는 시청자 수 입니다. 선택한 기간에 대해 추가된 구독자의 수에서 이탈한 구독자의 수를 뺀 총 구독자 수의 변동을 나타내죠. 채널을 운영하는 입장에서 구독자 추이를 기록해 놓고 구독자와의 관계를 돈독히 하는 방법을 찾아보는 것도 중요합니다.

④ 평균 시청 지속 시간

선택한 콘텐츠, 기간, 지역 및 기타 필터를 기준으로 예상한 조회당 평균 시청 시간입니다. 유튜브엔 무수히 많은 콘텐츠가 올라오는데,

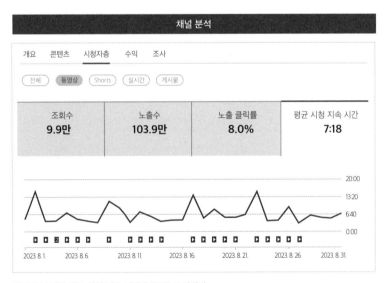

채널 분석 탭의 평균 시청 지속 시간. '분'으로 표시된다.

여기서 AI가 콘텐츠의 퀄리티를 결정합니다. 좋은 콘텐츠를 판단하는 기준 중 가장 큰 영향을 미치는 것이 바로 평균 시청 지속 시간이죠. 좋은 콘텐츠는 몰입도가 높아서 평균 시청 지속 시간이 높습니다. 반대로 낚시성 콘텐츠나 완성도가 높지 않은 일방향 콘텐츠는 시청자가 바로 다른 콘텐츠로 전환하기 때문에 시청 지속 시간이 낮을 수밖에 없게 됩니다. 결국 좋은 콘텐츠임을 증명하는 것은 평균 시청 지속 시간을 늘리는 것입니다.

⑤ 노출 수와 노출 클릭률

노출 수는 내 동영상의 섬네일이 유튜브 사용자에게 보인 횟수를 의미합니다. 내 채널 콘텐츠가 얼마나 많은 사람들에게 관련 있는지를 파악할 수 있죠. 그리고 노출 클릭률은 동영상의 섬네일이 보인 뒤 몇 퍼센트나 클릭했는지에 대한 지표입니다. 이 노출 클릭률은 섬네일이 얼마나 효율적으로 만들어졌는지를 나타내는 지표로, 노출 클릭률이 낮다면 다른 방식의 섬네일 이미지나 카피를 기획해 보는 것이 필요합니다.

⑥ 인기 콘텐츠

내 채널 동영상 중 조회수를 가장 많이 기록한 상위 동영상을 의미합니다. 시청자가 선호하는 콘텐츠 유형이 무엇인지 파악할 수 있죠. 여기서도 평균 시청 지속 시간이 중요한데, 전체 콘텐츠 시간 대비 몇 퍼센트나 시청했는지가 중요한 지표가 됩니다. 내 채널을 찾는 사람들이 콘텐츠를 얼마나 지속적으로 시청하는지 파악해 추후 제작에 반영해야 합니다.

유튜브 스튜디오 내 인기 콘텐츠 리스트: 평균 시청 지속시간과 조회수를 알 수 있다.

⑦ 유튜브를 이용하는 시간대

내 채널 시청자가 가장 많이 접속하는 요일 및 시간대를 의미하며, 해당 데이터를 참고하여 새로운 동영상 혹은 커뮤니티 게시물 업로드 일정을 조율할 수 있습니다. 이런 시청패턴은 라이브 시간을 정할 때 절대적으로 필요합니다. 예를 들어 유튜브 〈슈카월드〉는 일요일 저녁마다 라이브를 진행합니다. 이렇게 시청자들의 행동 패턴을 반영해 영상을 업로드하면 구독자 증가 폭을 키울 수 있었습니다.

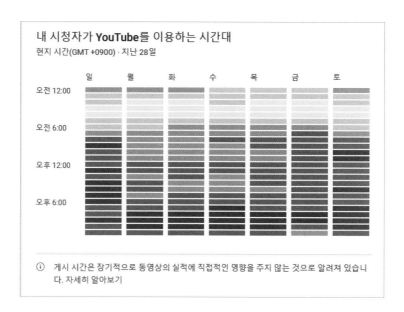

내 시청자가 **YouTube**를 이용하는 시간대
현지 시간(GMT +0900) · 지난 28일

ⓘ 게시 시간은 장기적으로 동영상의 실적에 직접적인 영향을 주지 않는 것으로 알려져 있습니다. 자세히 알아보기

⑧ 조사

분석 탭에서 제공하는 데이터 중, '조사' 창을 보면 유튜브 전반의 검색어와 내 시청자의 검색어가 나옵니다. 어떤 검색어를 입력해 내 채널로 유입되는지 알려주는 것이죠. 해당 검색어를 기준으로 제목을 적거나, 설명을 적으면 더욱 노출 효과가 커집니다. 그리고 채널 아이템을 선정할 때도, 유튜브 전반의 검색어와 유입 검색어를 비교해 반영하면 더욱 높은 유입을 유도할 수 있습니다.

유튜브 스튜디오 내의 상기 측정 항목을 토대로 분석해서 내 채널의 동영상 현황과 경쟁력을 진단하는 것이 필요합니다. 이후 분석 결과를 토대로 향후 최적화 방향과 콘텐츠 전략을 수립해야 할 것입니다.

시청자가 어떤 키워드로 유입이 되었는지 분석해서, 차후 콘텐츠 기획에 반영해야 한다.

동영상 최적화

제작한 동영상이 유튜브 플랫폼 SEO에 검색이 잘 되기 위해선 어떤 동영상인지 제목과 설명을 정확하게 적어야 합니다.

① 동영상 제목 최적화

동영상 제목은 해당 동영상의 주제와 내용을 설명하는 역할을 하기 때문에 검색될 만한 키워드를 활용해 작성하는 것이 좋습니다. 해당 키워드를 가지고 작성하되 섬네일 카피와 마찬가지로 콜투액션에 기반해 글을 써야 합니다.

동영상 제목은 국문 30자 이하, 영문 60자 이하로 작성하는 것이

권고됩니다. 길이를 지키지 않으면 키워드를 남발하는 행위로 간주 되어 검색에서 사라져 버리고 맙니다. 그래서 동영상 제목을 작성할 때 중요한 키워드를 선정하고 가급적 앞부분에 배치해 유튜브 알고리즘에 걸리게 만드는 것이 필요합니다.

어떤 분들은 동영상 제목을 섬네일 문구와 동일하게 만드는 경우가 있는데, 반드시 그럴 필요는 없습니다. 섬네일에선 직관성을 이끌어내고 동영상 제목은 유튜브의 크롤링을 고려하는 것이 더욱 좋습니다. 또 동영상 제목을 은유적으로 한번 꼬아 적는 경우도 많은데 사실 유튜브는 찰나의 순간에 직관적으로 영상을 볼 것인지 결정하는 기회가 많으므로, 가급적 직관적으로 검색이 잘될만한 문구를 조합하는 것이 필요합니다.

② 동영상 설명 최적화

동영상 제목만큼 설명도 중요합니다. 유튜브는 동영상 설명란에 시작되는 두 문장을 통해 해당 동영상의 내용을 이해한다고 알려져 있습니다. 첫 두 문장이 중요한 이유는 첫 두 문장이 설명란 '더 보기' 버튼 위로 노출되기 때문입니다.

유튜브 측은 시청자 편의를 위한 정보를 풍부하게 작성하는 것을 권장합니다. 콘텐츠 내용 관련 링크도 게재할 수 있으며, 제품 구매 링크, 그리고 시청자가 앞에서부터 시청을 안 해도 바로 넘어갈 수 있는 타임스탬프 등이 이에 해당합니다.

많은 유튜버들에게 동영상 설명이 길고 자세할수록 유튜브 검색

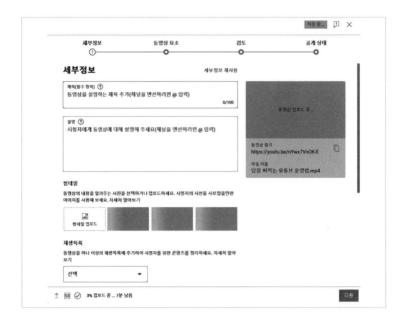

에 잘 노출된다는 공통적인 이야기를 들었습니다. 동영상 설명은 국문 기준 최소 150~200자, 영문 기준 300~400자 이상이 되어야 합니다. 이와 관련된 내용은 유튜브에서 많은 사람이 팁으로 가르쳐 주고 있지만 사실 알려주는 사람마다 상이한 부분이 있습니다. 그러므로 유튜브 커뮤니티 가이드나 고객센터를 통해 개인별로 테스트해서 자신의 채널에 맞는 방법을 찾아나가도록 하세요.

구글 애즈에서 제공되는 키워드 플래너

구글 키워드 플래너

'구글 키워드 플래너'는 구글에서 광고하려는 광고주들이 활용할 수 있도록 제공되는 구글의 키워드 도구입니다. 키워드 플래너를 잘 활용하면 검색 캠페인에 사용할 키워드를 발굴할 뿐만 아니라 검색엔진 순위 상승에도 도움이 될 수 있습니다. 구글에서 상위노출을 목적으로 운영하는 블로거들을 위한 최적의 무료 키워드 도구로도 알려져 있는데, 유튜브의 SEO 관리에도 큰 도움을 받을 수 있습니다.

'구글 키워드 플래너'는 '구글 애즈'를 이용해 사용합니다. 제목이나 내용을 정할 때 채널에 맞는 최신 검색 키워드를 활용하는 것이 중요하고요. 또 해당 키워드가 제목이나 설명에 충분히 적용되어야 할 것입니다.

제목과 설명 이외에도 댓글, 좋아요, 구독을 순 이용자에게 유도하는 마케팅으로 채널 관리 점수를 높여 메인과 검색 노출이 잘 될 수 있도록 지속적으로 노력해야 할 것입니다.

5. 채널 노출 팁 6

유튜브 콘텐츠는 날로 증가하고 있고, 경쟁은 더욱 치열해지고 있습니다. 2023년 7월 한 달간 매주 1회씩 인기 탭에서 인기 순위를 조사해 봤습니다.

2023년 7월 한 달간 유튜브 인기 급상승 영상들을 분석한 자료를 보면, 하루 인기 급상승 영상이 선정될 때마다 44개 채널이 뽑혔습니다. 채널 구독자 수 분포를 보면 많게는 1억 명이 넘고, 적으면 2만 명 정도의 유튜브 채널들이 인기 급상승 카테고리에 올라오는 것을 알 수 있습니다. 평균적으로 10만 명 이상 구독자를 가진 채널이 다수이며 1개에서 2개 정도의 채널이 10만 명 이하의 구독자를 가졌습니다. 연예인이나 콘텐츠 기업이 구독자 수나 조회수가 압도적으로 우위로 있음도 확인할 수 있고요.

순위	채널명	구독자 수 (만 명)	분야	분류	영상 수 (개)
			2023.07.14. 유튜브 인기 급상승 영상 분석 자료		
1	MrBeast	1.69 억 명	엔터	인플루언서	740
2	HYBE LABELS	7130	음악/댄스	기업/연예인	1,300
3	SMTOWN	3190	음악/댄스	기업/연예인	4,100
4	JYPEntertainment	2740	음악/댄스	기업/연예인	1,700
5	Mnet K-POP	2,050	음악/댄스	기업/연예인	33,000
6	EXO	944	음악/댄스	연예인	440
7	쯔양	842	먹방/일상	인플루언서	553
8	KBS Kpop	795	음악/댄스	기업/연예인	39,000
9	PSG-Paris Saint-Germain	740	스포츠	연예인	5,200
10	STUDIO CHOOM(스튜디어 춤)	465	음악/댄스	연예인	1,600
11	딩고 뮤직 / dingo music	449	음악/댄스	연예인	2,000
12	사나고 Sanago	330	학습/일상/취미	인플루언서	187
13	총몇명	287	엔터	비연예인	464
14	숏박스	259	엔터	연예인	96
15	[Nareum_TV]나름TV	242	먹방/일상	인플루언서	933
16	피식대학Psick Univ	217	엔터	연예인	975
17	올리버샘	215	학습/일상	인플루언서	849
18	윈더케이 오리지널	206	음악/댄스	기업	2,400
19	우왁굳의 게임방송	155	게임/일상	인플루언서	7,800
20	Netflix Korea	148	영화	기업	2,400
21	DARA TV	141	음악/일상	연예인	162
22	육식맨 YOOXICMAN	107	요리/취미	비연예인	211
23	뜬뜬 DdeunDdeun	106	예능	연예인	99
24	에버랜드	95.9	일상	기업	2,500
25	제로베이스원(제베원)	80.9	음악/댄스/예능	연예인	51
26	해쭈[HAEJOO]	71.8	일상	인플루언서	371
27	소소황 Cook & Eat	66.1	요리/취미	비연예인	766
28	뚝딱 Tooktak	65.1	요리/강의/취미	비연예인	2,000
29	김진짜 Real KIM	53.6	스포츠	비연예인	492
30	고알레 GOALE	52.1	스포츠/취미	인플루언서	1,400
31	리쥬라이크 LIJULIKE	17.9	일상	비연예인	224
32	발젭	43.7	게임	비연예인	419
33	다주	40.4	게임/일상	비연예인	2,700
34	MBN MUSIC	33.7	음악/댄스	기업/연예인	2,000
35	아이네 INE	31.2	엔터	비연예인	356
36	림파 lilpa	30.2	엔터	비연예인	486
37	탈골스윙	29.1	스포츠/강의	비연예인	327
38	말하는 동물원 뿌빠 TV	28.1	동물/일상	기업	596
39	박씨집안	25.4	엔터/먹방	인플루언서	279
40	하오TV	15.1	일상/동물	비연예인	552
41	중고차의 모든것	12	강의/취미	비연예인	265
42	스포일러 MLB	9.33	스포츠	연예인	438
43	파리지앙 2세	2.96	축구/취미	비연예인	31
44	어서와 한국은 처음이지	2.13	엔터	연예인	255

만약 유튜브를 운영하는 사람이 비연예인이며 구독자도 10만 명 이하라면 인기 급상승 영상에 추천되기가 쉽지 않은 일임을 직감할 수 있습니다. 현재 표에 나와 있듯이 구독자 2만인 채널은 딱 2곳인데, 그 중 〈어서와 한국은 처음이지〉는 MBC에서 진행한 프로그램으로 콘텐츠 기업이 생성한 프로그램 공식 유튜브 채널입니다. 그렇다면 정말 비연예인이 만든 채널은 〈파리지앙 2세〉 하나뿐인 것입니다. 이처럼 구독자가 적고 연예인이 아니거나 콘텐츠 기업을 끼고 있지 않다면 영상 노출이 쉽지 않다는 점을 기억해야 합니다. 그렇다면 어떻게 나의 콘텐츠를 노출할 수 있을까요? 저는 6가지 방법을 제안하고자 합니다.

① 유행되는 콘텐츠를 만들어라

유튜브 알고리즘은 정확하게 공개되어 있진 않지만 유튜브 SEO와 해시태그, 동영상 최적화에 관한 키워드는 공개되어 있습니다. 구글 트렌드 등에서 키워드를 확인하고, 유입되는 키워드를 고려해서 유행하는 콘텐츠를 따라 하는 것이 가능한 이유입니다.

최근 유튜브를 보면 어떤 이슈가 터지면, '사이버 렉카'라 불리는 유튜버들이 무조건 조회수만 노리고 끊임없이 키워드 관련 콘텐츠만 무차별적으로 올리곤 합니다. 이건 이슈 관련 키워드를 먼저 올려주는 유튜브 알고리즘의 특징 때문에 나타난 현상인데, 초전도체가 유행할 때 너도나도 초전도체에 관한 콘텐츠를 만들어 올렸으며, 가장 먼저 올린 콘텐츠는 꽤 많은 조회수를 기록하기도 했습니다.

② 키워드를 선점하라

공공기관이나 기업의 경우 연간 일정이 반복되곤 합니다. 저도 연초마다 CES 관련해 특집 콘텐츠를 만들었는데, 이런 행사가 예측된다면 사전에 선점해서 행사 직전에 올려놓는 것이 하나의 방법이 될 수 있습니다. 이제 다음 해의 CES 행사가 궁금할 것이기 때문에 달라질 것들이나 꼭 알아야 할 것들을 먼저 만드는 것이죠.

공공채널에서도 해마다 반복되는 행사의 경우 미리 키워드를 선점해 콘텐츠를 올려놓는 것이 좋습니다. 실제 행사가 시작될 즈음 제작되는 콘텐츠는 완성도가 떨어지기 쉬우며, 행사 뒤에 올리는 콘텐츠는 시간 싸움에서 뒤질 수밖에 없습니다. 콘텐츠 제작에 시간이 걸리지만 미리 계획을 잡고 콘텐츠를 구분해 업로드 전략을 잘 세우는 것이 필요합니다.

③ 쇼츠도 함께 만들어 채널에 올려라

한때 OSMU(One Source Multi-Use)라는 말이 많이 사용되었습니다. OSMU라는 말은 여러 분야에서 조금씩 다른 내용으로 사용되는데, 콘텐츠 업계에서 OSMU는 하나의 콘텐츠를 여러 매체 유형으로 변환해 전개하는 것을 의미합니다. 과거에는 콘텐츠 제작 비용이 많이 들었기 때문에 투자 대비 최대한의 효율을 위해 매체에 맞도록 변환해 비용을 줄이고 효과를 극대화하려 했습니다. 이러한 OSMU 전략은 유튜브에서도 통할 수 있습니다.

일단 메인 콘텐츠를 만들고 나서, 핵심이나, 자극적인 부분, 뒷말

유입을 목적으로 하는 쇼츠를 보면 윗부분에는 영상을 이해하기 위한 제목을 많이 쓰고, 밑부분에는 채널 브랜딩을 하기 위한 채널 로고나 문구가 들어간다.

이 궁금할 수 있는 부분을 잘라 쇼츠에 올리면 좋습니다. 쇼츠를 넘기다가 관심 있는 부분이 있으면 클릭을 유도하는 문구를 화면에 써도 좋습니다. 과거에는 해당 영상 링크를 댓글에 걸면 클릭이 되었지만, 최근에는 업로드시 해당 영상으로 가는 링크를 걸 수 있게 되었습니다. 보통 쇼츠로 궁금증을 던지고, 해답을 유튜브 채널로 이동해서 얻는 방식을 취하곤 합니다.

④ 적절한 광고는 잘못된 것이 아니다

지금도 유튜브에서는 무수한 콘텐츠가 업로드되고 있습니다. 그리고 일반인들이 시청하는 콘텐츠 대부분은 광고를 집행하지 않은 영상이죠. 유튜브엔 수많은 채널이 있고, 어느 정도 인지도가 있는 채널일 경우는 타깃이 형성되어 있을 것입니다. 그러나 이제 시작하거나 특별한 목적이 있는 기업이나 공공채널의 경우는 상대적으로 구독자를 모으기가 어려운 것이 현실입니다.

유튜브는 개인 채널이나 기업 채널이나 동등한 위치에서 조회수 경쟁을 하는 플랫폼입니다. 기업이나 공공채널의 경우는 영상 안에 특별한 제작 메시지가 녹아있고, 재미만을 좇는 개인 영상이나 연예인들 영상보다 조회수 획득에서 밀릴 수밖에 없습니다. 다수의 기업이나 공공채널은 광고 집행 없이 유튜브 영상만 만들어 놓고 조회수가 오르기를 기다리곤 합니다. 그러나 낮은 조회수를 계속 기록하는 채널은 향후 어떤 콘텐츠를 만들더라도 조회수 급등을 기대하기 쉽지 않습니다.

유튜브는 공정한 플랫폼이 아닙니다. 구독했다고 구독하고 있는 사람들에게 새롭게 업로드되는 모든 콘텐츠를 보여주지 않습니다. 더구나 유튜브를 사용하는 사람 대부분이 다수의 채널을 구독하고 있는 상황입니다. 그 높은 경쟁률을 뚫고 내 콘텐츠를 노출하는 것은 정말 어려운 일입니다. 그래서 유튜버들은 매번 "구독과 좋아요, 알림 설정 부탁드립니다."를 반복적으로 외치는 것입니다. 알림 설정을 하면 그나마 새로운 콘텐츠가 업데이트 되었음을 알수 있지만, 만약 취향이 아닌 채널을 구독하고 있다면, 새로운 콘텐츠가 업로드될 때 매번 알람이 울리는 것을 참기 힘들어 결국 알림 설정을 꺼버리게 됩니다.

그래서 유튜브 사용자들은 엄청난 양의 콘텐츠를 다양하게 볼 것 같지만, 사실 구독한 유튜브 중 일부 채널만 반복해서 보거나 특

자연스럽게 콘텐츠처럼 녹아든 유튜브의 다양한 광고

정 카테고리 콘텐츠 류만 시청하는 경우가 많습니다. 어쩌다 아예 다른 카테고리를 한번 클릭하면 그때부터 다른 류의 콘텐츠를 추천하지만 지속적으로 선택 받지 못하고, 이후 시청 시간이 높지 않으면 다시 원래의 카테고리로 원복하게 되어있습니다.

　유튜브는 돈을 벌기 위해 만들어 놓은 플랫폼임을 잊지 말아야 합니다. 이 말은 적절하게 광고를 집행하는 것이 결코 잘못된 것이 아니라는 뜻입니다. 그리고 시작 단계 채널에서는 해당 타깃 구독자를 확보하기 위해 적극적으로 광고를 집행해야 합니다. 적절한 광고는 시청자 범위를 확장해 새로운 시청자들 유입을 시도할 수 있게 만들어 주기 때문입니다.

⑤ 같은 카테고리의 큰 채널을 따라 해라

최근 유튜브 업계에 주목할 만한 사건이 있었습니다. 잘 나가는 채널 콘텐츠 내용을 그대로 카피해 조금만 변경한 후 다시 유사하게 제작해 엄청나게 많은 구독자를 빨리 모은 일이 있었던 것입니다. 이 사건은 일파만파 되어 부정적인 여론을 형성하게 되었고, 결국 해당 채널은 문을 닫은 바 있습니다.

서두에서 말했듯이 유튜브는 알고리즘을 공개한 바 없고 다만 유튜버들의 개인적 경험 등이 강의나 웹에서 회자되고 있을 뿐입니다. 그런데 이 사건을 통해서 알게 된 것은 성공하는 채널을 벤치마킹하면 같이 성공할 수 있다는 것입니다. 다만 오해할 수 있을 것 같은데, 채널의 내용을 베끼라는 것이 절대 아닙니다. 유튜브 알고리즘이 모든 채널에 전부 동일하게 적용된다는 법은 없지만 같은 카테고리에서는 유사하게 작용하는 정황이 많이 발견됩니다. 그러므로 동일한 카테고리에서 잘 나가는 채널을 분석해 비슷한 시도를 해보는 것도 하나의 방법이라 생각됩니다.

제목은 어떻게 뽑았는지, 설명은 어떻게 달았는지. 그와 유사하게 내 채널을 커스터마이징해 나가면 보다 쉽게 구독자들에게 노출될 수 있습니다. 이 방법은 지금도 많은 채널이 시행 중인 전략입니다. 잊지 마세요. 콘텐츠 내용을 카피하는 것이 아니라, 검색에 어떻게 걸리는지 제목과 설명, 섬네일을 벤치마킹하는 것입니다. 결국 한번 노출되어도 콘텐츠 내용이 좋지 않으면 시청자들이 지속적으로 찾아오지 않습니다. 잔기술보다 내용이 중요하다는 점을 잊지 마시기 바랍니다.

⑥ 서브 채널을 만들어 세계관을 확장하라

알고리즘을 위해서라면 채널 카테고리가 정확히 구분되도록 한 가지 분야를 파는 것이 중요합니다. 실제로 채널을 운영하다 보면 유튜버들의 가장 큰 고민은 영상에 대한 기획입니다. 한 카테고리에서 지속적으로 콘텐츠를 생산하다 보면 콘텐츠가 자꾸 반복되고 구독자들도 싫증을 느끼기 쉽습니다. 특히 구독자 증가 정체기가 오면 다른 콘텐츠를 하고 싶은 욕망이 들기도 하죠. 그렇다고 먹방 채널에서 시사나 뉴스를 할 수는 없는 일입니다. 그럴 때면 서브 채널을 만들어 해당 콘텐츠를 나누는 것도 하나의 방법입니다.

개인 채널의 경우 처음에는 콘텐츠 내용에 따라 사람들이 모이게 됩니다. 하지만 어느 정도 시간이 지나 크리에이터의 매력에 빠지게 되면 정보보다 크리에이터를 지지하는 사람들이 많아지게 되죠. 그럴 때면 서브 채널 없는 확장도 가능합니다. 하지만 통상적으로 서브 채널은 브랜드가 운영하는 메인 채널을 보조하는 채널을 의미합니다. 따라서 메인 채널 성장이 안정기에 들어서거나 정체기에 들어섰을 때 고려해 볼 만한 옵션입니다. 아니면 새로운 타깃이 필요한 경우나, 기존 채널과 결이 다른 콘텐츠로 커뮤니케이션 할 때 쓰면 좋습니다.

〈EO〉의 경우 〈EO 글로벌〉 등의 서브 채널을 만들어 함께 운영하고 있다.

서브 채널을 고려해야 하는 대상은 전략적으로 유튜브를 운영하는 사람들입니다. 〈핑크퐁〉도 알고리즘을 고려해 영어용 채널을 따로 만들어 한글 채널, 영어 채널로 분리해 운영합니다. 서브 채널을 만드는 경우는 기업이나 공공채널에 추천하는 편입니다.

특히 공공채널의 경우 공식 채널이라는 이미지 때문에 콘텐츠가 경직되는 경우가 많습니다. 또 공공채널에서 하나의 실수로 부정 이슈가 생길 경우, 해당 공공 단체 이미지까지 같이 망가질 수 있다는 어려움이 있죠. 그런 점을 미리 방지하기 위해 대표 공식 채널을 만들고 조금 부드러운 연성화된 서브 채널을 만들어 운영하면 좋습니다. 공식은 대표적인 콘텐츠를 올리고, 직원이 출연하거나 주민이 나오는 서브 채널을 만들면 타깃을 손쉽게 모을 수 있고 사전에 위험부담도 줄일 수 있게 됩니다.

6. 유튜브 속 기능 활용하기

라이브 방송은 적극적으로

"최근 유튜브는 아프리카 TV 초창기 같아."

　MCN 관련 전문가에게 최근 들은 말입니다. 다수의 유튜브 크리에이터가 초창기 아프리카TV처럼 라이브 방송을 많이 한다는 뜻이었죠.

　최근 유튜브에 라이브 방송이 많아진 이유는 크게 4가지입니다. 가장 큰 이유는 유튜브가 구독자들에게 생방송을 우선적으로 보여주기 때문입니다. 크리에이터 입장에선 우측 상단 가장 먼저 눈에 띄는 자리에 자신의 라이브 콘텐츠가 노출될 기회를 놓칠 수 없겠죠. 크리에이터 입장에서는 먼저 노출이 되어야 하고 그 뒤 시청자들의

광고수익

채널에서 수익을 창출하도록 설정하면 동영상에 Google 및 Google 파트너의 광고를 사용 설정하여 광고 수익을 공유할 수 있습니다.

YouTube 파트너 계약에 수익 금액 또는 지급 여부에 대한 보장 내용은 없습니다. 수입은 시청자가 파트너의 동영상을 볼 때 발생하는 광고 수익을 기준으로 발생합니다. 수익 창출 동영상에 광고가 게재되는 방법을 자세히 알아보세요.

기타 수익 창출 기능

채널 멤버십, 쇼핑, Super Chat 및 Super Sticker, Super Thanks, YouTube Premium 구독 등 기타 다른 수익 창출 기능으로도 수익을 얻을 수 있습니다. YouTube에서 수익을 창출하는 모든 방법을 자세히 알아보세요.

선택을 받아야 구독자를 만들던 팬덤을 만들던 기회가 생길 수 있으니까요.

또한 유튜브 크리에이터는 수익적인 면에서 슈퍼챗을 받으면 훨씬 큰 소득을 얻을 수 있습니다. 유튜브 고객센터는 "수입은 시청자가 파트너의 동영상을 볼 때 발생하는 광고 수익을 기준으로 합니다."라며, "채널 멤버십, 슈퍼챗 및 슈퍼 스티커, 슈퍼 땡스 및 유튜브 프리미엄 구독 등 기타 다른 수익 창출 기능으로도 수익을 얻을 수 있습니다."라고 말하고 있습니다.

또한 라이브를 통해 실시간으로 같이 대화하는 분위기를 만들어 팬과의 관계를 돈독하게 만들 수 있습니다. 마지막으로 라이브를 잘 이용하면 콘텐츠를 지속적으로 만들어 올릴 수 있습니다. 〈슈카월드〉를 비롯해 〈매불쇼〉, 〈김현정의 뉴스쇼〉 등에서 이용하는데, 라이브로 먼저 보고 나중에 다시 필요한 부분만 정리해 올리는 방식입니다. 다행히 유튜브 알고리즘에서는 이런 재생산된 콘텐츠를 다른 콘텐츠로 인식하고 있습니다. 1인 크리에이터가 많은 유튜브 판에서 지속적으로 콘텐츠를 올리는 효율적인 방법을 찾아가고 있는 분위기입니다.

커뮤니티 탭을 활용하여 시청자와 상호작용하기

앞에서 유튜브는 OTT이자 SNS라고 말했습니다. 소셜미디어 시대가 이어지며 유튜브는 소셜미디어 기능을 하나씩 추가했습니다. 그중 가장 큰 변화가 바로 '커뮤니티 탭'입니다.

영상을 잘 만들어 업로드하는 것은 어려운 일입니다. 그만큼 시간과 노력이 들 수밖에 없죠. 콘텐츠 제작 인원이 적거나 1인일 경우 자주 영상을 업로드하기는 버겁습니다. 영상 업로드가 늦어지면 자연스럽게 구독자들과 소통하는 데 어려움을 겪기에 유튜브는 커뮤니티 기능을 이용해 소통의 빈도를 높이려 합니다. 이때 커뮤니티를 이용할 수 있습니다.

커뮤니티는 기본 채널 페이지에서 사용할 수 있으며 목적은 시청자와 더 가까워지는 데 도움이 되게 하려는 것입니다. 과거엔 1,000명 이상의 구독자를 보유한 크리에이터들에게 권한을 줬는데, 2022

재생목록 오른편에 커뮤니티 탭을 발견할 수 있다.

년 이후 구독자 500명 이하라도 일정 조건만 충족하면 커뮤니티 개설을 허용하고 있습니다.

유튜브 고객센터에 따르면 커뮤니티 게시물을 사용하는 크리에이터는 리치 미디어를 사용해 시청자와 상호 작용할 수 있다고 합니다. 커뮤니티에는 설문조사나 퀴즈, 이미지, 동영상 등을 게시할 수 있는데, 이를 활용해 정규 콘텐츠 이외에도 시청자와 소통할 수 있는 방편이 마련된 셈입니다.

커뮤니티 게시물은 다음과 같이 6가지를 유형을 사용할 수 있습니다.

– 텍스트 게시물

- 재생목록 게시물

- 이미지와 GIF게시물

- 동영상 게시물

- 설문조사

- 퀴즈

현재까지 많은 크리에이터들이 커뮤니티 탭을 전략적으로 활용하고 있습니다. 크리에이터들이 커뮤니티 탭을 활용하는 방식은 크게 4가지입니다.

① 새 비디오 업로드 일정을 알리거나, 다음 동영상 예고 보여주기

: 만일 새로운 동영상을 게재했을 때, 커뮤니티 탭에 새로운 비디오 업로드 내용을 올려놓으면 구독자들은 해당 업로드 여부를 알게 됩니다. 커뮤니티 탭에 링크를 공유하여 새로운 콘텐츠 업로드 소식을 홍보하면 됩니다. 이 기능은 미리보기 이미지, 제목, 조회수 및 동영상이 업로드된 시간과 함께 추가 된 동영상 링크에 대한 약간의 미리보기를 제공합니다.

아니면 새로운 영상이 언제 업로드되는지 알려줄 수도 있습니다.

여행하는 걸캠퍼 컨셉의 〈Rirang OnAir〉는 보통 새로운 콘텐츠 업로드 시간을 알려주고, 프리미엄 콘텐츠 방식으로 함께 시청하며 소통합니다. 가끔은 다음 동영상 예고를 보여줘 기대감을 높이기도 하죠.

② 투표

커뮤니티 탭에서 설문조사나 질문을 만들어 구독자들의 생각을 알아보고 이를 공유하며 친밀감을 높이는 데 쓰이는 기능입니다. 커뮤니티 탭에서 가장 인기 있는 기능인데, 그 이유는 구독자 참여가 쉽기 때문입니다.

구독자들은 단순히 한 번의 클릭으로 대화에 참여할 수 있고, 투표 현황을 보고 해당 질문의 답변 추이도 알아갈 수 있습니다. 크리에이터들은 설문조사를 만들어 시청자에게 어떤 콘텐츠를 만들어야 하는지, 시청자가 보고 싶어 하는 콘텐츠는 무엇인지 등을 물어볼 수 있습니다.

시청자가 채널에 더 많이 참여한다면 크리에이터들은 이들의 선호도에 대한 유용한 데이터를 얻을 수 있고, 콘텐츠 참여도 높일 수 있습니다. 크리에이터 조나단은 유튜브 배너까지 어떤 것으로 할지 투표를 통해 결정하더군요. 조나단의 팬들은 이렇게 자신의 의견이 반영되는 것을 보면서 더욱 친밀감을 느낄 것입니다.

③ 질문과 답변

: 커뮤니티 탭에서 질문을 만들어 채널 구독자와 상호 작용할 수도 있습니다. 어떤 질문을 던져놓고 대답하거나 그 대답에 대한 콘텐츠를 만드는 것이죠. 모든 질문에 대답할 필요도 없고, 답해서도 안 됩니다. 궁금증을 던지고, 그 해답을 영상에서 찾도록 유도하는 것이 중요하기 때문입니다.

④ 이벤트

: 기업이나 공공채널은 커뮤니티 탭을 활용해 이벤트 방식으로 구독자들과 적극적으로 소통하고 있습니다. 국내 공공기관 유튜브를 분석하는 사이트인 '잉크닷'에 따르면 2023년 11월 3주 한 주간 이벤트 진행한 공공기관이 10곳이라고 합니다. 커뮤니티 탭을 활용한 이벤트는 게재된 영상과 함께 진행한 경우도 있었습니다.

살펴보면 타이틀에 이벤트를 넣은 경우도 있었고, 본문에는 이벤트를 명시하지 않고 커뮤니티에 이벤트 게시물을 게재하고 영상으로 참여를 유도하는 등 다양한 방식을 사용했습니다. 다만, 타이틀에 이벤트를 명시해도 성과는 크게 없는 것으로 나타났다는 점을 알아두시기 바랍니다.

'잉크닷'의 공공채널 이벤트 분석 결과, 조회수와 이벤트 참여 상관관계는 크게 보이지 않는다고 합니다. 하지만 10개의 게시물을 통

no.	기관	제목	조회수	좋아요수	댓글수
1	농림축산식품부	우리의 일상을 키우는 공익직불제 ㅣ2023공익직불제	492,025	499	569
2	인사혁신처	비둘기야 밥 먹자	40,345	1,200	1,524
3	과학기술정보통신부	국제협력 담당하면 해외 출장 많이 갈까?	24,592	288	261
4	원자력안전위원회	[해양 방사능 분석, 이렇게 합니다] Q1. "우리 해역 감시는 어떻게 하나요?"	11,458	129	150
5	산업통산자원부	일해본 사람들이 알려주는 자율주행 자동차와 일하기 위한 모든 것 ㅣ자동차 산업 글로벌 3강 전략	10,831	69	81
6	원자력안전위원회	[해양 방사능 분석, 이렇게 합시다] Q2. "해수 방사능 분석은 어떤 절차로 이뤄지나요?"	7,787	107	136
7	원자력안전위원회	[해양 방사능 분석, 이렇게 합니다] Q3. "정밀분석과 신속 분석의 차이는?"	7,192	110	104
8	질병관리청	[이벤트] 세계 항생제 내성 인식주간! 서울역 "항·필·제·사 의원"으로 놀러오세요!	953	318	397
9	인사혁신처	[#이벤트있음] 동에 번쩍, 서에 번쩍 인사처 베테랑 주무관의 불타는 하루 ㅣ인사혁신처 웹드라마 우당탕탕 공가제 EP.05	746	188	197
10	중소벤처기업부	(치킨이벤트) 기술 도둑 잡아라! 중소기업 기술보호 ㅣ머니포차 EP14	314	70	78
11	원자력안전위원회	[해양 방사능 분석, 이렇게 합니다] Q4. "우리 해역 감시 정보는 어디서 확인하나요?"	188	104	136

2023년 11월 3주 차 영상과 이벤트를 함께 진행한 공공채널들, 출처: 잉크닷

해 3,000여 개의 댓글을 확보한 것만 놓고 보면, 댓글을 통한 참여를 유도하는 데 매우 효과적인 수단이 이벤트라는 것을 확인할 수 있었

습니다.

영상을 꾸준히 제작하기 힘들 때 커뮤니티 탭을 활용해 텍스트로 시청자들과 교감을 하면 좋은 효과를 얻을 수 있습니다. 처음 들르는 시청자에게 이 채널은 살아 있다는 생각을 줄 수 있고, 구독자들은 크리에이터를 응원하며 기다려 주기도 하기 때문이죠.

커뮤니티 탭 기능 중 재미있는 점은 게시물을 올리면 시청자에게 알림이 전송되는데, 내 채널을 구독하지는 않지만 동영상을 자주 시청하는 시청자에게도 게시물 알림을 종종 보낼 수 있다는 점입니다. 이는 동영상을 자주 올리지 못하는 상황이라도 커뮤니티 게시물을 올리면, 일반 시청자에게도 알림을 보내 구독자로 만들 수 있다는 의미입니다. 따라서 이 기능을 적극 활용해야 합니다.

쇼츠를 전략적으로 활용하라

유튜브는 최근 몇 년간 쇼츠를 전략적으로 활용하려고 무척 노력하는데, 여기엔 몇 가지 이유가 있습니다. 첫째는 MZ세대들이 숏폼 콘텐츠를 좋아하는 경향이 늘어났기 때문입니다. 이는 틱톡이나 인스타그램의 릴스 활용이 증가하는 면을 통해서도 잘 알 수 있습니다. 둘째는 숏폼 콘텐츠 자체의 길이가 짧아 유튜브 플랫폼 내에서의 콘텐츠 회전수가 급격히 높다는 점입니다. 유튜브는 빠른 콘텐츠 회전을 기반으로 광고를 통해 더욱 많은 수익을 가져올 수 있습니다. 셋째는 쇼츠가 시청자들을 플랫폼에 오래 잔류하게 만들기 때문입니다. 유튜브의 수익 중 상당 부분은 광고를 통해 발생하는데, 기존의 긴 제작 시간이 필요한 롱폼 콘텐츠보다는 쇼츠가 광고 게재에 유리하기 때문입니다. 숏폼은 상대적으로 아주 짧은 시간에 제작이 가능하며, 아이디어만 잘 짠다면 몇 분 이내에 재미있는 콘텐츠를 손쉽게 완성할 수 있습니다. 그래서 최근 유튜브는 쇼츠를 전략적으로 상단에 배치하고, 시청자들에게 우선 노출하는 전략을 취하고 있습니다. 아무래도 자주 보여주다 보면 유튜브 사용자들은 자연스럽게 클릭을 시도하게 될 것이기 때문입니다.

숏폼 콘텐츠는 빠르고 손쉽게 만들 수 있어 트렌드에 빠르게 반응해 최신 유행이 만들어질 수밖에 없고 시청자들은 이를 자연스럽게 즐기면서 유튜브 체류 시간이 늘어나게 됩니다. 특히 시청자들의 미디어 소비 행태에 숏폼이 학습되면서 숏폼에 익숙해지는 세대가 늘어나는 추세입니다.

쇼츠만 중심으로 제작하는 유튜버들도 속속들이 등장하고 있습니다. 구독자 3,100만 명이 넘는 〈김프로KIMPRO〉 채널이 그것입니다. 쇼츠만으로 시청자들의 재미를 이끌어내는데, 보통 이런 경우는 틱톡과 병행하기도 하고, 조회수와 브랜디드 콘텐츠로 수익을 만들어 갑니다.

유튜브에서도 쇼츠를 전략적으로 밀어주기 때문에 크리에이터들은 고민이 많을 것입니다. 그렇다면 쇼츠를 어떻게 전략적으로 활용할 수 있을까요?

모바일 상단에 위치한 쇼츠. PC에서도 상단에 위치
해있다.

① 자주 만들어라

자꾸 만들고 업로드해야 방향성도 생기고, 좋은 콘텐츠가 나옵니다.
또한 시청자들에게 자꾸 노출시켜야 채널로 유입될 확률이 높아집
니다.

② 콘텐츠의 내용에 집중하라

시간이 없다면 자막이 좀 잘리고 가려져도 상관없습니다. 콘텐츠는 내용이 중요하니까요. 대사가 있다면 기존 자막 위에 내용을 이해하는 자막을 덧대어 놓아도 됩니다. 다만 공공채널이나 기업 채널의 경우 최소한의 톤앤매너를 갖추는 것이 중요합니다.

③ 관심을 가지게 만들어라

쇼츠 업로드 시 본편으로 이어지도록 설정해 채널에 업로드된 본편 콘텐츠로 유도해야 합니다.

④ 낚시도 좋다. 궁금해서 찾아오게 만들어라

영화채널 같은 경우 절대로 제목을 알려주지 않습니다. 일단은 궁금하게 만들어야 하니까요.

⑤ 쇼츠용 콘텐츠만 원테이크로 따로 제작

핸드폰을 사용해도 좋습니다. 간략하게 촬영해 올리면 기존 영상을 자르는 것보다 쉬울 수 있습니다.

⑥ 채널 영상을 적절히 연계해라

쇼츠만 계속 올리면 브랜딩 차원에서 고객과 접점을 쌓기 어렵습니다. 쇼츠를 보는 목적과 채널 영상을 보는 목적은 다르기 때문이죠. 쇼츠는 시간을 소비하려고 보는 경향이 강하고, 어느 채널의 쇼츠인지 기억하기도 쉽지 않습니다. 하지만 많은 사람이 시간을 소비하고 그곳에서 나의 콘텐츠도 노출될 확률이 높아지니 쇼츠와 채널 영상이 연계된 적절한 콘텐츠 전략을 구비합시다.

⑦ 본영상의 재미있는 댓글을 따서 쇼츠로 재생산

재미있는 숏폼을 만들기 위해 기존 영상의 재미있는 댓글을 가져와 댓글을 본편에 넣어 쇼츠로 만들어도 좋습니다. 예능 〈마이 리틀 텔레비전〉처럼 댓글을 보면서 내용에 추임새를 넣어주는 것입니다. 해당 댓글을 남긴 구독자는 더욱 크리에이터와의 좋은 관계가 생기기도 하겠죠.

⑧ 유행하는 숏폼은 일단 따라 하는 것을 추천

유튜브는 결국 알고리즘으로 운영됩니다. 인기 있는 캠페인이나 노래나 트렌드 콘텐츠는 한 카테고리로 엮여 해당 관련 쇼츠로 자꾸 노출시킵니다. 2023년 초 '크리스천'이, 중후반에는 '홍 박사님을 아세요?', 그 뒤에는 '슬릭백' 영상이 끝없이 추천되어 쇼츠의 늪에서 빠져나오기 힘든 경험을 했죠.

⑨ 루핑용 쇼츠를 제작

쇼츠도 결국 시청 지속 시간이 길어야 좋습니다. 쇼츠 시청 지속 시간 판단은 스와이핑으로 결정되는데, 이는 사용자에 따라 다릅니다. 스와이핑이 짧은 시간에 이루어지는 콘텐츠는 쇼츠로서의 매력이 없는 콘텐츠입니다. 반면에 영상이 끝나고 다시 맨 처음으로 루핑 되는 경우는 시청 지속 시간을 끝까지 잡을 수 있어, 최근에는 루핑용 쇼츠를 만드는 것이 유행이죠. 가급적 시청자들의 눈을 길게 잡기 위해서 루핑용 쇼츠도 고려해 볼 만합니다.

"그렇다면 쇼츠는 몇 개를 올려야 하나요?"

제가 가장 많이 듣는 질문입니다. 물론 제한이 없습니다. 하지만 과도하게 업로드하다 보면 퀄리티도 낮을 수밖에 없고, 채널 영상의 평균 시청 시간이 내려가면 추천 횟수가 줄 수밖에 없습니다. 유튜브 쇼츠 프로덕트 리드인 토드 셔머니의 인터뷰에 따르면, 쇼츠의 이상적인 업로드 횟수는 없다고 합니다. 그리고 유튜브는 쇼츠를 몇 개까지 올리라고 제한하지 않는다고 합니다. 다만 참여도가 낮은 쇼츠 영상을 참고해 더 나은 영상을 만드는 게 중요하다고 말하고 있습니다.

유튜브 리텐션을 분석하라

리텐션(Retention)이란 고객을 유지하는 것을 말합니다. 마케팅에서 리텐션율이란 설치 후 일정 기간 동안 앱을 지속적으로 사용하는 유저의 수를 의미하기도 합니다. 리텐션의 정의는 사업 모델에 따라 조금씩 달라집니다.

유튜브에서도 리텐션이 중요한데 채널에 방문한 사람들을 얼마나 구독자로 변환시키고 체류시키느냐가 리텐션의 핵심입니다. 채널

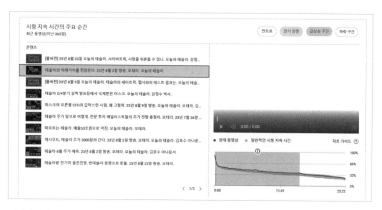

영상에서의 리텐션. 어느 부분에서 확 빠져나갔는지를 알 수 있다.

에 대한 리텐션도 있지만, 영상에 대한 리텐션도 있습니다. 영상에 대한 리텐션은 총 시청 시간과 평균 시청 지속률이 얼마나 오래가는지를 보는 것이기 때문에 유튜브 스튜디오에서 제공하는 시청 지속 시간의 주요 순간을 잘 분석해서 콘텐츠에 반영해야 합니다.

최종화면과 유튜브 카드

최종화면과 유튜브 카드는 채널 리텐션에 큰 영향을 미칩니다. 영상 시청을 마친 시청자들은 다른 영상으로 빠져나갈 수밖에 없는데, 이때 최종화면이 중요한 역할을 합니다. 영상을 다 본 시청자들은 인터페이스상 최종화면에서 추천하는 영상에 관심이 더 갈 수밖에 없죠. 내 채널 영상을 끝까지 본 시청자를 내 채널의 또 다른 영상으로 이

엔딩 화면에 추천 영상뿐 아니라, 구독해 달라는 멘트로 콜투액션을 유도할 수 있다.

끝 천금 같은 기회를 놓치면 안 됩니다.

최종화면은 추천 영상을 띄우거나 시리즈 같은 연속 콘텐츠를 홍보하기도 합니다. 혹은 구독해달라는 문구를 보여줄 수도 있고, 주기적인 업로드 시점을 알릴 수도 있습니다. 특히 기업이나 공공채널의 경우 최종화면 디자인을 채널 브랜드와 일관되게 유지해 전문성과 신뢰도를 높이는 것이 중요합니다.

보통 최종화면 세팅은 유튜브 스튜디오에서 설정할 수 있는데, 최종화면이 언제부터 보이게 만들지, 어떤 영상을 추천할지와 추천 영상의 위치 등을 설정할 수 있습니다. 가장 많이 하는 실수가 최초 업로드에 추천 영상을 설정하고는 이후 수정을 안 하는 경우인데, 절대로 그러면 안 됩니다.

예를 들어 1편을 먼저 만들어 업로드할 때 최종화면에 아직 제작

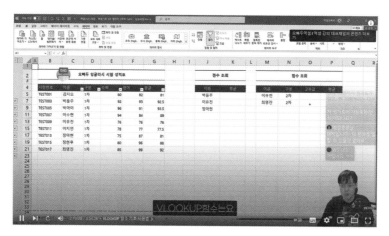

유튜브 동영상 우측 상단의 느낌표가 설정된 카드이다.

중인 2편을 링크시킬 수는 없겠죠. 이후 2편을 업로드할 때 1편 최종 화면 세팅으로 들어가서 2편을 링크시켜 놓으면 시청자들이 해당 영상을 꾸준히 이어 볼 수 있습니다. 시청자가 최종화면까지 봤다는 것은 이 콘텐츠가 마음에 들었거나, 관심이 있다는 이야기입니다. 유튜브 채널 담당자들의 경우 한번 세팅하고는 돌아보지 않는 경우가 있는데, 시청자들의 시청 방식을 고려해 반드시 확인해야 합니다.

유튜브 카드는 동영상 시청 중에 오른쪽 위에 뜨는 느낌표 카드입니다. 카드에는 동영상, 재생목록, 채널 또는 링크를 추가할 수 있는데, 각각 내 채널의 동영상이나 재생목록, 다른 유튜브 채널 등을 연결할 수 있습니다. 이렇게 되면 영상을 보다가 궁금한 사항이 생길 때해결해 줄 수도 있고, 지나갔던 콘텐츠 재생목록을 보여주면서 내 채널에 머물도록 붙잡을 수 있습니다.

이렇게 되면 시청자의 채널 내 체류 시간을 늘리는 데 도움이 됩니다. 유튜브 카드 기능을 잘 활용하면 시청자들이 영상과 더 상호작용하게 만들어 관심을 유지 시키고 참여를 증가시킬 수 있습니다. 이는 유튜브 알고리즘에 긍정적인 신호를 줍니다.

재생목록을 활용하자

유튜브의 재생목록(playlist)은 여러 비디오를 주제별, 시리즈별, 카테고리별 또는 어떤 기준에 따라 정렬하여 관리할 수 있는 기능입니다. 재생목록을 활용하는 것은 채널 운영에 여러 이점을 제공합니다. 재생목록을 사용하면 채널 내 영상 콘텐츠들을 주제나 시리즈별로 조직화할 수 있어, 시청자들이 관심 있는 콘텐츠를 쉽게 찾고 시청할 수 있게 만들어 줍니다. 또한 재생목록에 포함된 영상들은 연속적으로 재생되기 때문에 시청자가 내 채널에서 보내는 시간을 늘릴 수 있습니다. 이는 유튜브 알고리즘에 긍정적인 신호를 보내며 채널의 전반적인 성능에도 도움이 됩니다.

또한 재생목록을 통해 시청자들이 관련 비디오를 계속 시청하도록 유도할 수 있습니다. 예를 들어 튜토리얼 시리즈나 주제별 강의 같은 경우가 아주 효과적이죠. 그리고 결정적으로 재생목록의 제목은 검색 결과에 반영되어 SEO에 영향을 줍니다. 그러므로 재생목록 제목과 이에 대한 설명을 정할 때도 키워드를 고려해 정해야 합니다.

설명에 적혀있는 타임스탬프

타임스탬프를 적어 상위 노출을 노려라

유튜브의 타임스탬프(time stamp)는 영상을 챕터로 나누는 기능입니다. 시청자들은 타임스탬프를 통해 영상이 유용하다고 판단할 수 있으며, 이는 유튜브 상위 노출에도 도움이 됩니다. 타임스탬프를 작성하는 방식은 주로 설명란에 시간을 기록하는데, 이것은 시청자들이 영상의 중요 부분이나 특정 순간으로 바로 이동할 수 있게 해줍니다. 타임스탬프는 보통 시간 형식(00:00)으로 표현되며, 이를 클릭하면 지정된 시간부터 영상이 재생됩니다.

타임스탬프는 콘텐츠 제작자가 설명에 넣어 다양한 섹션으로 안내할 수 있고, 댓글에서 시청자들이 특정 부분을 언급할 때도 사용됩니다. 이는 재생 시간이 긴 영상에서 특히 유용하며, 시청자가 원하는 내용을 빠르게 찾을 수 있도록 도와주는 기능을 합니다. 또한 SEO에 검색되는 것이니 키워드를 고려해 작성하는 기술도 필요하겠네요.

타임스탬프를 설정하면 동영상 챕터가 생기는데 동영상 구간이 나눠지고, 각 구간의 미리보기가 생성됩니다. 이렇게 챕터 내용을 구분해 놓으면 시청자들이 필요한 부분만 바로 시청할 수 있어 콘텐츠에서 필요한 정보를 빨리 얻을 수 있으며, 해당 정보가 유익한 경우 채널에 머무르는 시간이 늘어나게 됩니다.

타임스탬프를 적을 때는 몇 가지 주의 사항이 있습니다.

① 처음 시작은 0:00부터 시작

타임스탬프의 시작은 0:00, 혹은 00:00부터 시작해야 합니다. 0:01로 잘못 시작하면 타임스탬프는 시작하지 않습니다.

② 챕터 최소 구간별 길이는 10초 이상

각 구간 길이가 최소 10초 이상이 되어야 설정됩니다.

③ 최소 3개 이상

타임스탬프 구간은 최소 3개 이상 나와야 합니다. 타임스탬프 구간이 2개 이하라면 타임스탬프는 생성되지 않습니다.

동영상 챕터를 추가하면 동영상에 구간이 나누어지고 각 구간의 미리보기가 생성됩니다. 챕터가 있으면 동영상 각 구간에 정보와 배경을 추가할 수 있어 동영상의 여러 다른 구간을 쉽게 다시 시청할 수 있습니다. 크리에이터는 자신이 업로드한 동영상마다 동영상 챕터를 직접 추가하거나 자동 동영상 챕터 기능을 이용할 수 있습니다. YouTube 스튜디오에서 자동 동영상 챕터 기능을 선택 해제할 수도 있습니다.

참고: 일부 동영상은 자동 챕터 기능을 이용할 수 없으며 자격요건을 충족한다 하더라도 자동 챕터 기능이 제공되지 않을 수 있습니다. 채널에 활성 상태의 경고가 있거나 일부 시청자에게 부적절한 콘텐츠가 포함되어 있는 경우 동영상 챕터 기능이 제공되지 않을 수 있습니다.

유튜브 고객센터에서 설명하는 동영상 챕터

7. 팬은 알고리즘을 이긴다

소셜미디어 시대, 팬덤의 힘

유튜브를 사용할 때 가끔 내가 보고 싶은 유튜브 콘텐츠가 타임라인에 잘 안 보이는 경우가 있을 것입니다. 이런 경우는 정말 많은 콘텐츠 속에서 유튜브 알고리즘이 내가 원했던 채널의 콘텐츠를 선택하지 않았기 때문에 일어납니다. 그럴 때 검색 창에 직접 채널명을 쳐서 찾아낸 경험이 있을 것입니다. 이것이 바로 팬과의 관계를 좋게 하고 팬덤을 만드는 핵심 목표입니다. 팬들로 하여금 직접 찾아오게 만드는 것. 바로 알고리즘을 이길 수 있는 비법입니다.

팬덤은 팬(fan)과 덤(-dom)으로 합쳐진 단어입니다.[44] 여기서 접미사 덤(-dom)을 킹덤(kingdom)과 같이 '지역이나 구역'을 의미하는 말로 이해하면, 팬덤은 팬이 통제하는 영역이란 의미가 될 것입니다. 반면 '위즈덤(wisdom)'이나 '프리덤(Freedom)'으로 해석하게 된다면, 팬의 상태나 조건이란 의미가 더해지는 거죠. 팬덤에 대해 다양한 해석이 가능하겠지만, 유튜브에서 팬덤은 "특정한 인물이나 어떤 분야를 열성적으로 좋아하는 사람들, 혹은 그러한 감정을 유튜브라는 플랫폼에서 공유하며 연대하는 문화 현상"으로 보면 어떨까 싶습니다.

팬덤의 힘이 대단함은 여러분들이 이미 익히 알고 있을 것입니다. BTS도 아미(ARMY)가 없었다면 존재하기 어려웠을 것이고 '애플'에 대한 팬심이야말로 더 이상 이야기 할 필요가 없을 정도니까요. '아기상어'의 〈핑크퐁〉이 글로벌 확장을 하는데, 아이들의 팬덤은 핵심 요소였습니다.

이런 팬덤의 힘은 소셜미디어 시대를 맞아서 더욱 강력해집니다. 많은 시간을 소셜미디어상에서 정보를 나누고 받는 것에서 나아가, 생각을 나누고, 커뮤니케이션하며 행동으로 나타나기까지 합니다.

〈팬덤 3.0〉의 저자 신윤희는 "팬덤이 달라졌다. 만들어진 스타에 열광하는 것이 아니라 직접 스타를 만들고 키워낸다"라고 강조합니다. 결국 소셜미디어 시대의 팬덤은 사람 자체가 플랫폼이 되어 소통은 기본이요, 구매까지 일어나는 현상을 발생시킵니다.

아이돌 그룹 '세븐틴' 같은 경우는 유튜브 채널을 적극 활용해 많은 구독자와 조회수를 기록하며 적극적인 마케팅을 펼쳐나가고 있습니다. 그리고 하이브의 '위버스' 앱 같은 경우도 팬덤을 움직여 독자적인 생태계를 만들고 독점 영상을 올려 커뮤니케이션하고 굿즈 한정 판매 등의 직접적인 마케팅을 펼쳐나가기도 합니다.

칼럼니스트 김도훈은 "소셜미디어 시대가 개막하면서 유명인들에게 팬의 존재는 더욱 중요해졌다. 1990년대까지만 해도 팬인 당신이 유명인과 소통하기 위해서는 네이버나 네이트 카페 팬클럽에 가입해야만 했다. 가입 신청도 까탈스러웠다. 상당히 폐쇄적인 커뮤니티였다. 지금은 다르다. 소셜미디어를 하는 누구나 자신이 사랑하는 유명인과 소통할 수 있다. 팬덤 문화라는 것은 점점 강력해지고 있다."[45]라고 밝혔습니다.

쿠팡에서도 소비자들과 쿠팡 파트너스 링크를 두고, 그 링크를 통해 구매할 경우 판매 수익을 크리에이터와 나누게 합니다. 구독자는 단순히 정보를 얻기 위해서 해당 영상을 시청하는 것이 아니라 크리에이터의 팬이기 때문에 내가 좋아하는 크리에이터를 위해 물품까지 구매해 주는 일이 발생하기 시작한 것입니다.

비단 이런 일이 개인이나 유명 크리에이터에게만 벌어지는 것은 아닙니다. 공공이나 기업, 정부 기관, 지자체 등의 유튜브 채널이라면 더욱 신경을 써야 하는 일이 벌어집니다. 이런 채널들은 결국 팬들이 해당 기관에 대해 좋은 이미지를 구축하는 것이 목표이니, 팬들을 위한 콘텐츠를 기획하고 소통하는 것이 중요하기 때문입니다. 그래서 커

44) 오윤지, 김치호 공저, "K-Pop 팬덤 콘텐츠의 유형 연구-유튜브 플랫폼을 중심으로", 『문화콘텐츠연구』(건국대학교 글로컬문화전략연구소, 2022), 제26호, 211-248쪽.
45) 김도훈, ""극단적인 애들은 멍청이" 래퍼 도자 캣, '선 넘는 팬덤'과 싸우다", 『한겨레』, 2023. 10.07. https://www.hani.co.kr/arti/culture/entertainment/1111193.html

뮤니티 탭을 활용해 다양한 이벤트를 하기도 하고 팬들이 달아준 댓글에 적극적인 소통을 시도해야 하는 것입니다.

적극적으로 팬덤을 만드는 방법

한 유튜브 크리에이터의 팬이 되어버린 사람 입장에서 생각해봅시다. 그 크리에이터의 영상을 지속적으로 볼 것이고 영상에 댓글도 계속 남길 것입니다.

여러분들이 만약 공공채널이나 기업 채널 등 공적인 브랜딩을 위한 채널을 운영하다 보면, 분명 열심히 '좋아요'를 누르고 댓글을 적어주며 라이브 시간에 맞춰서 끊임없이 커뮤니케이션하는 사람들이 생겨날 것입니다. 만약 아직도 그런 사람이 없다면 아직 그런 사람을 못 만났을 뿐입니다. 유튜브를 계속하면서 느끼는 점은 세상은 넓고 사람들의 생각은 정말 다양하고 나의 콘텐츠를 알아주는 사람은 어딘가에라도 있다는 점이었습니다. '누가 이런 콘텐츠에 댓글을 달까?' 싶은 콘텐츠에도 열정적으로 댓글을 달고 애정을 가지는 사람은 분명 존재합니다. 다만 유니크한 콘텐츠일수록 그런 사람을 찾기 어려울 뿐입니다. 이 넓은 유튜브 세상에 나의 콘텐츠를 사랑해 줄 사람은 반드시 존재합니다.

a. 댓글을 활용해 팬덤을 만들어라

팬덤은 얼마나 여러분과 소통했느냐에 따라 공고하게 굳어질 수 있습니다. 대댓글도 달아주고 하트를 눌러주는 등, 댓글에 대한 리워드를 주면 관계는 더욱 좋게 발전할 수 있죠. 예를 들어 만약 여러분이 채널을 개설한지 얼마되지 않아 구독자도 별로 없고 댓글 달아주는 사람도 몇 명 안된다고 가정해 봅시다. 그럴 때 여러분은 두 가지 고민을 할 것입니다. 첫째, 어떤 콘텐츠를 만들지에 대한 고민이 있을 것이고, 둘째, 양질의 댓글을 달아주는 팬을 어떻게 만들지도 고민될 것입니다. 그럴 때 댓글을 캡처해서 이에 관한 콘텐츠를 만드는 것이 한 가지 방법이 될 수 있습니다.

사실 이런 방식은 많은 유튜브 크리에이터들이 활용하는 방식입니다. 댓글이 재미있거나 의외의 생각이 담긴 댓글이라면 콘텐츠 퀄리티도 높아질 것이고, 이걸 보고 재미있어 다시 댓글을 다는 선순환 구조가 만들어질 수 있습니다. 또 댓글을 캡처하고 구독자가 쓴 의견으로 크리에이터가 첨언을 하거나 대화를 이어 나가는 방식은 구독자 입장에서도 내 댓글을 진심으로 읽고 있다는 생각을 가져 더욱 응원하게 만들고, 크리에이터 입장에서는 이래저래 소통을 잘하는 양질의 콘텐츠를 손쉽게 만들 수 있게 됩니다.

b. 실시간 라이브로 함께하는 팬덤 만들기

유튜브는 라이브 스트리밍을 우선 노출하고 있습니다. 구독자의 입장에서도 내가 좋아하는 크리에이터와 채팅을 하고, 그 글을 크리에이터가 읽어주는 등 실시간으로 쌍방향 소통을 하면 관계가 깊어질 수밖에 없는 것이죠. 그리고 구독자 간 새로운 커뮤니티가 형성되기도 합니다. 유튜브는 라이브 스트리밍 시청 같은 공유 경험을 가지면 크리에이터와 시청자 사이에 더 끈끈한 공동체 의식이 자라나 진정성 있고 몰입감 있는 시청 경험을 제공할 수 있다고 밝히고 있습니다.

　실시간 라이브를 하면 슈퍼챗도 받을 수 있는데 유튜브도 전략적으로 이를 유도하고 있습니다. 실제로 슈퍼챗의 일정 퍼센트는 유튜브 수익으로 전환되거든요. 그리고 채널 운영자 입장에서도 라이브를 먼저 띄워주는 유튜브의 알고리즘을 적극적으로 활용할 수 있기에 팬덤을 더욱 확장 시킬 수 있는 계기가 됩니다. 그리고 아예 관련 물건을 판매하는 경우도 있습니다. 본인이 자체적으로 만든 굿즈를 팔거나, 공익적 목적으로 구매를 해주거나 하는 시도도 늘어나는 추세입니다.

　실시간 라이브로 함께 할 수 있는 콘텐츠는 아래와 같습니다.

• 좋아하는 게임을 직접 플레이하며 스트리밍하기
• 여행 중에 스트리밍하기
• 시청자의 실시간 질문에 답변하기

- 온라인 집들이하기
- 먹거리 리뷰하기
- 공예품을 만들며 스트리밍하기

　핵심은 부담갖지 말고 화면을 사이에 두고 편하게 이야기를 나누는 것입니다. 물론 라이브는 자주 하는 것도 중요하며 일정 시간을 정해 놓고 반복적으로 한다면 그 효과는 배가 될 수 있습니다.

c. 같은 생각으로 팬덤 만들기

유튜브 알고리즘은 같은 생각을 하는 사람들을 모으는 데 최적화 되어 있습니다. 특히 한국은 확증편향을 기초로 정치 유튜브의 슈퍼챗이 아주 활성화되어 있죠. 확증편향이란 가설의 진위를 가리거나 문제를 해결할 때 자신의 신념과 일치하는 정보만을 취하고 상반되는 정보는 무시하는 무의식적 사고 성향을 의미하는데, 이런 점이 작용할 때 슈퍼챗을 보내는 경우가 많아집니다.

정치 유튜브 구독자 상위 20위

■ 보수 ■ 진보

순위	채널	구독자
1	진성호방송	181 만
2	오마이TV	155 만
3	신의 한 수	147 만
4	사람사는 세상 노무현재단	134 만
5	김어준의 겸손은힘들다 뉴스공장	132 만
6	딴지방송국	122만
7	배승희 변호사	119 만
8	신인균의 국방TV	118 만
9	매불쇼	116 만
10	뉴스타파	110 만
11	서울의 소리	10 만
12	고성국TV	88.8 만
13	팩트TV NEWS	87.8 만
14	전옥현 안보정론TV	86.5 만
15	성제준TV	84.7 만
16	펜앤드마이크TV	82.3 만
17	이봉규TV	81.8 만
18	[공식] 새날	80 만
19	이재명	79.2 만
20	김태우TV	77.2 만

* 플레이보드, 유튜브랭킹 등 복수의 랭킹 사이트 교차활용.
지상파·종편 방송사 / 신문사 / 라디오 / 신문사 공식유튜브나 프로그램 공식유튜브는 제외, 활동 중단된 유튜브 제외

8. 유튜브는 콘텐츠로 운영한다

가수 성시경은 유튜브에서 소통하는 것을 즐깁니다. 연예인은 다른 일반인보다 성공 확률이 높지만, 그렇다고 모두 성공하는 것은 아닙니다. 그리고 구독자 100만 명은 달성하기 어려운 수치이며 이걸 달성한 연예인도 많지 않습니다.

성시경은 가수로서 노래 부르는 것은 물론 취미인 요리하기, 맛집 탐방 등을 하며 본인 이름으로 개설한 채널 구독자 수 170만 명을 넘겼습니다. 개그맨 신동엽과 함께 출연한 본인 영상에서 "유튜브는 일주일에 세 번 해야 한다.", "일기 쓰듯 해야 한다."라며 지속적인 콘텐츠를 통한 커뮤니케이션을 강조했습니다.[46]

---

46) https://www.youtube.com/watch?v=wJL-VOMCgJ8

내가 일기 쓰듯이 해야 하는 건 거지

유튜브 채널 〈성시경〉 중 '성시경의 먹을텐데' 압구정로데오 와일드 버팔로 2탄

이처럼 유튜브는 영상이란 매체를 통해 지속적으로 구독자들과 소통하는 것입니다.

정기적인 업로드와 생방송으로 채널을 운영하라

채널 운영은 장기적인 계획이 있어야 합니다. 기업이나 정부, 공공기관 유튜브 채널을 보면 연간 PR 목표나 커뮤니케이션 목표가 있습니다. 그 단계에 맞춰 반기별, 분기별, 월별, 주간별 콘텐츠 계획을 정하는 것이 중요합니다.

기업 채널의 경우 연간 이벤트가 반복되기 때문에 시기별 검색어 예측이 가능하고, 그 이벤트를 예상해 관련 콘텐츠를 제작해 올려놓는 경우가 많습니다. 개인 채널도 비슷합니다. 시기별, 절기별, 이벤트별로 주목받는 키워드를 분석하고 내가 만드는 콘텐츠와의 접점을 찾아 콘텐츠를 기획하는 것도 좋은 방법입니다.

유튜브에서 이런 유입, 조회수 증가를 통해 광고 수익을 노리고 제작하는 유튜버들을 낮춰 부르는 말로 '사이버 렉카'라는 단어를 쓰기도 하지만, 관심 있는 소재를 찾고 예측해 콘텐츠를 만드는 것은 중요한 일입니다.

장기적인 채널 운영 계획에 따라 영상 콘텐츠를 업로드하는 동시에 채널에 유입되는 키워드를 분석하는 것도 중요합니다. 내가 생각한 핵심 키워드는 A이지만 시청자들은 B라는 키워드 때문에 나를 찾아올 수도 있기 때문이죠. 그 이유는 데이터 유입분석에서 잘 볼 수 있습니다.

장기적인 채널 운영 계획을 세우는 것은 필요하지만 반드시 계획대로 진행하라는 것은 아닙니다. 단기 목표를 가지고 콘텐츠를 제작하되 댓글이나 조회수, 좋아요가 잘 나오는 방향으로 조금씩 콘텐츠 제작 방향을 조정해 나가는 것이 필요할 것입니다.

현재 유튜버 사이에선 주 2회 콘텐츠 업로드가 공식처럼 되어있습니다. 이 숫자는 많은 유튜브 크리에이터들의 경험에서 나온 것입니다. 하지만 영상은 8분이 가장 좋고, 업로드는 월 8회 이상이 가장 좋다는 의견이 정답은 아님이 분명합니다. 매주 1회나 그 이하로 업로드하지만, 여전히 인기를 끄는 채널도 있기 때문입니다. 분명한 것은 정기적으로 업로드하면 구독자들이 그 시기를 인지 하고, 알림을 놓

치더라도 채널명을 타이핑 해가며 스스로 채널을 찾아 들어오게 할
수 있다는 점입니다.

정기적으로 업로드하는 궁극적인 이유는 유튜브 크리에이터가
어떤 사람이고 어떤 콘텐츠를 언제 업로드하는지 타깃층이 쉽게 인지
하고 공감하게 만드는 데 있습니다. 이는 시청자를 팬으로 만들어 장
기적으로 채널의 생존에 지대한 역할을 할 것입니다.

킬링 콘텐츠를 만들고 활용하라

앞부분에서 유튜브 콘텐츠는 공중파나 레거시 미디어 등에서 활용되
는 영상과 다르다고 언급한 바 있습니다. 구체적 특징으로는 화려한
모션그래픽 효과보다 간결한 영상 편집과 자막을 들 수 있으며, 서사
적으로도 서두가 짧고 본문을 앞에 내세우는 경향이 있다는 점입니
다. 분명 좋은 영상을 만드는 것은 노력과 많은 시간이 필요하지만, 꾸
준한 업로드를 위해서 조금은 덜 신경을 쓰고 영상을 만들게 됩니다.
하지만 모든 영상을 그렇게 만들 수는 없습니다. 시청자들의 가려운
부분을 긁어주고 눈길을 잡을 나만의 킬링 콘텐츠가 필요합니다.

만약 시청자들이 유튜브 메인화면에서 섬네일을 보고 나의 채널
에 유입된다면, 그들이 구독 버튼을 누르게 하기 위해 채널 성격과 매
력을 보여주는 콘텐츠가 필요합니다. 그래서 유튜브에서는 '주목받는
동영상'이란 이름으로 상단에 자랑할 만한 콘텐츠를 보여주는 기능

〈집공략〉 채널에서 가장 상단에 보이는 동영상은 '집 보러 오면 90%는 이렇게 행동합니다.'이다.

을 마련해 놓았습니다.

유튜브 메인화면을 보면 가장 상단에 보이는 영상이 있는데 이를 '주목받는 동영상'이라 부릅니다. 이 '주목받는 동영상'은 유튜브 스튜디오 레이아웃에서 조정할 수 있는데, 비 구독자나, 재방문 구독자를 대상으로 설정할 수 있습니다.

이 자리에 놓는 동영상은 채널의 성격을 잘 보여주거나 시청자들의 마음을 잡을 수 있다고 판단한 콘텐츠입니다. 일반적으로 제작자가 가장 잘 만들었다고 생각하는 '킬링 콘텐츠'를 올려놓는 경우가 많습니다. '킬링 콘텐츠'는 다른 곳에는 없는, 이 채널이 가진 강점을 보여줄 수 있는 유니크한 콘텐츠가 되겠습니다.

유튜브 채널에서 '킬링 콘텐츠'를 고민해야 하는 이유는 방문자들을 단순히 구독으로 이끄는 것 이외에도 지속적으로 호감을 가지고 커뮤니케이션하기 위함입니다. 또한 팬을 만들고 스스로 좋은 후기를 남기고 다른 곳에 채널을 알리는 자발적 홍보대사로 만들기 위해서이기도 합니다. 그러기 위해서는 대상 타깃이 좋아하는, 혹은 대상 타깃에게 필요한 콘텐츠, 혹은 공유하고 싶은 콘텐츠인 '킬링 콘텐츠'를 만들어 내는 것이 필요합니다.

일반적으로 최적의 콘텐츠를 유튜브의 최상단, '주목받는 동영상'에 고정시켜 놓는데, 이는 시청자들이 단순하게 채널을 방문했더라도 상단에 위치한 콘텐츠를 보고 해당 채널의 수준이나 지향하는 바를 가늠할 수 있기 때문입니다.

킬링 콘텐츠를 활용하는 것은 유튜브 채널 방문자에서 구독자로 만드는 핵심 비법 중 하나인데 특별히 기업이나 정부, 지자체, 공공 단체 등 공적 의미를 갖는 채널에서는 더욱 심화된 킬링 콘텐츠 전략이 필요합니다.

공공채널의 대표 킬링 콘텐츠 예가 〈에버랜드〉 채널입니다. 에버랜드는 국내 여행 레저 업계에서 최초로 유튜브 구독자 수 100만 명을 돌파했고, 이는 기업이 운영하는 유튜브로서도 이례적인 숫자입니다. 에버랜드의 킬링 콘텐츠는 매번 조회수 100만은 거뜬히 찍는 자이언트 판다 '푸바오' 영상으로, 현재 최고의 인기를 누리고 있습니다. 유튜브의 흥행은 에버랜드를 향한 발길로 이어졌습니다. 2023년 6월 에버랜드 '판다월드' 일 평균 방문객 수는 푸바오 인기 역주행이 시작된 5월 첫째 주에 비해 2배 수준으로 늘어났고 합니다. 3, 4월 대비 최근 에버랜드 판다 관련 굿즈 일 평균 매출도 80%가량 증가했습니다.

공적 의미를 갖는 채널의 콘텐츠는 어느 정도 홍보나 정보성의 특별한 목적을 가진 콘텐츠가 많기에 연예인이 출연하는 다른 콘텐츠와 비교할 때보다 흥미가 떨어질 수 있습니다. 또한 연예인들이 출연한다고 해도 반짝 효과를 거두거나, 그 효과가 기대 이하일 경우도 많이 보입니다. 이럴수록 구성이나 내용이 잘 짜여진 킬링 콘텐츠가 그 채널의 존재 의미를 극대화시킬 수 있습니다. 고객을 유치할 수도 있고, 구매하려는 제품에 관한 이야기도 펼칠 수 있는 것입니다. 또 정부나 공공 단체의 입장도 이야기할 수 있으며, 각종 정보를 제공해서 구독자들이 스스로 공유하고 확산하고 구매하게 만드는 기능을 하기도 합니다. 그리고 단순하게 광고처럼 휘발되는 것이 아니라 콘텐츠로서 무한히 회자될 수 있는 극적인 능력도 발휘하게 되는 것입니다.

9. 유튜브 운영을 위한 팁 17

① 유튜브 고객센터를 활용하라

서점가나 유튜브 운영을 다루는 유튜브 채널을 보면 너무나 많은 팁이 즐비합니다. 그러나 유튜브 알고리즘도 처음과 많이 달라졌고, 떠도는 소문같이 출처가 불분명한 팁들이 너무 많은 것 같습니다. 일부는 개인 경험담을 정리해 놓은 것일 뿐 정확한 근거라고 보기 어려운 것들이죠. 그리고 해당 경험도 조건이 달라질 때 동일하게 적용된다는 보장이 없는 경우도 많습니다.

유튜브는 공식적으로 유튜브 알고리즘을 공개한 바 없습니다. 지금 알고리즘이라고 알려진 것들은 유튜버들이 경험을 통해 추정하거나, 일부 유튜브 담당자들의 인터뷰 등을 통해 추측한 것일 뿐입니다. 따라서 저는 유튜브를 시작하는 사람들에게 '유튜브 고객센터'를 적

도움말 센터

유튜브 커뮤니티 탭에서 추천 게시물과 인기 게시물을 보여준다.

극 활용하라고 이야기합니다.

'유튜브 고객센터'는 유튜브에서 공식적으로 제공하는 정보 사이

영상 시청 및 채널 구독(데스크탑, 핸드폰 및 기타 기기) 구독했던 유튜버들의 모든 구독 기록이 없어졌습... 유튜브 앱 홈 하단에 콘텐츠 재생 버튼이 생겼습... 챕터가 설명에슨 뜨지만 영상엔 나눠지지 않습니... 모두보기 →	**동영상 업로드 및 내 채널관리** 유튜브 업로드중 컴퓨터 꺼짐(영상 파일 없음) 지금 현재 영상 분석창의 다음동영상 조회수가 말... 광고를 넣은것이 없는데 광고가 출력이 됩니다. 모두보기 →
댓글, 게시물, 스토리 등으로 소통하기 유튜브 댓글 사용자 숨기기 유튜브 댓글창 안보임 댓글 좋아요 싫어요 삭제 모두보기 →	**내 YouTube 계정** 제 댓글들은 대량으로 삭제됐는데 누가 그런신 건... 계정 인증 완료했는데 진행이 안되네요! 왜 YouTube에만 로그인이 안될까요? 모두보기 →
정책 및 커뮤니티 가이드라인 정책 위반에 대한 정책교육 듣는 방법 유튜브가 켜진 상태에 잘못 눌러서 자동 신고가 되... 자동화시스템이 커뮤니티가이드 위반이라고 잘... 모두보기 →	**실시간 및 게임** 실시간 채팅 다시보기 실시간 스트리밍에서 방송 초기에 시청자들이 계... [URGENT]라이선스를 취득한 제3자 음악 라이브... 모두보기 →
YouTube 파트너 프로그램 신청 및 자격요건 유튜브 수익창출 2단계 구글 애드센스 설정이 자... 수익창출 조회수 멈춤 신청합니다언제되나요 모두보기 →	**저작권 및 콘텐츠 ID** 블로그에 유튜브 동영상 링크 노래 커버(트레이싱) 영상 국가 차단 해외 고전 영화 쇼츠 저작권 모두보기 →

유튜브 커뮤니티 탭엔 네이버 지식인과 유사하게 다양한 팁들이 정리되어 있다.

트입니다. 이곳에 쓰여 있는 정보를 모두 읽어본 사람은 드물 것입니다. 하지만 여기만큼 공식적으로 정확히 정보들을 정리해 놓은 곳도 없고, 해당 케이스별로 자세히 서술되어 있어 가장 큰 도움을 받을 수 있다고 생각합니다. 그러므로 종종 유튜브 고객센터 페이지에 접속해 추천 게시물과 인기 게시물을 읽어보면 유튜브를 운영하는 데 도움을 얻을 수 있을 것입니다.

페이지가 종종 개편되지만, 현재 유튜브 고객센터에는 '도움말 센터', '커뮤니티', '크리에이터 팁' 메뉴로 구성되어 있습니다. 각 메뉴에는 도움이 될 만한 내용들이 잘 설명되어 있고요.

② 유튜브 블로그와 크리에이터 공식 채널을 활용하자

유튜브 블로그와 크리에이터 공식 채널도 잘 활용하면 좋습니다. 한국 유튜브에서 발행하는 콘텐츠들인 만큼 한국에 적용할 만한 유용한 정보가 많거든요. 유튜브에서 어떤 부분에 집중하고 있는지 예측 가능하니 종종 챙겨보면 좋을 것입니다.

- 유튜브 블로그: https://youtube-kr.googleblog.com/
- 유튜브 크리에이터 공식 채널: https://www.youtube.com/@youtubecreatorskorea

③ 지금은 '시성비'의 시대라는 걸 잊지 마라

최근 나타나는 '시간의 가성비'를 추구하는 행동은 과거와 같은 듯하

유튜브 한국 블로그

면서도 다릅니다. 요즘에는 콘텐츠 시청처럼 비교적 재미있는 행동에서조차 시간의 가성비를 추구하니까요. 긴 영상을 빨리 돌려보는 것과 같은 것입니다. 반대로 시간을 더 많이 쓰는 곳도 있습니다. 2시간짜리 영화를 10분으로 요약한 숏폼 영상을 즐기면서도 좋아하는 영화나 드라마를 몇 번이고 반복해서 시청하기도 합니다. 이런 트렌드가 주는 시사점은 사람들이 시간을 무조건 효율적으로 사용하는 것은 아니라는 점입니다.

유튜브를 사용하는 목적도 상황에 따라 다를 것입니다. 초기라면 방향성을 정하기 위해 요점 정리만 하거나 실속을 추구하는 것이 좋습니다. 정보성 콘텐츠도 요점 정리가 바람직하지요. 하지만, 어느 정도 팬이 쌓였다면 과정을 함께 알아가는 콘텐츠를 기획하는 것이 좋습니다. 정보 이외의 재미가 가미된 콘텐츠가 더욱 그러하고요. 또, 시청자의 니즈에 따라 거기에 맞는 기획을 해보는 것은 어떨까 생각합니다. 예를 들어 라디오같이 장시간을 틀어놓을 수 있도록 편안하고 긴 영상 말이죠.

이런 시도를 할 때는 반드시 시청 데이터를 확인해 내 채널 콘텐츠가 방문자들에게 어떤 피드백을 받았는가 확인하는 것이 중요합니다. 그리고 그 점을 기억했다가 차후 콘텐츠 제작에 꼭 반영하길 바랍니다.

④ 글로벌 시청자를 고려한 콘텐츠를 제작하라

유튜브 이용자는 전 세계적으로 퍼져 있습니다. 이는 유튜브 콘텐츠에 경계가 없다는 의미이죠. 거텀 아난드 유튜브 아태지역 총괄 부사장은 "한국 기반 유튜브 전체 시청 시간 중 30% 이상이 한국 밖에서 이뤄지고 있다."고 밝힌 바 있습니다.[47] 콘텐츠를 기획하고 운영할 때 글로벌 시청자를 고려하고 제작해야 한다는 것입니다.

유튜브가 국제적인 만큼, 콘텐츠 메인 언어도 고려해야 합니다. 한 사이트에서 TOP 250 유튜브 채널의 주사용 언어를 분석해 본 결과 영어가 66%를 차지했고, 남미 및 스페인/포르투갈이 포함된 라틴계 채널이 22%를 차지했습니다.[48] 이런 논리라면 영어와 스페인어 시장을 고려해 자막을 달면 시청자 및 구독자 유입에 도움이 될 것입니다.

메인 언어도 알고리즘에 영향을 미치고, 시청자 입장에서도 자막을 읽는 것과 자신들의 언어로 만들어진 콘텐츠를 시청하는 것은 다를 것입니다. 〈핑크퐁〉도 영어 유튜브와 한글 유튜브를 분리해서 운영하고 있음을 주목하시기 바랍니다.

만약 한국어로 콘텐츠를 만들고 자막을 붙이는 경우 유튜브에서 제공하는 자동 자막 완성 기능을 활용하면 됩니다. 다만 콘텐츠를 업로드한 뒤, 한국어로 자동 생성되는 자막이 잘 만들어졌는지 확인하는 과정은 필수입니다. 그리고 복문의 말 자막보다 단문의 말 자막이 자동으로 잘 번역되는 편이니 기억해 두세요. 여유가 있다면 영어를 병기 하거나 유튜브 번역을 전문적으로 해주는 유료 서비스를 받아도 좋습니다.

애초에 글로벌 타깃을 고려해 콘텐츠를 기획하는 것도 좋습니다. 글로벌 타깃이란 외국인이 좋아할 만한 콘텐츠를 기획하는 것을 의미합니다. 한국어가 들어가지 않고 직관적으로 보면서 이해하는 콘텐츠라면 글로벌향 콘텐츠로 손색이 없을 것입니다. ASMR 같은 힐링 콘텐츠가 대표적인 예가 될 것입니다. 다만 글로벌 타깃의 경우는 제

47) 박재령, "100만 구독 한국 유튜브 채널은 몇개나 될까", 『미디어오늘』, 2023.09.21. https://www.mediatoday.co.kr/news/articleView.html?idxno=312672
48) https://www.twinword.co.kr/blog/top250-popular-channels-on-youtube/

목과 설명을 영어로 써야 하고, 구독자 추이를 보면서 조금씩 방향을 잡을 필요가 있을 것입니다.

⑤ 좋은 대행사나 전문가를 찾아라

1인 제작하는 것도 방법이지만 수익화 같은 운영 목적을 가지고 제작한다면 팀을 이뤄 작업하는 것을 추천합니다. 개그 코미디 유튜브 채널 같은 경우 대부분 그렇게 합니다. 팀을 이뤄 차곡차곡 콘텐츠를 올리면 콘텐츠 퀄리티도 좋아지고, 지속적인 업로드에도 유리합니다.

기업이나 공공채널의 경우, 직접 유튜브 콘텐츠를 제작하기도 하지만 대부분은 대행사나 전문 프로덕션의 도움을 받습니다. 이때 직접 발주를 줘서 영상제작자를 컨트롤하는 경우도 있지만, 홍보대행사를 파트너로 선정해 그들이 영상제작자를 핸들링하는 경우도 있습니다. 홍보대행사는 짧은 영상의 경우는 내부에서 제작하기도 하고 전문적인 킬링 콘텐츠는 아웃소싱을 주기도 합니다.

만약 기업이나 공공채널에서 홍보 성격의 유튜브가 필요하다면 홍보대행사를 선택하는 것이 맞고, 유튜브 알고리즘 마케터가 필요하면 좋은 마케터를 보유한 유튜브 전문회사를 찾는 것이 좋습니다. 또한 킬링 콘텐츠 같은 경우, 전문 영상 콘텐츠 제작자에게 맡기는 것이 나은 선택입니다. 킬링 콘텐츠는 자본과 인력이 많이 들어갈 수밖에 없고, 그만큼 기대도 크니 시행착오를 줄이는 것이 필요하기 때문이죠.

영상은 비싼 장비와 화려한 효과가 다가 아닙니다. 영상 콘텐츠를 통해 기업이나 공공채널의 메시지가 시청자들에게 의미 있게 남는 것이 중요합니다. 또한 유튜브 플랫폼에 해당 영상 콘텐츠 주위로 재미있는 경쟁 게시물이 가득 차 있습니다. 그런 경쟁에서 싸워 이겨야 하는 상황상 기획과 운영, 제작은 전문가에게 맡기는 편이 낫다고 생각합니다.

많은 기업과 다수의 공공채널 컨설팅을 하다 보면 일부 담당자가 회사 유튜브를 통해 대리로 자아실현을 하는 경우를 발견하곤 합니다. 이런저런 것들을 해보고 싶은 거죠. 기업이나 공공채널의 담당자는 길게 보고 단체를 대표하는 채널을 운영한다는 마음으로 준비해야 합니다. 부서의 막내에게 "젊으니까, 네가 영상 한 번 만들어 봐." 식의 접근은 곤란합니다.

그리고 제작사들과 협업할 때 관계를 명확하게 하는 것이 필요합니다. 단순히 촬영과 제작만 아웃소싱할 것인지, 아니면 기획 단계부터 같이 머리를 싸매고 준비할 것인지 선택해야 합니다. 이에 따라서 예산과 결과물이 달라지기 때문입니다. 특히 기획 단계는 내부에서 하고, 외부에는 촬영 편집만 맡기는 경우도 많습니다. 영상은 영상 전문가가 있듯이, 그런 기획을 영상으로 만드는 데도 전문가가 필요합니다. 만약 제작 전문가를 믿지 않고 유튜브 관리자 자신의 의견만 관철하면 당연히 좋은 영상이 나오기 힘듭니다.

그리고 영상 제작 예산이 저렴하면 그만한 이유가 있는 경우가 많습니다. 가격이 싸면 경험 없는 사람이 나오거나 부족한 장비를 사용하게 될 가능성이 높기 때문입니다. 조명을 하나 더 쓰면 화면이 더 좋아질 수밖에 없습니다. 전문 조명감독이 조명을 쓰면 더욱 퀄리티가 높아지게 되죠. 최신 장비 보다 전문 인력의 능력에 따라 퀄리티 편차가 크게 나타납니다. 일반 콘텐츠야 누구나 촬영할 수 있다고 해도, 제품을 판매하는 광고 촬영이라면 전문가에 의한 퀄리티 높은 촬영이 이루어져야 할 것입니다. 촬영된 이미지를 보고 마음이 동해 구매까지 이어져야 촬영의 목적을 달성할 수 있기 때문입니다. 무조건 싼 곳만 찾지 말고, 목적에 맞게 합리적으로 예산을 산정하고, 좋은 파트너를 찾기 바랍니다.

⑥ 홍보전략과 함께 운영하라

사람들은 포털사이트를 통해 뉴스를 주로 보지만 해를 거듭할수록 그 비율은 줄고 있습니다. 대신 소셜미디어로 뉴스를 보는 경우가 꾸준히 늘고 있습니다. 언론재단의 '허위 정보 우려 상승 및 유튜브 뉴스 이용 증가' 보고서에 따르면, 지난 한 주 동안 뉴스 검색·읽기·보기·공유 또는 뉴스 토론을 위해 이용한 소셜미디어 플랫폼이 무엇이냐는 질문에 응답자 중 53%가 유튜브를 골랐습니다. 한국 응답자 2명 중 1명은 소셜미디어 플랫폼 중 유튜브를 통해 뉴스를 소비하는 것입니다.

신문을 보지 않고 유튜브로 뉴스를 시청하는 사람들이 많아지고 있습니다. MBC 뉴스 유튜브 채널의 경우 구독자가 400만 명에 육박할 만큼 괄목할 만한 성장을 보였습니다. 실시간 스트리밍도 종류별로 진행하며, 지나간 뉴스를 엮어 심층적으로 보게끔 편성하기도 합

MBC뉴스 유튜브 채널

니다.

이런 트렌드에 맞춰 '브랜드 저널리즘'의 관점에서 유튜브를 통해 뉴스를 확산하는 것도 좋은 전략이 될 것입니다. 기업이나 공공채널의 경우 이슈가 있을 때 보도자료를 뿌리는 경우가 있는데, 대중들은 포탈이나 소셜미디어에서 뉴스를 접하고 추가로 자세한 내용을 알고 싶어 유튜브 탐색을 통해 해당 뉴스를 검색하는 경우가 있습니다. 그리고 반대로 유튜브에서 해당 뉴스가 이슈가 되기 때문에 트렌드 키워드로 판단해 관련 유튜브 영상을 올려주기도 합니다. 이렇게 보도자료에 관련된 영상을 만들어 올리면, 소셜미디어 타임라인에서 유튜브 영상이 유통될 수 있습니다. 그러므로 뉴스가 유통되는 시기를 고려한 홍보전략을 세워 채널을 운영하는 것이 좋습니다.

단순하게 알리는 스트레이트성 기사가 아니라 동영상으로 보면 더 좋을 것 같은 것들을 유튜브 콘텐츠로 만들면 좋습니다. 예를 들어 어떠한 기술이나 특별한 제품, 신규 서비스 같은 경우는 영상으로 보면 이해가 빠르기 때문에 유튜브용 콘텐츠로 제작하면 좋습니다.

이러한 콘텐츠는 업로드 시기가 중요합니다. 해당 보도자료 배포 이전에 관련 동영상을 먼저 올려놓으면, 기사를 보고 동영상 관련된 키워드를 검색하게 됩니다. 엠바고 등 보안 때문에 보도자료 배포 이전 동영상을 올려놓기 힘들면 뉴스가 나가는 순간 바로 업로드하도록 준비해 두면 좋습니다.

특별히 중요내용이 없는 경우는 유튜브에 유사한 동영상을 만들어 몇 주 전부터 업로드하는 것도 방법입니다. 아니면 관련 콘텐츠 업로드를 마친 뒤, 링크를 보도자료에 삽입할 수도 있을 것입니다. 엠바고 시간 이전까지는 비공개로 처리하고 이후 공개로 전환하는 것이죠.

⑦ 섬네일에 너무 목숨 걸지 말아라

강의를 하다 보면 가장 많이 받는 질문이 섬네일과 해시태그와 관련된 것입니다. 아마 가장 손쉽게 유입을 늘릴 수 있기 때문이 아닌가 싶습니다. 사실 제목은 섬네일과 해시태그에 목숨 걸지 말라고 적었지만, 섬네일과 해시태그는 몹시 중요합니다. 하지만 이것만 잘한다고 유튜브가 흥하지는 않습니다. 궁극적으로 출연진이 매력 있어야 하고 콘텐츠가 마음에 들어야 합니다.

눈길 가는 섬네일을 만드는 여러 방법이 있지만 전략적으로 낚시를 하는 것도 한 가지 방법입니다. 하지만 낚시를 과하게, 또 반복적으로 하다 보면 구독자들에게 신뢰를 얻기 힘들고 낚시하는 거짓 채널로 인식되기 쉽습니다. 사실 언론사 온라인 미디어도 트래픽 때문에 이 부분을 고민하고 있습니다. 실제 제목을 잘 정하는 기사는 평균적으로 높은 트래픽이 몰리기 때문입니다.

클릭을 유도하는 섬네일 문구가 고민이라면 온라인 기사를 잘 정리해 어떤 문구가 클릭을 유도하는지 살펴보는 것도 방법입니다. 문구의 어떤 포인트가 이 기사를 클릭하게 했는지, 클릭하는 시청자는 어떤 것을 기대하게 되었는지 등을 살펴보는 것이죠.

섬네일은 일반적으로 텍스트와 이미지로 구성됩니다. 이미지가 강렬하다면, 이를 적극적으로 활용하는 것이 조회수가 높습니다. 이미지는 아주 직관적인 소통 방법이기 때문입니다. 광고에서 말하는 3B(Baby, Beast, Beauty)를 기본적으로 생각하시면 됩니다. 촬영한 영상 중 이미지가 궁금증을 유발하거나, 평소 못 보던 그림이거나, 상황을 잘 설명해 준다면 섬네일 이미지로 만들면 됩니다. 직관적인 섬네일일 경우 별 설명이 없어도 괜찮습니다. 그냥 클릭하고 싶은 이미지를 놓고, 그 이미지를 통해 호기심을 던져 주는 경우면 더욱 좋은 결과를 가져올 수 있을 것입니다.

텍스트도 아주 중요합니다. 호기심을 자극하거나, 알고 있는 상식을 뒤집거나, 새로운 정보를 던져주는 핵심 키워드를 적는 것도 좋습니다. 하지만 단순한 단어를 적는 것보다는 호기심을 유발하는 의문

과거 우체국 유튜브 채널, 지금은 이렇지 않다.

형 질문이라든지, 알고 있는 상식에 위배 되는 내용을 강하게 적는 것도 방법입니다.

섬네일에 있어 디자인 요소도 아주 중요합니다. 잘 디자인된 섬네일은 콘텐츠에 대한 신뢰도를 상승시키는 효과를 갖습니다. 하지만 가독성이 떨어지는 섬네일 글씨, 크기 등을 사용하면 안 됩니다. 그리고 섬네일만 모았을 때 통일된 느낌은 좋지만, 텍스트만 다르고 모든 것이 같은 유튜브 섬네일은 지양해야 합니다. 채널 홈페이지에 들어갔을 때 통일된 느낌을 줄 순 있지만, 무슨 텍스트인지 눈에 들어오지 않을뿐더러, 누르고 싶은 생각도 들지 않기 때문이죠.

다시 말하지만 섬네일은 중요합니다. 하지만 이것만 잘한다고 유튜브가 흥하지는 않습니다. 흥하는 유튜브의 핵심은 콘텐츠에 있음을 명심하세요.

⑧ 목표와 계획을 세워서 운영하라

잘 안되는 채널을 분석해 달라는 요청을 자주 받는데, 그럴 때 공통
적으로 느끼는 것이 있습니다. 처음에는 의욕을 가지고 덤벼서 몇 개
씩 올리는데, 나중에는 업로드 자체가 뜸하거나 드문드문 올리는 경
우입니다. 또 처음 업로드할 때 몇 개씩 올리다가 반응이 크게 없으니
채널 방향성을 금세 바꿔버린 경우도 이에 해당합니다.

전문 유튜버들을 만나보면, 유튜브는 업로드 게시물 당 평균 조
회수를 가지고 채널 평균값을 산정하는 것 같다고 말합니다. 물론 가
중치가 있는 상태에서 말입니다. 이 말인즉, 하나가 잘 나오고 그 다
음 콘텐츠 조회수가 너무 안 나와도 일정 기간에 일어난 평균 조회수
와 댓글 수 등의 평균값을 매겨 기준을 잡는다는 것입니다. 일정 기간
에 얼마나 참여가 일어났는지 분석하는 것이죠. 그러므로 꾸준히 목
표와 계획을 세워 업로드하는 것이 중요합니다.

일반적으로 기업이나 공공채널의 경우는 꾸준히 콘텐츠가 업로
드되지만, 개인의 경우는 업로드 주기도 불규칙하고 콘텐츠의 방향이
자주 바뀔 때가 많습니다. 또, 기업 채널이나 공공채널은 콘텐츠가 소
비되는 시점을 고려하지 않고, 월요일부터 금요일까지 회사 근무하듯
이 업로드하는 경우도 있습니다. 유튜브는 24시간 운영되는 영상 플
랫폼입니다. 데이터를 기반으로 분석하고 일정 기간 동안 목표와 계
획을 세워서 꾸준히 업로드해 보시길 바랍니다.

공공채널의 경우 목표와 계획을 잘 세워서 운영하면 선제작으로 업로드용 영상을 미리 만들 기회도 생깁니다. 특히 업로드 전에 많은 사람들의 의견을 경청해 이슈가 발생할 수 있는 부분을 디테일하게 확인해야 하는데, 제작 일정을 여유 있게 잡아 검수하는 과정을 거치는 등 리스크 관리에도 관심을 쏟아야 합니다.

개인 채널도 언제 아플지 모르고, 예상치 못한 악플에 스트레스로 인한 공황장애를 가지는 경우마저 있습니다. 그럴수록 장기적 목표와 방향을 정하면 한번 촬영에 여러 편의 콘텐츠도 제작할 수 있으니, 목표하에 여유 있게 채널을 운영하기를 바랍니다. 유튜브는 단거리 달리기가 아닙니다.

⑨ 유튜브 채널은 브랜딩의 연장

"내일이 없어! 난 오늘만 산다."

슈퍼챗, 별풍선 같은 도네이션을 받기 위해 과도하게 행동하는 스트리머나, 유튜버가 썼던 말입니다. 과거 일부 BJ의 경우 정말 선정적이고 엽기적인 행동을 하는 사람들이 종종 있었습니다. 그런 행동으로 별풍선을 노렸고, 그렇게 해서 많은 후원금을 받았습니다. 일부 스트리밍 플랫폼에서 그런 일이 계속 반복되곤 했죠. 하지만 그런 경우는 더욱 주목을 끌기 위해 자극적인 행동만 반복하게 되어있습니다. 그런 콘텐츠는 그저 자극적이기만 할 뿐이죠.

일부 정치 유튜버들은 수익 극대화를 위해 우측이나 좌측, 한쪽으로 과한 말을 쏟아 내기도 합니다. 신기하게 알고리즘은 그런 과격한 발언이나 관심에 민감하게 반응합니다. 다시 말해 많은 사람이 유튜브에서 자신이 생각하거나 믿고 싶은 내용을 담은 콘텐츠를 시청하는데, 과격할수록 '좋아요'를 누르고, 응원 댓글을 달고, 슈퍼챗을 보내는 경향이 훨씬 많이 발생하는 거죠.

그러니 유튜브 알고리즘도 내용을 판단하지 않더라도, 사람들의 참여도가 높기 때문에 이들을 먼저 노출시키는 것 아닌가 싶습니다. 논문에서도 정치 관련 유튜브는 확증편향을 통해 자신의 신념을 확인받기 위한 도구로 사용되고 있다고 연구된 바 있습니다.[49]

일반 유튜브 채널도 브랜딩을 반드시 먼저 생각해야 합니다. 단순하게 YPP 광고비만 가지고 채널을 운영하기는 한계가 있고, 개인 자체가 IP가 되어 브랜디드 콘텐츠를 받아야 하는 것이죠.

최근에는 기업들도 다양한 유튜버와의 협업을 통해 광고를 진행합니다. 이에 기업이나 공공채널에서 관심을 가질만한 가치 있는 사람으로 퍼스널 브랜딩을 해야 합니다. 개인 브랜딩이 잘 되면 수익 금액보다 큰 새로운 부가 사업을 할 기회가 찾아오니까요. 유튜브를 통한 개인 브랜딩은 사업 기회를 제공하며, 브랜드와 신뢰 구축에 유용합니다.

현재 운영하는 채널이 수익을 목적으로 한 개인 채널이 아닌 기업이나 공공채널인 경우, 개인보다 더욱 브랜딩 개념을 가지고 채널기

---

49) 강명현, "유튜브는 확증편향을 강화하는가?: 유튜브의 정치적 이용과 효과에 관한 연구", 「한국소통학보」(한국소통학회, 2021), 제20권 4호, 261-288쪽.

획과 운영을 시도해야 합니다. 개인 채널일 경우 취미로 영상을 업로 드하고, 내가 만든 영상에 대한 피드백을 받으며 조회수 상관없이 즐길 수 있겠지만, 기업과 공공채널은 큰 운영 목표 아래 하나씩 이미지를 쌓아 가는 것임을 반드시 기억해야 할 것입니다.

열 번 잘하다가 한번 이슈가 되어도 이미지가 한순간에 무너지고, 다시 복구하기는 꽤 오랜 시간이 걸립니다. 그러므로 사전에 목표와 계획을 세워 콘텐츠를 만들어야 합니다.

⑩ 영상은 보고서가 아니다

애프터이펙트 사용이 대중화되면서 영상에 효과를 넣는 경우가 많아졌습니다. 특히 일러스트를 활용해 모션 효과를 쉽게 줄 수 있게 되면서 일부 영상은 보고서 형태에 무언가 조금씩 움직이는 형태 그대로 업로드하는 경우가 있습니다.

관공서나 기관 영상을 보다 보면 영상 내용을 보는 것이 아니라, 파워포인트 보고서 글자를 따라 애니메이션을 보고 있는 경우가 많습니다. 스토리 없이 애니메이션 효과만으로 만들어진 영상은 좋은 영상이 아닙니다. 이런 영상은 한 번은 참고 봐줄 수 있다 해도, 결코 다시 보고 싶거나 다음 장면이 어떨지 궁금해지는 영상은 될 수 없습니다. 화면 안의 영상은 목적을 두고 스토리를 만들거나 평소 보지 못한 장면을 통해 관심을 끌어야 주목도가 높아지고 시청 지속 시간이 늘어나게 됩니다.

모션그래픽을 사용한 영상이 많아지면서, 사람들은 오히려 모션그래픽 효과에 무뎌지게 되었습니다. 모션그래픽 상에서 상징적인 이미지라든지, 개연성 있는 움직임이 아니라 단순히 글자가 날아 들어오는 것은 더 이상 신기하지도 않고, 주목받는 장면들이 아닙니다.

콘텐츠가 필요한데 파워포인트 보고서는 있으니, 동영상 애니메이션 효과만 넣어 올리는 경우가 많았습니다. 그런데 사실 보고서 같은 영상도 제작 시간이 길게 걸립니다. 하지만 유튜브에서 흥하는 영상은 보고서도 아니며 파워포인트의 애니메이션 효과도 아닙니다. 형식은 파워포인트 애니메이션일 수 있으나, 그 안에서는 스토리를 찾아가는 잘 짜여진 구성이 필요합니다.

⑪ 고정 관념을 깨라

'본 디지털 네이티브' 세대들이 점차 많아짐에 따라, 창의적으로 영상 콘텐츠를 만드는 채널이 많아졌습니다. 영상을 가볍게 생각하고 구독자와 소통하는 방법으로 콘텐츠를 만드는 것도 방법입니다. 고정 관념을 깨고 콘텐츠를 자유롭게 만들어 소통하는 크리에이터, 그 대표적인 예가 〈과나〉입니다.

유튜브 채널 〈과나〉는 노래를 만들어 올리는 1인 크리에이터로 유명합니다. 2019년 10월 6일 '라볶이에 미친 사람의 인생 레시피' 영상을 업로드했는데, 레시피를 가사로 만들어 노래를 부르며 음식을 만드는 신선함과 노래 자체의 훌륭함 덕에 엄청난 호응을 받아 단 3개의 영상으로 10만 구독자를 돌파했습니다. 이렇게 빠른 속도로 구독자 수가 급증한 경우는 대개 유튜브 시작 전부터 이름이 알려진 경

〈과나〉 유튜브 채널

우인데, 그것이 아닌 무명의 유튜버로서는 이례적인 성장세입니다.

〈과나〉의 콘텐츠는 재미있는 가사의 음악 콘텐츠가 대부분인데, 구수한 목소리 및 입담이 특징으로 음악, 미술, 요리를 한꺼번에 하는 콘텐츠를 많이 만듭니다. 요리, 애니메이션, 브이로그 등 온갖 장르의 영상을 내놓으며 음악 장르도 국악, 힙합, 트로트, 록, R&B, 레게, 동요, 발라드 등 상당히 다양한데, 이 장르들을 섞기도 하죠. 특히 본인이 직접 그림을 그리면서 만드는 콘텐츠도 많습니다. 90년생으로 알려진 과나는 창의적인 영상 콘텐츠를 만들면서 구독자들의 폭발적인 인기를 끌었습니다. 그런 관계를 바탕으로 구독자 백만 명이 눈앞에 있으며, 2023년 숏폼 콘텐츠의 폭발적인 인기를 끈 조주봉의 노래 '홍 박사님을 아세요?'의 프로듀싱을 담당하는 등 비단 유튜브뿐 아니라 전방위적인 노력을 펼치고 있습니다.

숏폼 콘텐츠가 활성화되면서 16:9의 가로 프레임이 아니라 9:16의 세로 프레임을 기본으로 삼는 콘텐츠가 많아졌고, 특히 젊은 세대를 대상으로 하는 유튜브 크리에이터들은 단순히 유튜브 플랫폼뿐 아니라 틱톡까지 무대를 전방위적으로 넓히고 있습니다. 그중 유튜브 〈김프로〉는 압도적인 조회수를 기록하고 있습니다.

사촌 동생 유백합과 함께 채널을 만들어 가고 있는 김프로는 2023년 8월과 9월 〈김프로〉 유튜브 채널이 전 세계 월간 조회수 1위를 달성할 만큼, 폭발력 있는 성장세를 보여주고 있습니다. 3,100만 명의 구독자를 가진 유튜브 채널 〈김프로〉의 슬로건은 "이 시대 최고의 꿀잼 남매 유튜브 채널"입니다. 미녀의 여성 유튜버들과 콘셉트에 맞춰 다양한 옷을 입기도 하고, 때로는 카메라 앞에서 장난을 치는 듯한 콘셉트로 콘텐츠를 진행합니다. 〈김프로〉 채널 콘텐츠는 어떠한 치밀한 구성이나 방향보다는 단순하게 시청을 시작하게 되면 계속 콘텐츠 속으로 자연스럽게 빠져들게 만든다는 특징을 가지고 있습니다.

무슨 장엄한 메시지가 있는 것이 아니라 언어가 달라도 쉽게 감상할 수 있는 콘텐츠를 만들어 올리는 것입니다. 채널 출연자들은 자기들끼리 장난을 치거나, 카메라를 보면서 재미있는 행동을 하거나, 영상 자체를 두려워하지 않고 자연스럽게 콘텐츠를 만들어 올리는데 전 세계의 구독자들이 엄청나게 열광하면서 콘텐츠를 시청합니다.

영상으로 소통하는 유튜브 플랫폼은 다양합니다. '스터디윗미'처럼 내용 없이 같이 공부하는 채널도 있고, 그냥 〈유엔빌리지 한강 라

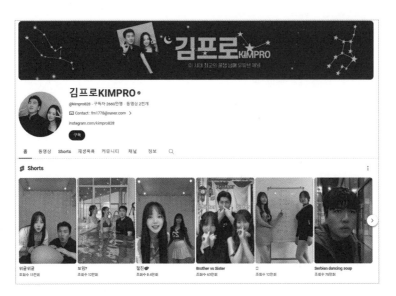

〈김프로〉유튜브 채널

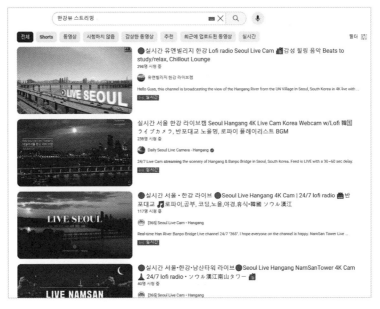

유튜브 검색창에 '한강뷰 스트리밍'을 치면 많은 콘텐츠가 올라와 있다.

이브캠〉 채널처럼 창밖 뷰를 하루 종일 라이브 하는 콘텐츠도 있습니다. 고정 관념을 깨야 합니다. 결국 유튜브는 영상으로 소통하는 플랫폼이란 점을 기억하세요.

아니면 〈JUST Walk〉처럼 길거리를 걸어 다니는 콘텐츠가 있는가 하면 ASMR로 빗소리만 듣는 콘텐츠, 비만 오면 풍경을 담는 유튜버도 있습니다. 생각보다 구독자 수도 많고요.

또한 세차나 청소하는 유튜브도 순항 중입니다. 차가 깨끗해지는 과정이나 동전을 닦는 과정을 통해 간접적으로 쾌감을 얻을 수 있습니다.

⑫ 장비에 목숨 걸지 마라

"유튜브 실상, 결국 당근마켓서 카메라 팝니다."

한 언론사 기사 제목입니다. '당근마켓'이 활성화되면서 장터에 유튜브 장비를 파는 사람들을 쉽게 볼 수 있습니다. 유튜브 채널을 개설하기 위해 고급 장비를 샀다가 다시 되파는 것이죠.

장비가 좋으면 좋을수록 디테일한 효과를 낼 수 있고, 세밀한 연출이 가능하기 때문에 좋은 장비를 구매하면 촬영된 퀄리티가 좋을 수밖에 없습니다. 일반적으로 장비라고 하면 카메라를 이야기합니다. 그러나 유튜브 콘텐츠에서 카메라의 고급 기능을 사용해 연출되는 콘텐츠는 그리 많지 않습니다. 물론 고화질 영상이 좋지만 눈으로 보기엔 큰 차이가 나지 않기 때문입니다.

영상 제작자 입장에서 4K 이상의 화질로 장시간 촬영된 데이터들을 사용해 편집하면 컴퓨터가 버벅대고 시간이 많이 걸려 힘이 듭니다. 고사양 컴퓨터도 여러 대의 4K 촬영본 앞에서 힘겨워하는 경우가 많죠. 유튜브 콘텐츠는 기본적으로 스마트폰으로 소비되는 콘텐츠이니만큼 장비에 너무 목숨 걸지 말길 바랍니다.

본인 채널이 영상미가 필요한 채널일 수도 있습니다. 특히 광고나 홍보영상의 경우는 화질이나 퀄리티가 중요하죠. 광고나 홍보영상은 반복적으로 송출되거나 뛰어난 이미지로 눈길을 사로잡아야 하기 때문입니다. 그렇기에 영상 촬영의 목적은 무엇이고, 내가 써야 하는 기능은 무엇인지에 맞게 장비를 준비해야 합니다.

요즘은 촬영 장비 중에 짐벌도 많이 이야기되는데, 꼭 짐벌이 필요한 것은 아니며 짐벌 대신 카메라를 안정적으로 촬영하면 유사한 효과를 낼 수 있습니다. 그리고 짐벌은 결코 가볍지 않습니다.

오히려 촬영 장비에 오디오를 간과하는데, 오디오가 정말 중요한 역할을 합니다. 오디오 녹음만 잘 되어도 영상의 퀄리티가 확 높아짐을 느낄 수 있죠. 일반적으로 촬영 장비들은 전자제품이기에 최신 제품이 확실히 성능이 좋기는 합니다만, 장비는 장비일 뿐입니다. 영상을 잘 기획하고 그에 맞는 최소한의 장비를 준비하세요. 무턱대고 구매하지 말고 렌탈샵에서 빌려 몇 번 사용해 보시고 자주 사용할 장비 같다는 판단이 들면 그때 구매해도 늦지 않습니다.

⑬ 콘텐츠 기획은 반보만 앞서 가면 된다

세상에 없었던 콘텐츠를 만들면 사람들이 알아줄까요? 물론 전 세계

유치원에 간 박재범 | ODG
조회수 176만회 · 8개월 전

적으로 유튜브를 하는 사람이 많으니, 열정을 잃지 않고 구독자에게 도움이 될 만한 가치 있는 콘텐츠를 꾸준히 업로드하면 분명히 불가능한 일은 아닐 것입니다. 하지만, 성공한 콘텐츠를 분석해 보면 세상에 없던 콘텐츠보다는 반보만 앞서 제작된 콘텐츠가 많았습니다. 이런 콘텐츠일수록 트렌드를 녹이거나, 세상 사람들이 관심이 많을 법한 소재를 다루는 경향이 많습니다.

〈ODG〉 채널의 경우, 그냥 상황 자체를 던집니다. '유치원에 박재범이 간다면?' 이런 식으로 말이죠. 고민해서 콘텐츠를 잘 기획하는 것도 중요하지만 평범하지 않은 상황을 만들어 거기서 일어나는 일 자체를 보여주는 것도 좋은 방법입니다. 아주 직관적인 구성이라 사람들은 해당 결과를 궁금해하고 이에 시청 지속 시간도 늘어나게 되는 것이죠.

유튜브 콘텐츠를 기획할 때 사람들이 궁금해하는 소재를 다루는 것이 일반적입니다. 그리고 채널에 유입되는 키워드를 분석해 이와 함께 조합을 찾아보는 방법도 있습니다. 의외의 키워드가 반복적으로 채널에 유입이 된다면, 왜 이 키워드로 내 채널에 들어왔는지 확인해 볼 필요가 있는 것이죠. 구독자들과 소통해서 어떤 콘텐츠를 만들지 직접 물어보는 방법도 있습니다. 커뮤니티 탭을 이용하면 더욱 쉽게 알 수 있고요.

유튜브 콘텐츠를 길게, 아주 좋은 퀄리티를 기대하면서 보는 사람은 적습니다. 그냥 킬링타임용으로 보는 경우가 많기에 수익이 목적이라면 쉽게 쉽게 만들어 올려도 됩니다. 엄청난 투자를 해서 만든 콘텐츠와 주위의 귀여운 고양이를 찍어 올리는 콘텐츠가 같은 조회수 1회를 기록한다는 점을 기억하세요. 물론 기업이나 공공 브랜딩이 관련된 채널이라면 다시 생각해 볼 필요가 있지만, 개인 채널이라면 좀 가볍게 만드는 것도 필요합니다. 그러기 위해 기획 단계에서 재미있는 상황으로 시청을 유도하는 방법도 유튜브에 최적화된 방법이라고 말할 수 있을 것 같습니다.

⑭ 완벽하지 않아도 된다

어떤 콘텐츠를 보면, '이런걸 왜 보지?' 하는 느낌이 들 때가 있습니다. 그냥 스마트폰으로 찍어서 자막도 없이 올리는데 조회수가 엄청나게 나오거든요. 동물 영상 같은 경우가 대표적인데 영상의 퀄리티도 별로고, 화면이 흔들리기도 하고, 소리가 잘 안 들리기도 합니다. 그런데도 인기가 많더군요.

인기 비결은 여러 가지겠지만, '구독자들이 원하는 콘텐츠이기 때문'이 가장 큰 이유일 것 같습니다. 동물을 가상으로 키우듯이 매일매일 화면 너머 구경하는 재미가 있으니까요. 만일 전문가가 이런 영상을 만들었다면 촬영된 많은 영상 중에 재미있는 것을 골라 스토리를 짜서 자막을 넣거나 더빙을 해서 만들었겠죠. 물론 이렇게 공들인 영상이 더욱더 사랑받을 확률이 크지만 궁극적으로 유튜브는 구독자들이 보고 싶은 영상, 구독자들이 기다리는 콘텐츠를 만들면 중간은 가는 것 같습니다.

완벽하지 않아도 됩니다. 완벽함에 대한 욕심은 일단 내려놓고, 구독자들이 기다리는 콘텐츠에 집중하기 바랍니다.

⑮ 구글 알고리즘의 원리는?

알고리즘에 관한 여러 이야기가 떠돌지만 어느 정도 업계에서 정리된 이야기는 다음과 같습니다.

구글 알고리즘은 사용자를 페르소나화 해서 저장합니다. 20대인지 30대인지, 어떤 영상을 주로 보는가에 따라 데이터베이스를 통해서 가상의 페르소나를 정하는 거죠. 그렇게 가정된 페르소나가 좋아할 만한 영상을 지속적으로 추천하고 해당 영상을 선택하는지 지켜봅니다. 만약 선택했다면 얼마나 시청을 지속하는지도 파악하죠. 그 외에도 '좋아요'를 누르거나, 댓글을 다는 행동 등을 파악하고 이에 가중치를 둬서 개인별로 알고리즘을 설정한다고 추측합니다.

⑯ 쇼츠의 알고리즘은 롱폼과 다르다

수익화에 관심 많은 유튜버들은 유튜브에서 쇼츠 노출 빈도를 높이면서 전략적으로 쇼츠를 만들어 내고 있습니다. 더구나 생성 AI 사용이 보편화되면서 이제는 찍어내듯이 쇼츠가 쏟아져 나오고 있기도 하죠. 그렇다면 쇼츠의 알고리즘은 무엇일까요? 그리고 그것은 어떤 점에서 롱폼과 다를까요?

얼마 전 유튜브 채널 〈크리에이터 인사이드〉에 유튜브 쇼츠 프로덕트 리드인 토드 셔머니가 출연해 유튜브 쇼츠에 관한 다양한 질문에 답했습니다. 해당 영상을 보면 평소 유튜브 채널을 운영할 때 느꼈던 궁금증에 대해, 특히 쇼츠 알고리즘에 대해 어느 정도 도움이 될 만한 이야기를 많이 했습니다.

다음은 해당 영상의 정리입니다. 설명을 위해 일부 의역했으니 정확한 내용이 궁금하면 직접 영상을 찾아보시기 바랍니다.

유튜브에서 쇼츠 프로덕트 리드로 근무 중인 토드 셔머니의 쇼츠 알고리즘에 관한 답변

1) 쇼츠 알고리즘은 롱폼 알고리즘과 같은가?

쇼츠와 롱폼의 알고리즘은 다르다. 롱폼의 경우 클릭률이 중요하지만, 쇼츠는 대부분 쇼츠 피드에서 시청되며, 클릭이 중요한 것이 아니다. 쇼츠의 경우 스와이핑이 중요하며 이로 인해 알고리즘의 차이가 발생한다.

2) 쇼츠 조회수로 간주 되는 것은 무엇인가?

업계 전반에 걸쳐 플랫폼마다 조회수를 다르게 계산한다. 예를 들면 일부 플랫폼에서는 뷰를 첫 번째 프레임으로 취급하기도 하니 피드를 넘기기만 해도 많은 조회수가 발생하게 된다. 하지만 유튜브 쇼츠는 피드를 넘기기만 하면 모든 동영상이 조회된 동영상으로 간주 되지 않는다. 유튜브는 시청자가 시청하려는 의도를 결정한 임계치를 쇼츠 유효 조회수로 간주한다. 이 말은 어떠한 내부 알고리즘에 의해서 어떤 값이 있는데, 그 값을 넘어야 조회수로 간주 된다는 말이다.

3) 쇼츠의 길이

쇼츠의 적절한 길이는 없다. 긴 짧은 바지라는 말이 이상하듯 최적의 시간은 없고, 각 콘텐츠에 맞는 길이로 만드는 것이 중요하다. 쇼츠 길이는 시청자들이 이탈하지 않는 선에서 최대한 길게 하는 것이 좋다. 이상적인 길이는 이야기를 전달하기 위한 길이다.

4) 섬네일과 해시태그 사용

쇼츠에서 섬네일과 해시태그 사용은 필수가 아니지만, 유용한 요소다. 최근에는 유튜브 앱을 통해 업로드 시 섬네일을 선택할 수 있는 기능이 추가되었다. 이 기능은 쇼츠 영상의 한 부분을 골라 섬네일로 사용할 수 있게 해준다. 유튜브에서 해시태그는 필수가 아니며, 검색어 키워드로도 활용되지 않는다. 하지만 콘텐츠 분류와 시청자들의 데이터 수집 방식에 도움이 될 수 있다.

5) 쇼츠의 적정 업로드 개수는?

성공을 보장하는 정해진 쇼츠의 개수는 없다. 관심을 끌려면 하루에 10개 정도 게시해야 한다고 생각하는 사람들이 있지만, 이를 규정하는 것은 매우 어렵다. 쇼츠를 업로드한 뒤 결과가 좋지 않으면 새로운 영상을 잘 만드는 것에 에너지를 집중해라.

6) 쇼츠에서 인기가 없는 콘텐츠는 삭제하는 것이 좋은가?

쇼츠가 만일 인기를 끌지 못하면 삭제한 다음 성공할 때까지 계속 다시 게시해야 한다는 이야기가 있지만, 그렇게 조언하지 않는다. 유튜브 시스템에서는 스팸으로 간주 될 위험이 있다. 만일 원하는 대로 되지 않았다면 거기서 배우고 앞으로 나아가고 다시 시도하라.

7) 쇼츠도 커뮤니티를 위한 콘텐츠다

일부 쇼츠는 눈길을 끌어 발견과 도달 범위에는 매우 좋지만 커뮤니티에는 그다지 좋지 않은 것처럼 보이는 경우가 있다. 쇼츠는 댓글로 소통하기 어렵기 때문에 답글을 사용해서 소통할 수 있는 기능을 제공하고 있다. 쇼츠를 통해 커뮤니티를 정말 흥미롭게 만들 수 있도록 노력하라. 시청자와 소통하고 싶은 매우 짧은 동영상을 만드는 제작자에게 기회가 될 것이다.

⑰ '구독, 좋아요, 알림 설정'을 외쳐라

"구독, 좋아요, 알림 설정해 주세요."

마지막엔 이 한마디를 외치세요. 맘에 들면 바로 반응이 옵니다. 하지만 지겹게 반복은 하지 마시길. 너무 많이 들어서 오히려 짜증을 유발할 수 있기 때문입니다. 이미 마지막까지 시청했다면 시청자들은 몰입해서 콘텐츠를 본 상태입니다. 이는 해당 콘텐츠가 시청자의 마음에 들었다는 신호이기도 합니다. 그러니 자신 있게 외치면 됩니다. 많은 시청자들이 실제로 구독을 눌러줄 것입니다.

생성 AI로 콘텐츠 만들기

요즘 유튜브에서 생성 AI의 활용은 대세가 아닌 기본이 되었습니다. 2024년은 AI가 없어지는 시대라고 합니다. AI가 없어진다는 것은, 모든 서비스에 AI가 적용되어 마치 공기처럼 겉으로 보이지 않는 시대라는 뜻이지요. 그만큼 미디어 운영에서 AI는 필수 불가결한 요소가 되었고, 이 책에 AI 챕터를 독립적으로 넣은 이유입니다.

지금도 시시각각 크고 작은 생성 AI가 나오고 있습니다. 생성 AI 춘추전국시대, 너무나 많은 생성 AI 가운데 초보 콘텐츠 크리에이터가 콘텐츠 제작에 쉽게 활용할 수 있는 대표 생성 AI들을 소개합니다.

1. 챗GPT

챗GPT는 OpenAI가 개발한 대화형 인공지능 챗봇으로, 주고받은 대화와 대화의 문맥을 기억할 수 있습니다. 따라서 보고서나 실제로 작동하는 컴퓨터 프로그래밍 코드 등 인간과 같은 논리적인 결과물을 만들어 내는 데 강력합니다.

특히 챗GPT는 문서 작성과 편집에 최적화된 결과를 내주어 유튜브 콘텐츠 제작 시 스크립트를 작성하거나, 사전 기획 아이디어를 생성하는 데 큰 역할을 하며 도움이 됩니다.

이제 실제로 챗GPT를 사용해 유튜브 스크립트를 만들어 보겠습니다.

너는 유튜브 스크립트를 쓰는 작가야 다음과 같이 유튜브 스크립트를 만들어줘: 영국 산업혁명 시대에서 실제로 있음직한 남녀 간의 사랑 이야기를 적어줘. 이 유튜브의 타깃은 20대 초반의 여성이며 힘든 과정을 겪고 사랑이 완성되면 좋겠어. 그리고 유튜브 제목과 설명을 뽑아줘.

ChatGPT [YouTube 스크립트: "Love Among the Looms"]

[소개]

- 안녕하세요, 여러분. 오늘은 영국 산업혁명 시대를 배경으로 한 로맨틱한 사랑 이야기를 들려드릴 거예요.
- 이 이야기는 20대 초반 여성 여러분에게 특별히 마련된 것으로, 사랑과 꿈, 그리고 도전에 관한 이야기입니다.

[이야기 시작]

- 이야기의 시작은 1840년대, 영국의 한 작은 공업 도시에서 시작됩니다.
- 주인공은 엘리자베스, 어린 시절부터 방직공장에서 일하며 가족을 돕는 강인한 여성입니다.
- 그녀의 삶은 단순하고 반복적이지만, 그녀는 항상 더 나은 미래를 꿈꿉니다.

[주인공 둘째 등장]

- 그리고 여기, 조지가 등장합니다. 조지는 새로운 기술을 도입하려는 젊은 발명가입니다.
- 처음에는 엘리자베스와 조지의 만남이 단순한 우연처럼 보입니다. 하지만 두 사람은 서로에게 강한 이상을 남깁니다.

[사랑의 발전]

- 엘리자베스와 조지는 서로 다른 계층에 속해 있지만, 공장에서의 일상적인 만남을 통해 서서히 가까워집니다.
- 그들은 서로의 꿈과 희망을 공유하며, 불가능해 보이는 사랑에 빠지게 됩니다.

[갈등과 시련]

- 하지만, 이들의 사랑은 많은 시련에 직면합니다. 엘리자베스의 가족, 사회적 편견, 그리고 조지의 야망 사이에서 갈등이 발생합니다.
- 엘리자베스는 사랑과 가족, 그녀의 꿈 사이에서 선택해야 하는 어려운 상황에 놓입니다.

[사랑의 완성]

- 결국, 이들은 서로에 대한 깊은 사랑과 믿음으로 모든 장애물을 극복합니다.
- 그들의 사랑은 단순히 두 사람의 연결을 넘어, 주변 사람들에게도 영감을 주며, 그들의 세계를 변화시킵니다.

[결론]

- 엘리자베스와 조지의 이야기는 우리에게 사랑, 용기, 그리고 변화의 중요성을 가르쳐 줍니다.
- 여러분, 사랑은 때때로 예상치 못한 곳에서 발견됩니다. 그리고 그 사랑이 우리를 어디로 인도할지는 아무도 모릅니다.

[마무리]

- 이야기가 여러분에게 마음에 드셨다면, 좋아요를 눌러주세요.

- 더 많은 이야기를 듣고 싶다면, 구독 버튼을 눌러 이 채널을 팔로우해주세요.
- 다음 비디오에서 또 만나요!

챗GPT의 장점은 결과물을 바탕으로 발전시켜 더욱 좋은 결과물을 만들어 낼 수 있다는 것입니다. 이번엔 결과물을 3분 정도의 길이로 붙여서 만들어달라고 요구해 보겠습니다.

PROMPT 3분 정도의 길이로 다시 만들어 줘

ChatGPT 1840년대 영국, 산업혁명이 한창인 시대. 방직공장에서 일하는 강인하고 독립적인 엘리자베스는 자신과 가족의 삶을 개선하기 위해 노력합니다. 그녀의 일상은 반복적이고 힘겨운 하루하루로 이루어져 있지만, 그녀의 눈에는 여전히 꿈과 희망이 빛납니다. 이러한 그녀의 삶에 변화가 찾아오게 되는데, 그 시작은 공장에 새로 부임한 젊은 발명가 조지의 등장입니다. 조지는 새로운 기술과 아이디어로 공장의 효율을 높이려 하지만, 전통적인 방식에 익숙한 노동자들 사이에서는 이질적인 존재입니다.

엘리자베스와 조지의 첫 만남은 우연이었지만, 두 사람 사이에는 서로를 향한 호기심과 끌림이 존재합니다. 엘리자베스는 조지의 혁신적인 사고에 매료되고, 조지는 엘리자베스의 강인함과 그녀의 삶에 대한 열정에 감탄합니다. 그들은 서로 다른 배경과 계층에도 불구하고, 공통된 꿈과 희망을 공유하며 서서히 가까워집니다.

하지만 이들의 관계는 사회적 편견과 가족의 반대에 부딪힙니다. 엘리자베스의 가족은 그녀가 더 안정적이고 전통적인 삶을 선택하기를 바라며, 조지의 야망은 그를 끊임없는 도전과 위험 속으로 이끕니다. 그럼에도 불구하고, 이들은 서로에 대한 깊은 사랑과 믿음을 바탕으로 이 모든 어려움을 극복합니다. 엘리자베스와 조지의 사랑은 단순한 감정을 넘어서, 그들을 둘러싼 세계에 변화의 바람을 일으키며, 그들의 이야기는 우리에게 사랑, 용기, 그리고 변화의 가능성을 보여줍니다.

전체적인 줄거리는 그럴듯하지만, 잘 읽어보면 사실 특별한 내용이 없는 일반적인 구성입니다. 특히 스토리에는 공감의 포인트가 필요한데 첫 만남이 우연이라고 말해 적극적인 공감을 얻어내기 어렵습니다.

이번에는 '두 사람이 우연히 부딪히면서 첫 만남이 시작되었으면 좋겠다'고 명령하고, 또 조지에게 '밤늦게 까지 일하는 캐릭터'를 부여해서 다시 글을 작성해 달라고 해보겠습니다.

PROMPT 첫 만남은 조지가 엘리자베스와 부딪쳐서 서로 호감을 가지게 해줘. 또 엘리자베스는 조지의 밤늦게까지 문제를 해결하려는 노력에 반한 것으로 고쳐줘.

ChatGPT 1840년대 영국, 산업혁명이 한창인 시대. 엘리자베스는 방직공장에서 근무하는 강인하고 독립적인 여성입니다. 그녀의 일상은 힘들고 반복적이지만, 더 나은 미래를 향한 꿈과 희망을 잃지 않습니다. 이러한 그녀의 삶에 변화가 찾아오는 계기는 공장에 새로 부임한 젊은 발명가 조지와의 우연한 충돌에서 시작됩니다. 하루의 끝에 서둘러 공장을 떠나던 엘리자베스는 조지와 부딪치고, 이 사소한 사건은 두 사람 사이에 예기치 못한 호감을 불러일으킵니다.

엘리자베스는 조지의 열정과 그가 공장의 기계를 개선하고자 하는 끊임없는 노력에 매료됩니다. 특히 조지가 밤 늦게까지 문제를 해결하기 위해 고군분투하는 모습을 목격하고, 그의 헌신과 진지함에 깊은 인상을 받습니다. 조지 역시 엘리자베스의 강인함과 그녀가 가진 꿈에 대한 열정에 끌리게 되며, 두 사람은 공통된 가치와 이상을 공유하며 점차 가까워집니다.

그러나 이들의 사랑은 사회적 편견과 가족의 반대에 직면합니다. 엘리자베스의 가족은 전통적이고 안정적인 삶을 바라며, 조지의 야망은 그를 끊임없는 도전과 위험 속으로 이끕니다. 그럼에도 불구하고, 그들은 서로에 대한 깊은 사랑과 믿음을 바탕으로 이 모든 어려움을 극복합니다. 엘리자베스와 조지의 사랑은 단순한 감정을 넘어서, 그들을 둘러싼 세계에 변화의 바람을 일으키며, 그들의 이야기는 우리에게 사랑, 용기, 그리고 변화의 가능성을 보여줍니다.

이 결과물을 영어로 번역해 보겠습니다.

PROMPT 마지막 스크립트를 유튜브 스크립트로 쓸 수 있게 영어로 번역해 줘.

ChatGPT In the 1840s in England, during the height of the Industrial Revolution, Elizabeth, a strong and independent woman, works in a textile factory. Her days are tough and monotonous, but she never loses sight of her dreams and hopes fora better future. A change in her life begins with an accidental encounter with George, a young inventor newly appointed to the factory. As Elizabeth hurriedly leaves the factory at the end of the day, she bumps into George, sparking an unexpected mutual attraction.

Elizabeth is captivated by George's passion and his relentless efforts to improve the factory's machinery. She is particularly impressed by his dedication and seriousness, as she witnesses him working tirelessly late into the night to solve problems. Similarly, George is drawn to Elizabeth's resilience and her passionate dreams. The two gradually grow closer, sharing common values and ideals.

However, their love faces opposition from social prejudices and family objections. Elizabeth's family hopes for a traditional and stable life for her. while George's ambitions lead him into continuous challenges and risks. Despite these obstacles, they overcome them with deep love and trust in each other. The love story of Elizabeth and George transcends mere emotions, bringing a wind of change to their world. Their tale teaches us about love, courage, and the possibilities of change.

이번에는 결과물을 '6세를 위한 영어 동화용 유튜브 스크립트'로 활용하기 위해서 수정해 보았습니다.

이 스크립트를 가지고 영어 동화를 만들 거야. 대상은 6세 어린이야. 쉬운 동화 유튜브 스크립트로 다시 써줘.

ChatGPT Title: "Elizabeth and George's Adventure"

[Introduction]

- Hi, little friends! Today, we're going to tell a magical story about Elizabeth and George in a big, busy town many years ago. Are you ready to go on an adventure? Let's begin!

[The Story Begins]

- Once upon a time, in a large town filled with clattering machines and busy people, there was a kind girl named Elizabeth. She worked in a big building where they made cloth. and she was very good at her job.
- Elizabeth had a big dream. She wanted to make the world a prettier place with beautiful clothes. Every day, she worked hard, always with a smile.

[A New Friend Arrives]

- One sunny day, a new person came to the town. His name was George, and he was an inventor. George had big glasses and a notebook full of drawings.
- Elizabeth and George met in a funny wav! While walking, they both reached for the same pretty flower. Oops! They bumped heads and laughed.

[A Special Friendship]

- Elizabeth showed George around the big building with all the machines. George showed Elizabeth his notebook with many clever ideas.
- They both loved making things better. Elizabeth loved George's ideas, and George loved Elizabeth's bright smile.

[A Challenge]

- But oh no! One day, the big machine stopped working. Everyone was worried. What could they do?
- Elizabeth and George thought hard. They worked together, using George's clever ideas and Elizabeth's knowledge about the machine.

[Happiness Returns]

- Hooray! They fixed the machine. Everyone in the town was so happy and grateful. Elizabeth and George were heroes!
- From that day, Elizabeth and George were the best of friends. They kept making the town a better place, one smile and one idea at a time.

[Conclusion]

- So, little friends, that's the story of Elizabeth and George. They showed us that with hard work, good ideas, and friendship, you can do anything!
- If you liked our story, give us a big thumbs up and don't forget to subscribe for more adventures. Bye-bye!

챗GPT에게서 결과물을 잘 뽑아내는 방법은 무엇일까요? 정답은 상황을 구체적으로 질문하는 것입니다. 구체적으로 질문을 할수록 나의 의견을 반영한 스크립트가 나옵니다. 앞에서 '두 사람이 우연히 부딪히면서 만남이 시작되었으면 좋겠다'라고 구체적으로 제시했더니 프롬프트를 반영해 더욱 공감되는 이야기가 나왔습니다.

다만 새롭게 바꾼 스크립트가 좋기만 한 것은 아닙니다. 그때는 다시 원점으로 돌아가 수정할 부분을 지정하고, 구체적인 명령을 반복하면서 좋은 결과를 만들어 내면 되지요.

하지만 이렇게 편리한 챗GPT도 만능이 아닙니다. 특히 거짓을 마치 사실처럼 이야기하는 경우가 있는데, 이를 전문 용어로 할루시네이션이라고 합니다. 그러므로 챗GPT를 사용해서 근거가 필요한 자료 조사나 최종 정리를 할 때는 반드시 사람이 검토 후 마무리 지어야 합니다.

2. 미드저니(Midjourney)

이미지를 생성하는 AI 서비스는 매우 다양하고 사용자마다 각 서비스에 대한 호불호도 갈립니다. 더구나 서비스가 새롭게 업그레이드될 때마다 실시간으로 기능도 너무나 달라지고 퍼포먼스도 크게 변하고 있어 이미지 생성 AI서비스엔 무엇이 가장 좋다고 단정해 말하기가 어렵습니다. 그래도 가장 보편적으로 많이 사용되는 이미지 생성 AI를 하나 고르라면 미드저니(Midjourney)를 들 수 있습니다.

미드저니는 입력한 텍스트를 자동으로 시각화하여 그림으로 나타내주는 온라인 AI 도구입니다. 미술을 전혀 몰라도, 시각적으로 뛰어난 이미지를 자동으로 만들어 낼 수 있지요.

미드저니는 웹사이트를 통해서 구동하기 때문에 작업 컴퓨터 사양에 영향을 받지 않습니다. 또 다른 유명 이미지 생성 AI이자 개인

미드저니로 만든 제이슨 앨런(Jason Allen)의 'Theatre D'opera Spatial'

컴퓨터에 설치해서 사용해야 하는 〈스테이블 디퓨전〉과 달라, 저사양의 컴퓨터로도 작업할 수 있어 사용자가 더 많습니다.

또한 사용자가 입력하는 프롬프트 기반으로 새로운 형태의 이미지를 만들어 내는데 텍스트가 일상 언어에 가까워도 잘 이해하는 편입니다. 다만 현재 일정량 무료 사용 후, 유료로 전환해야 합니다.

미드저니의 프롬프트 입력방식은 어렵지 않습니다. 대화창에 커서를 두고 '/imagine'을 입력하고 Tab 버튼을 누르면 프롬프트를 작성할 수 있는 상태가 되지요. 슬래시(/)만 입력해도 쓸 수 있는 명령이 자동으로 추천되니 모든 프롬프트를 타이핑 할 필요가 없습니다.

이미지를 만드는 명령어는 '/imagine'입니다. '/imagine prompt' 뒤에 만들고자 하는 이미지의 설명을 입력하면 됩니다. 만일 한국 아이돌을 만들고 싶다면 '/imagine prompt a Korean idol'이라고 타이핑하면 되지요. 고민하지 말고 지금 바로 시도해 보세요. 미드저니는 어렵지 않고 내 컴퓨터가 고장 나거나 잘못되지도 않습니다. 그럼 바로 이미지 생성법을 알아보도록 하겠습니다.

1) 명령어

미드저니 명령어의 종류는 많고 다양하지만 전부 기억할 필요는 없습니다. 꼭 기억해야 할 것은 아래 정도의 명령어 정도면 됩니다.

핵심 미드저니 명령어 종류와 기능	
명령어	**기능**
/help	미드저니의 정보들을 정리해 줌. 클릭만으로도 내용을 알 수 있어 초보자에게 유용함.
/show	작업할 때 생성한 이미지의 job ID를 입력해 과거에 생성한 이미지를 불러옴. job ID와 seed를 알면 추후 작업을 이어서 하기 편리함.
/imagine	가장 기본이 되는 프롬프트. 프롬프트를 입력해서 이미지를 생성함.
/blend	2~5개의 이미지를 합성해 줌. 텍스트 프롬프트와 같이 사용할 수 없음.
/settings	자주 사용되는 파라미터와 명령어를 마우스로 쉽게 전환
/prefer remix	리믹스 모드를 켜고 끔. 리믹스 모드는 한번 생성한 이미지 프롬프트를 다시 불러 수정 후 새작업 진행.
/info	사용자 계정에 대한 정보를 알려줌.

2) 프롬프트 구성

미드저니는 프롬프트를 구성할 때 몇 가지 법칙이 있습니다. 물론 자연어로 써도 인식은 하지만 가끔 전혀 다른 그림이 나오곤 하지요. 이 때 미드저니의 프롬프트 구성을 알면 원하는 그림에 대한 프롬프트 작성을 하기 편합니다.

미드저니에서 이미지 명령어의 프롬프트는 인식의 순서가 있습니다. 순서대로 이미지 프롬프트, 텍스트 프롬프트, 특정 파라메타값입니다.

① 이미지 프롬프트

미드저니에 '입체적으로 토끼를 그려줘!'라고 프롬프트를 써서 보낸다고 해도 '입체적'이라는 말 자체가 매우 주관적이라 원하는 결괏값을 얻기 힘들 것입니다.

이때 레퍼런스를 올려두면 미드저니는 이와 유사한 화풍으로 이미지를 만들어 줍니다. 미드저니는 웹주소를 인식할 수 있어서 주소를 긁어서 붙이기만 하면 됩니다.

② 텍스트 프롬프트

두 번째로 들어가는 텍스트 프롬프트는 자연어로 써도 이해는 합니다. 특히 미드저니는 단순하고 짧은 프롬프트 문장에 잘 반응하죠. 하나의 단어만 써도 됩니다. 하지만 너무 짧은 프롬프트는 미드저니의 기본 스타일에 의존할 수밖에 없어서 특정한 모습을 연출하기 위해서는 더 자세한 프롬프트가 필요합니다.

단, 프롬프트를 아무리 자세히 적어도 잘 안 나올 수도 있습니다. 이때는 프롬프트를 수정해 가면서 원하는 그림을 얻어야 하죠. 이하는 미드저니에서 예를 들어준 텍스트 프롬프트입니다.

- Subject: person, animal, character, location, object, etc.
- Medium: photo, painting, illustration, sculpture, doodle. tapestry, etc.
- Environment: indoors, outdoors, on the moon, in Narnia, underwater, the Emerald City, etc.
- Lighting: soft, ambient, overcast, neon, studio lights, etc.
- Color: vibrant, muted, bright, monochromatic, colorful, black and white, pastel, etc.
- Mood: Sedate, calm, raucous, energetic, etc.
- Composition: Portrait, headshot, closeup, birds-eye view, etc.

③ 파라메타

파라메타는 매개변수라는 뜻인데, 이는 이미지 생성 방법을 변경하는 옵션입니다. 예를 들어 이미지의 종횡비를 변경하거나, 품질을 전환하거나, 묘사 등을 변경하는 것을 말하지요. 자주 쓰는 파라메타는 아래와 같습니다.

이렇게 값을 잘 조절해 좋은 이미지를 얻었는데 그림 중 일부만 바꾸고 싶을 때도 방법이 있습니다. 바로 인페인트(inpaint)라는 기능으로 이를 이용하면 이미지의 특정 부분만 선택하여 바꿀 수 있습니다.

인페인팅의 반대 기능은 아웃페인팅인데 이는 생성한 그림 바깥쪽으로 그림을 확대해 줍니다.

미드저니 주요 파라메타	
파라메타	**기능**
--aspect, --ar	종횡비를 변경.
--chaos <number 0-100>	예상치 못한 결과를 유도. 값이 클수록 더 이상하고 예상치 못한 이미지가 생성.
--no Negative prompting	부정 프롬프팅. no 뒤에 나오는 단어를 무시.
--quality, --q	이미지의 품질설정. 값이 클수록 높은 이미지 생성하나 시간을 더 많이 사용함.
--stylize, --s	값이 클수록 더 아름답고 복잡하게 묘사됨

원본 이미지

원본 이미지 목 이하 부분의 인페인팅

원본 이미지에 아웃페인팅 기능 적용

이렇게 생성된 이미지를 이용해서 자신의 유튜브 채널이나 콘텐츠에 사용하는 경우가 많아지는 추세입니다. 특히 정지된 이미지를 조금씩 움직이거나 레이어를 분리해 움직이는 영상도 많이 등장하고 있습니다.

3. 파이어플라이(Firefly)

파이어플라이는 어도비(ADOBE)사가 선보인 이미지 생성 AI 모델로, 어도비 파이어플라이 웹사이트에서 이용할 수 있습니다.

파이어플라이는 미드저니나 달리, 스테이블디퓨젼처럼 이미지를 생성하는 AI지만, 디자이너들은 파이어플라이에 큰 기대를 보이고 있습니다. 이유는 업계를 선도하는 어도비사에서 제작된 생성 AI이고 같은 회사의 포토샵, 일러스트레이터, 익스프레스 등의 프로그램에서도 내장돼 사용 가능하기 때문입니다.

다른 그림 인공지능들과 다르게 오직 어도비 스톡이나 다른 퍼블릭 도메인 등의 작품들로만 학습해 결이 다른 결과물을 보여주고 있습니다.

특히 포토샵의 '생성형 채우기'와 '생성형 확장'은 디자이너들의

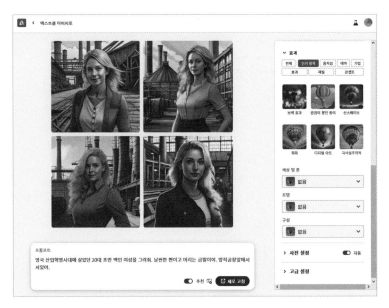

프롬프트를 자연어로 입력해 이미지를 만들 수 있다

큰 환영을 받고 있습니다. 일러스트레이터 역시 파이어 플라이의 기술력이 접목돼 '생성형 재색상화', '텍스트를 벡터 그래픽으로'라는 기능이 추가되었습니다.

'생성형 채우기' 기능은 이미지에서 영역을 선택한 후 간단한 프롬프트 단어 입력을 통해 새로운 개체를 만들어 내거나, 반대로 지울 수 있습니다. '생성형 확장' 기능은 별도의 번거로운 설정이나 작업 없이도 아무리 작은 이미지라도 기존 이미지와 자연스럽게 어울리는 거대한 이미지로 확장할 수 있습니다.

이런 생성형 채우기 기능은 유튜브 영상 제작에도 큰 힘을 발휘합니다. 인기 예능 프로그램 '유 퀴즈 온 더 블럭'을 보면 제목이나 자막을 넣기 위해 멀리서 촬영된 익스트림 롱샷을 많이 사용하는데, '생성형 채우기' 기능을 활용하면 유튜브 영상에서도 자막을 넣기 위한 익스트림 롱샷을 쉽게 만들 수 있습니다.

유튜버 '편집하는 여자'는 자신의 콘텐츠 '배경을 만들어주는 AI? Generative Fill로 영상의 배경을 확장해보자! [편집하는여자] 프리미어프로+포토샵'에서 프리미어프로와 포토샵을 이용해 FHD사이즈의 영상을 4K 해상도로 확장하는 방법을 설명했습니다. 촬영되지 않은 공간을 AI로 만들어 익스트림 롱샷을 임의로 만든 것이지요.

또한 어도비사의 AI는 이미지 생성뿐만 아니라 동영상 편집에도 큰 편의를 제공해주고 있습니다. 영상 편집 프로그램 프리미어프로는 AI 기능을 추가해 음성을 인식해 대본을 자동으로 생성해 자막을 손쉽게 만들 수 있게 해주었고, 플러그인 형태로 제공되는 오토팟(AutoPod)은 대화가 없는 부분을 자동으로 인식해 일괄 삭제를 하는 등의 자동 편집 기능이 있어 사용자의 편의를 높여줍니다.

어도비 일러스트레이터의 '텍스트를 벡터 그래픽으로'를 이용하면 글자만 입력해도 아이콘, 피사체, 패턴 등의 벡터 일러스트를 쉽게 만들 수 있습니다. 이때 생성된 이미지는 레이어별로 나누어져 편집이나 확대 축소가 쉬워 아주 세밀한 디자인이 가능해집니다.

물론 어도비사의 AI 역시 완벽하진 않습니다. 하지만 지금껏 오직 인간의 전유물이었던 이미지나 영상의 생성이나 편집에 있어 큰 도움을 받을 수 있다는 것이 사실이지요.

그리고 어도비사의 AI가 더욱 주목받으며 사용자들의 선택을 받

포토샵의 '생성형 채우기' 기능

'편집하는 여자'가 AI로 만든 익스트림 롱샷

는 이유가 한 가지 더 있습니다. 기존의 이미지 생성 AI는 인터넷에서 저작권이 불분명한 이미지까지 무작위로 학습해 이미지를 생성하기 때문에 저작권 침해 위험성을 가지고 있다는 치명적인 단점이 존재했습니다. 하지만 파이어플라이는 어도비 스톡이나 공공 도메인 등의 이미지만 사용해 학습을 진행했기 때문에 이를 이용해 이미지나 각종 디자인 작업물을 만들어도 저작권 걱정을 하지 않아도 되기 때문이죠.

4. 스테이블 디퓨전(Stable Diffusion)

스테이블 디퓨전은 Stability AI에서 2022년 8월에 공개한 Text-to-Image AI Model입니다. 오픈소스로 공개되어 누구나 무료로 사용이 가능합니다.

스테이블 디퓨전은 4GB 이하의 VRAM(비디오램)을 가진 컴퓨터처럼 비교적 사양이 낮은 컴퓨터에서도 실행할 수 있어 개인 컴퓨터에서도 이미지를 생성할 수 있습니다. 다만 사양에 따라 이미지를 생성하는 데 소비되는 시간이 다르다 보니, 아무래도 개인 컴퓨터에서 스테이블 디퓨전을 작동시키려면 좋은 사양의 컴퓨터가 있으면 더 빠르고 편리하게 이용할 수 있습니다.

수많은 이미지 생성 AI들 중 스테이블 디퓨전을 언급하는 이유는 몇 가지가 있습니다. 우선 오픈소스라서 이를 기반으로 개발된 AI 이

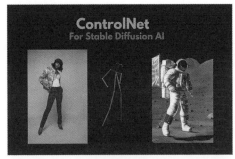

컨트롤 넷을 사용하면 포즈까지
정할 수 있다.
출처: 미디움 (https://medium.
com/@techlatest.net/stable-
diffusion-and-control-net-a-
beginners-guide-9efefe2790f)

출처: Stable Diffusion Thailand

미지 서비스들이 많고, 또 대중적이라 점차 편리하고 좋은 서비스가 지금도 개발되고 있다는 점입니다.

또한 현재까지 나온 AI들 중에서도 아주 뛰어난 결과물을 생성하고 있다는 점입니다. 사실적인 이미지로 전문가들의 호평을 받고 있으며, 특히 컨트롤넷 같은 보조모델을 이용하면 포즈까지 지정할 수 있어 실제 사람이라고 착각할 정도의 고해상도 이미지를 만들 수 있습니다.

다만 단점도 존재합니다. 우선 개인 컴퓨터에 설치하는 과정이 조금 복잡하며, 기기별로 작동이 잘 안되는 사항이 있으며 컴퓨터 사양에 따라 이미지 생성 시간의 차이가 크다는 것이죠.

2023년 11월에는 스테이블 디퓨전의 개발회사인 Stability AI가 비디오를 생성하는 첫 파운데이션 모델, '스테이블 비디오 디퓨전(SVD)'을 프리뷰 형식으로 공개했습니다. 초당 3~30프레임 사이의 속도로 14프레임과 25프레임을 생성할 수 있는 두 가지 모델로 개발되었는데, 비슷한 서비스를 제공하는 'Runway'나 'Pika Labs'의 AI 모델보다 더 뛰어난 성능을 보이는 것으로 나타났습니다.

아직 텍스트를 통한 생성이나 움직임 제어는 불가능하고, 일반 사용자들에게 공개되지 않아 연구 목적을 위해서만 제공되고 있습니다. 그럼에도 불구하고 생성 AI관련 분야의 전문가들은 스테이블 비디오 디퓨전이 나온다면 시장에 엄청난 파급효과를 불러일으킬 것으로 전망하고 있습니다.

5. 그 외 영상 제작에 도움이 되는 AI들

아직까지 직접적으로 영상 제작에 큰 도움이 되는 생성 AI, 예를 들면 입력만 하면 상품성이 있을 정도로 아주 뛰어난 결과물을 만들어 내는 AI는 없습니다. 하지만 각자의 분야에서 강점을 가지고 있고, 이를 잘 활용하면 영상 제작에 소소한 도움을 받을 수 있습니다.

브루(Vrew)
대한민국의 스타트업 보이저엑스에서 개발한 영상 편집 프로그램으로 시간 기반의 일반적인 영상 편집기와는 다르게 문서를 편집하듯이 영상을 만들 수 있습니다.

브루의 장점은 음성인식 기능이 있어 자동으로 자막을 생성하고 영상에 입힐 수 있으며, 동영상을 출력하거나 캡션만 따로 출력이 가

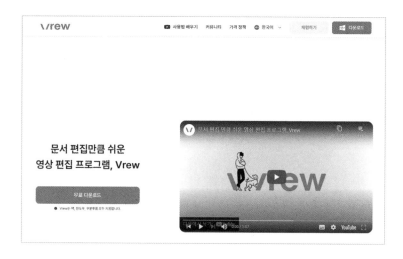

능하다는 것입니다. 간단한 편집 작업에 매우 유용합니다.

뤼튼(Wrtn)

뤼튼은 챗GPT의 한국형 버전으로 생각하면 편합니다. 챗GPT가 부자연스러운 번역문 같은 어투라면, 뤼튼은 한국어 검색 결과가 상대

적으로 훨씬 자연스럽게 나옵니다. 또한 채팅창에서 텍스트 답변 이외에 이미지까지도 만들 수 있습니다.

현재 뤼튼 플랫폼 안에서 오픈AI의 GPT-4, 구글의 팜2 같은 전 세계 거대언어모델(LLM)을 무제한 무료로 쓸 수 있어 논리적인 추론을 잘하는 AI, 이미지를 만들어 주는 AI 등 각 분야 적재적소에 쓸 수 있는 서비스를 뤼튼 하나로 이용할 수 있습니다.

망고보드

망고보드는 다양한 디자인 템플릿과 이미지, 폰트 등을 사용할 수 있는 국내 최초 디자인 플랫폼입니다. '누구나 디자이너가 된다'라는 슬로건을 내세우며 디자이너가 아닌 일반인들에게도 디자인 생산자로 참여할 수 있는 길을 열어 주었죠. 현재 수많은 기관과 일반인들이 사용하고 있습니다.

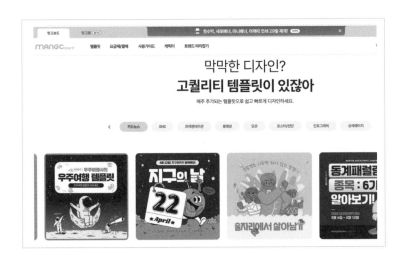

가입하면 별도의 프로그램 설치 없이 '클릭, 드래그&드롭' 방식으로 템플릿을 이용해 누구나 손쉽게 사용할 수 있습니다. 카드뉴스용 소스나 프리젠테이션은 물론, 유튜브 섬네일이나 채널 아트조차 템플릿화가 되어 있어 매우 유용하죠. 게다가 템플릿화된 동영상을 만들거나 AI 이미지까지 만들 수 있는 기능을 제공하고 있습니다.

캡컷

캡컷은 틱톡으로 유명한 바이트댄스에서 만든 AI기반의 영상 편집기입니다. 앱 버전과 PC 버전이 있는데 스마트폰으로 촬영한 영상이나 온라인 콘텐츠로 숏츠 영상 제작에 매우 적합한 도구입니다.

특히 자동으로 자막을 완성해 주거나 텍스트를 음성으로 전환하는 기능이 내장되어 있어 작업의 효율성을 높여줍니다. 또한 크로마키 작업 없이도 이미지나 동영상의 배경을 제거해 주는 기능이 있으며, 다양한 효과와 템플릿, 영상 라이브러리, 오디오, 효과음 등의 추가 리소스도 무료로 제공해 줍니다.

콘텐츠 분야에 생성 AI의 기술이 많이 파고들고 있지만, 아직 상업적인 결과물을 만들어 내기엔 한계가 있습니다. 그러나 한 가지 분명한 것은 기술이 있는 사람이 생성 AI라는 도구를 활용하면 더 높은 생산성을 보일 수 있다는 것이죠.

생성 AI의 편리한 기술로 인해 유튜브 콘텐츠 시장에서 경쟁은 더욱 치열해질 것입니다. 여기서 승자는 소비자들의 선택을 받는 콘텐츠가 될 것이고, 단순하고 무한히 반복되는 기능적인 콘텐츠는 선택받기 힘들 것입니다. 지속적인 콘텐츠 생성을 위해서 AI의 도움을 받는 것은 좋지만, 자신만의 해석과 인사이트로 콘텐츠를 만들어 가야 합니다.

2024년이 되자 국내외를 막론하고 유명한 대형 유튜버들의 은퇴 현상을 목격하고 있습니다. 이 현상은 유튜브에서의 성공이 예전만큼 쉽지 않음을 시사합니다. 많은 구독자를 보유한 이들조차 번아웃을 겪고 은퇴를 선언하는 것은 유튜브 콘텐츠 제작의 어려움과 정신적 부담을 반영합니다. 이는 유튜브가 지난 10년 동안 최고의 플랫폼으로 자리 잡으며 겪는 경쟁의 치열함을 단적으로 보여 줍니다. 그러나 은퇴 후에도 다시 복귀하는 유튜버들이 많은 것 또한 유튜브를 통한 수익과 팬과의 깊은 유대감이 여전히 중요하다는 것을 의미합니다.

유튜브를 단순한 돈벌이 수단으로만 여겨서는 안 됩니다. 유튜브는 강력한 커뮤니케이션 도구이며, 브랜딩과 커뮤니티 구축의 중심이 될 수 있습니다. 창작의 즐거움을 찾고 체계적인 계획을 세워 나가는 것이 중요합니다. 그렇게 하나씩 쌓아나간다면 유튜브의 성공은 자연스럽게 따라올 것이라 믿습니다.

이 책을 쓰면서 가장 힘들었던 점은 계속 달라지는 유튜브 트렌드의 변화를 파악하는 것이었습니다. 유튜브 영향력이 매년 커지고 거기에 더해 가속화된 미디어환경 변화, 그리고 매일 업그레이드되는 생성 AI까지. 지금도 계속 발전하며 변화하는 상황으로 인해 끊임없이 공부하고 반복적으로 글을 갱신하는 힘든 과정이 있었습니다. 그래서 독자들에게 단순히 유튜브의 기능을 소개하는 것이 아니라 유튜브를 중심으로 한 미디어환경 변화의 맥락을 알리고 어떻게 기획과 제작 운영을 하며 시청자들과 소통할 것인지 큰 방향에서 작성하려 노력했습니다.

저는 어려서부터 작곡과 TV 시청을 좋아하던 아이였고, 지금은 콘텐츠를 만들고 공부하는 과정 속에서 여전히 즐거움을 느끼고 있습니다. 책을 쓰면서 힘든 시간도 있었지만 유튜브를 중심으로 미디어들의 현황을 정리하면서 스스로 공부하는 즐거운 시간이 더 많았습니다.

여기까지 올 수 있도록 도움을 주셨던 많은 분들이 생각납니다. 이 책이 나올 기회를 주신 이은북의 황윤정 대표님, 저에게 학문의 길을 시작하게 도와주신 경희대학교 이인희 교수님, 업계 선배님이자 깊은 가르침을 주시는 한양대학교 김치호 교수님, 제게 학자로서의 자세와 인생의 선배로서 물심양면 도와주셨던 미국 볼 주립 대학교 (Ball State University)의 Michael Lee 교수님께 특별한 감사의 마음을 전합니다. 늘 믿고 응원해 주시는 양가 부모님과 아내. 아빠에게 유튜브 책 언제 나오냐며 독촉했었던 아들 민수에게도 감사의 마음을 표합니다. 그리고 이 책을 구입해서 끝까지 읽어주신 독자분들께 진심으로 고마운 마음을 전합니다. 감사합니다.

세계의 연결자, 최고의 미디어가 된 빅테크 플랫폼

유튜브 백과

초판 1쇄 발행   2024년 2월 25일
초판 3쇄 발행   2024년 10월 21일

지은이	김남훈
펴낸이	황윤정
펴낸곳	이은북
출판등록	2015년 12월 14일 제2015-000363호
주소	서울 마포구 동교로12안길 16, 삼성빌딩B 4층
전화	02-338-1201
팩스	02-338-1401
이메일	book@eeuncontents.com
홈페이지	www.eeuncontents.com
인스타그램	@eeunbook

책임편집	하준현
디자인	이미경
제작영업	황세정
마케팅	이은콘텐츠
인쇄	스크린그래픽

ⓒ 김남훈, 2024

ISBN 979-11-91053-35-7 (13500)